Lilly Nielitz-Hart
Simon Hart

101 London

Geheimtipps und Top-Ziele

IWANOWSKI'S REISEBUCHVERLAG

www.iwanowski.de
Aktuelle Infos zu allen Titeln,
interessante Links – und vieles mehr!

Schreiben Sie uns, wenn sich etwas
verändert hat. Wir sind bei der Aktualisierung
unserer Bücher auf Ihre Mithilfe angewiesen:
info@iwanowski.de

Hinweis:
Die im Buch in eckigen
Klammern aufgeführten
Angaben (z.B. [E5])
bezeichnen das jeweilige
Planquadrat auf dem
beiliegenden Stadtplan.

101 London – Geheimtipps und Top-Ziele
2. Auflage 2014

Salm-Reifferscheidt-Allee 37 • 41540 Dormagen
Telefon 0 21 33/26 03 11 • Fax 0 21 33/26 03 33
info@iwanowski.de
www.iwanowski.de

Titelfoto: Bernd Jonkmanns / laif
Alle anderen Farbabbildungen: siehe Bildnachweis Seite 5
Lektorat und Layout: Stefan Blank, www.stefanblank.com
Umschlagkarten: Kartografie + Grafik Klaus-Peter Lawall, Unterensingen
Titelgestaltung: Point of Media, www.pom-online.de
Redaktionelles Copyright, Konzeption und deren ständige Überarbeitung: Michael Iwanowski

Gesamtherstellung: Werbedruck GmbH Horst Schreckhase, Spangenberg
Printed in Germany

ISBN: 978-3-86197-101-6

Inhaltsverzeichnis

Abbildungsverzeichnis

Alle Abbildungen stammen von den Autoren, außer
© Bernd Jonkmanns/laif: Titel
© Andreas Mann, www.andreasmann.net: S. 10, 12, 54, 123, 141, 162, 184, 193
© Stefan Blank: S. 33, 38, 82, 95, 146, 156, 170, 180
© Dickens House Museum: S. 76, 77
© wikipedia: S. 76, 136, 202, 221, 229 (Max Smith)
© Institute for Contemporary Art: S. 88, 89
© The Royal Collection: S. 90, 128, 129
© Conran Shop: S. 99
© The Courtauld Gallery: S. 103
© Royal Albert Hall: S. 108
© John Walters: S. 110, 111
© Banqueting House: S. 118, 119
© The Environment Agency: S. 144, 145
© Transport for London: S. 191
© Pete Tripp, istock: S. 194
© Lord's Cricket Ground, S. 196, 197
© Wembley, FA Collection, GettyImages: S. 198
© London 2012 Olympic Games, GettyImages: S. 218
© ArcelorMittal Orbit: S. 219
© Wimbledon Lawn Tennis Museum, AELTC: S. 226
© Royal Artillery Museum: S. 228
© London B&B Agentur: S. 235

Einleitung

Londoner Souvenirs am Hyde Park

Style
I LONDON
London
MADAM
TUSSAUDS
Famous
City of Angels
I LONDON
I LONDON

London – Schmelztiegel unzähliger Kulturen

London ist eine globale und moderne Stadt – so beschrieben es die Künstler Gilbert & George:

»If you want to live in the world this is the place. It's the only place where you have a total grasp of the whole world. Whatever is happening in every country you can feel in London. Every single building, every single person, every scratch on a tree, is global because it is one of the most modern places in the world.« (»Wenn du in der Welt leben möchtest, ist dies dein Ort. Dies ist der einzige Ort, wo du die ganze Welt erfassen kannst. Was immer auch in einem anderen Land passiert, man fühlt es in London. Jedes einzelne Gebäude, jede einzelne Person, jeder Kratzer an einem Baumstamm ist global, denn London ist einer der modernsten Orte auf der Welt.«)

London ist nicht nur eine einzelne Stadt, es ist ein Schmelztiegel aus unzähligen Kulturen und Gesellschaftsschichten. Die Stadt ist zusammengewürfelt aus vielen kleineren Orten, die nach und nach zusammenwuchsen. Bis heute bietet London kein homogenes Bild, es ist nicht gradlinig angelegt. Wenige Schritte von den ausgetretenen Pfaden entfernt, eröffnen sich oft Ausblicke, die man nicht erwartet hätte.

Die Architektur ist so vielfältig wie die Einwohner dieser Stadt und jedes Stadtviertel hat seine Besonderheiten. Einwandererkulturen haben über die Jahrhunderte hinweg ganze Gegenden geprägt, in denen man in andere Kulturkreise eintauchen kann.

In London findet ein ständiges Kommen und Gehen statt, hier ist die ganze Welt zu Besuch. In der Innenstadt von London sind mehr Millionäre, aber auch mehr internationale Kulturen versammelt als in jeder anderen europäischen Stadt. Während sich der gutsituierte City-Banker vor einer eindrucksvollen Kulisse bewegt, gehört in einigen Gegenden im Süden und Osten Londons nach wie vor die Armut zum Stadtbild.

London ist Heimat für 8 Mio. Menschen innerhalb der Stadtgrenze und Arbeitgeber für die Einwohner aus dem Einzugsgebiet der Home Counties. In die City-Büros fallen unzählige Pendler ein, die mehrere Stunden Fahrtzeit in Kauf nehmen, weil sie sich keine Wohnung in der Innenstadt leisten können. Allein durch die U-Bahnstationen der City strömen jeden Tag an die 300.000 Menschen in die Büros der Hochhaustürme.

Wer die Rushhour in der U-Bahn oder am Pendlerbahnhof Waterloo miterlebt hat, weiß, dass London nicht nur schöne Seiten hat. Menschenmassen drängen sich durch die Tunnel, man wird angerempelt, die sprichwörtliche britische Höflichkeit fällt hier weg.

Andererseits findet man immer wieder kleine Oasen, einen Park oder einen Platz, an dem man vergessen kann, dass man sich in einer Millionenmetropole befindet. Die Ausrufe der Marktschreier auf dem Wochenmarkt bringen einen zum Schmunzeln, der Busfahrer bedankt sich mit »Thank you

Darling«, man steht an einem Spätnachmittag am Südufer der Themse, die Sonne taucht die Kuppel der St. Paul's Cathedral in ein goldgelbes Licht und Boote tuckern vorbei.

Das kulturelle Angebot der Stadt ist unvergleichlich. In Theatern, Museen und Konzerthallen finden Weltpremieren statt, in den Clubs, Modeschulen und Galerien werden Trends kreiert, in den Restaurants kann man sich durch die Küchen dieser Welt essen. Allein der Besuch aller Museen und Galerien der Stadt würde Monate in Anspruch nehmen. London bietet nicht zuletzt einen Querschnitt durch die britische Geschichte – viele der bedeutendsten Momente der Historie Großbritanniens haben sich in der Hauptstadt abgespielt und spielen sich noch hier ab.

All dies macht London zu einer der beliebtesten Urlaubsdestinationen der Welt. Touristen und Geschäftsleute, die zu einem Kurzbesuch hierher kommen, lernen jedoch meist nur einen kleinen Ausschnitt aus dem Gesamtbild der Stadt kennen, die sich von Barnet im Norden bis Croydon im Süden und von Hounslow im Westen bis Woolwich im Osten erstreckt.

Dieser Reiseführer möchte Einblicke in das weniger bekannte London bieten und unbekannte Seiten namhafter Sehenswürdigkeiten aufzeigen, denn sie verdienen mehr als einen flüchtigen Blick.

Lilly Nielitz-Hart & Simon Hart

Stadtviertel und Stadtansichten

Tower Bridge und City Hall

refresh
talk
refuel

❶ Londoner Lebenswelten – Stadtviertel der Metropole

London ist sicherlich eine der **vielfältigsten Metropolen der Welt**. Das Tempo der Stadt steckt jeden an, denn die Unzahl von Möglichkeiten, die sich dem Besucher hier bietet, wirkt belebend. Neben bedeutenden historischen Sehenswürdigkeiten offeriert die Stadt ein einmaliges Angebot an Kultur, Architektur, Design und Gastronomie. Vom stilvollen Nachmittagstee bis zum Nachtleben der Subkultur hat man die Qual der Wahl.

Rund um den Kern der Stadt mit South Bank, Westminster, Whitehall und Piccadilly breitet sich die Stadt beständig weiter aus und erfindet sich ständig neu. Neue Lebenswelten entstehen in der Innenstadt, ebenso wie in den Außenbezirken. Der Großraum London (Greater London) unterteilt sich in **Inner London** und **Outer London** und umfasst 32 Stadtbezirke (Boroughs) auf beiden Seiten der Themse mit rund 8,2 Mio. Einwohnern. Viele Stadtteile begannen ihr Leben als eigenständige Dörfer, bis sie nach und nach in die Stadt eingemeindet wurden. Verwaltet wird die Stadt von der GLA (Greater London Authority) mit dem konservativen Bürgermeister Boris Johnson.

Die selbstständig verwalteten Grafschaften in den Bereichen außerhalb des Autobahnrings der M25 gehören zum weiteren Einzugsgebiet der Stadt, die der größte Arbeitgeber des Landes ist. Hier wohnen rund 7 Mio. Menschen.

Die Stadt wächst ständig, denn Einwanderer kommen nicht nur aus dem Vereinigten Königreich, sondern auch aus den Ländern der ehemaligen Kolonien, dem Commonwealth, wie Afrika, der Karibik, China, Indien und natürlich Europa – in den letzten Jahren besonders aus Osteuropa.

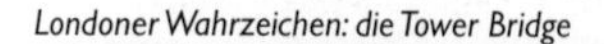

Londoner Wahrzeichen: die Tower Bridge

Mehr als 300 Sprachen werden hier gesprochen. Allein kulinarisch gesehen kann man in London eine Weltreise machen.

Der Nordwesten und Westen, mit Bezirken wie **Harrow**, **Wembley** und **Hampstead**, ebenso wie der Südwesten Londons mit den Bezirken **Wimbledon**, **Richmond** und **Twickenham** gehören zu den wohlhabendsten Gegenden der Stadt.

Im unmittelbaren Stadtzentrum, in Bezirken wie **Kensington**, **Chelsea** und **Mayfair**, leben fast ausschließlich gutbetuchte Menschen – russische Milliardäre, alte Aristokratie und bekannte Persönlichkeiten wie Fußballspieler. Die meisten Einwohner haben hier ein Apartment oder ein Haus als Zweitwohnsitz. Dementsprechend sind die Immobilienpreise für Normalsterbliche unerschwinglich und bewegen sich in mehrstelliger Millionenhöhe.

Die nördlichen Bezirke **Islington** und **Clerkenwell** sind bekannt als Wohnort für die intellektuelle, liberale Mittelklasse. Hier leben viele Politiker. In **Camden**, in der Nähe des Regent's Park, befindet sich die alternative Enklave Camden Town mit ihren Musik-Clubs und Gruftiboutiquen.

In vielen Bezirken, die an wohlhabendere Viertel angrenzen, gibt es auch heute oft noch sehr sichtbare Armut. Besonders betroffen sind die Stadtviertel, die von Einwanderern aus bestimmten Kulturkreisen geprägt sind. **Brixton** im Süden, das von karibischen und afrikanischen Einwanderern beeinflusst ist, erholt sich nur sehr langsam von jahrelanger Vernachlässigung. Das **East End** war von jeher ein Auffanglager für ärmere und verfolgte Einwanderer, wie beispielsweise protestantische Hugenotten im 17. Jh., Iren auf der Flucht vor der Hungersnot und die von Antisemiten verfolgten Juden im 19. Jh. Nach und nach gelangten sie zu Wohlstand, und die Gemeinschaften verlagerten sich in andere Bezirke. So ist die jüdische Gemeinschaft heute im grünen Vorstadtbezirk **Golders Green** zu finden und der Schwerpunkt der irischen Gemeinschaft verlagerte sich nach **Kilburn**. Der Bezirk **Whitechapel** wurde einst durch »Jack the Ripper« berühmt-berüchtigt. Heute ist er geprägt von muslimischen Einwanderern aus Pakistan und den Curryhäusern der Bangladescher auf der Brick Lane.

Die East End-Viertel **Spitalfields**, **Shoreditch**, **Hoxton** und **Dalston** sind seit Jahren ein Anziehungspunkt für die kulturelle Avantgarde der Stadt. Rund um das sogenannte »Silicon Roundabout« enstanden Designstudios, Galerien, Clubs und Bars sowie ausgefallenen Boutiquen.

In den **Docklands** im Osten wurde preiswertes Land für Bauprojekte von riesigen Ausmaßen genutzt, sodass hier heute ähnliche Glaspaläste stehen wie in der **City of London**, dem Finanzzentrum der Stadt. Seit der Olympiade im Jahr 2012 weiten sich die Baumaßnahmen bis nach Stratford aus, wo ein ganz neues Wohnviertel aus dem Boden gestampft wurde.

Zu den neusten Projekten gehört beispielsweise die Umgestaltung des Themseufers in **Bermondsey**, nahe der Tower Bridge, mit dem höchsten Hochhaus »The Shard« und der futuristischen City Hall. Auch im Südwesten wird gebaut: Rund um das alte Kraftwerk Battersea Power Station entsteht südlich von Vauxhall in Nine Elms ein großflächiges neues Wohngebiet.

❷ Regierungsviertel – Downing Street No. 10 und Whitehall

Downing Street No. 10: Hier wohnt der Premierminister

Das Regierungsviertel mit der bekannten Adresse des Premierministers, Downing Street No. 10, erstreckt sich entlang der Straße »Whitehall«. In dem Bezirk residierten 1530–1698 die königlichen Herrscher im grandiosen Palace of Whitehall.

Mit dem Spaziergang beginnt man am besten an der Südseite des **Trafalgar Square**. Hier steht die Statue von Charles I., der 1649 während des Englischen Bürgerkrieges von Republikanern hingerichtet wurde. Die Statue markiert das offizielle Zentrum Londons, alle Entfernungen innerhalb der Stadt werden von hier aus gemessen. Hoch zu Ross blickt Charles auf die Whitehall in Richtung Banqueting House, wo er sein Leben lassen musste. Nach seiner Hinrichtung regierte nie wieder ein Monarch in absolutistischer Weise. Das Denkmal wurde von seinem Sohn Charles II. errichtet, der elf Jahre später die Monarchie wieder einführte. Jedoch wurde 1688 in der »Glorious Revolution« eine konstitutionelle Monarchie erstritten und ein Parlament eingesetzt, das die Macht des Königs für immer in die Schranken wies.

Wenn man von hier aus die **Whitehall** hinunterspaziert, gelangt man in den Bereich des ehemaligen Whitehall Palace. Henry VIII. (1509–1547) verlegte den Hof von Westminster hierhin und ließ den Palast erbauen, der mit mehr als 1.500 Sälen zu seiner Zeit einer der größten in Europa war. Leider wurde er durch ein Feuer im Jahr 1698 zerstört. Er erstreckte sich etwa eine halbe Meile entlang der Themse, die damals die Haupttransportader der Stadt war. Jedes Gebäude des Palastes hatte seinen eigenen Bootssteg mit Fährbetrieb, damit die Bewohner und Besucher des Palastes sich nicht auf den ungepflasterten, unsauberen und überfüllten Straßen bewegen mussten.

Heute befinden sich hier die **Regierungsgebäude** mit den wichtigsten staatlichen Ministerien wie dem Finanzamt, dem Verteidigungsministerium und dem Auswärtigen Amt. Das einzige noch intakte Gebäude aus den damaligen Palastzeiten ist das **Banqueting House** auf der linken Seite der Straße (s. Kap. 50). Gleich gegenüber befinden sich die **Horse Guards** (Gardekavallerie) in der traditionellen roten Uniform. Auf dem Paradegelände hinter dem ehemaligen Eingangstor zum Palast von Westminster wurden einst Wettkämpfe und Turniere ausgetragen. Heute scharen sich Touristen mit Kameras um die berittene, uniformierte Garde, vor allem während der Wachablösung um 11 Uhr.

Der Cenotaph, Gedenkstätte für »The Glorious Dead«

Die Adresse **Downing Street No. 10** ist vielen Menschen ein Begriff, da man sie sicher schon einmal in den Nachrichten gesehen hat. Lange Zeit konnte das einfache Volk direkt bis zur berühmten Tür schlendern. Nach einem Anschlag 1991 durch die IRA wurde das Gelände jedoch großflächig abgeriegelt, sodass man heute nur noch durch einen Zaun in die Straße hineinblicken kann. 1732 zog der erste Premierminister Robert Walpole (1676–1745) hier ein, und seitdem ist diese Tradition ungebrochen. Im Nachbarhaus Nr. 11 wohnt der Finanzminister. Die äußere Fassade täuscht, denn dahinter erstreckt sich ein Gewirr von Räumen, Gängen und Tunnel. Die Gebäude sind unterirdisch miteinander verbunden, sodass man die Ministerien und die **Houses of Parliament** ungesehen erreichen kann. Die Eingangstür wird meist nur für Fototermine genutzt.

Ein Stück weiter die Straße Whitehall hinunter steht der von Edwin Lutyens 1919 entworfene **Cenotaph**. An dieser Gedenkstätte wird an einem der Sonntage nach oder vor dem 11. November der Toten des Ersten Weltkriegs und aller nachfolgenden Kriege gedacht. An diesem Volkstrauertag werden Anstecker in Form einer Mohnblume (Poppy) verkauft, deren Erlös an Hilfsorganisationen für Kriegsgeschädigte geht. Am 11. November um 11 Uhr (Zeit der offiziellen Beendigung des Ersten Weltkrieges) wird traditionell eine Schweigeminute abgehalten, an der das ganze Land teilnimmt.

Die Whitehall mündet auf den Vorplatz der **Westminster Abbey** (s. Kap. 21). Hier erinnert eine Statue von Winston Churchill an den legendären Politiker. Von hier aus führt die Westminster Bridge über die Themse zur **South Bank** (s. Kap. 3).

INFO

Hinkommen: U-Bahn Westminster, District oder Circle Line; Charing Cross, Northern Line oder Bakerloo Line. [C3]
Tipp: Ein Spaziergang entlang dem Victoria Embankment nach Osten führt zur Villiers Street gegenüber den Embankment Gardens. Hier gibt es Restaurants und Cafés wie den Sushi Take-Away **Wasabi**, 34 Villiers Street, WC2N 6NJ, www.wasabi.uk.com. Geöffnet Mo–Fr 10.30–22, Sa & So 11–20 Uhr.

3 South Bank – Kunst und Kultur am laufenden Band

Am Südufer der Themse, der South Bank, gelangt man gleich mitten hinein ins Londoner Stadtleben. Von der Westminster Bridge bis zur Blackfriars Bridge erstreckt sich ein beliebter Abschnitt der Uferpromenade des Flusses. South Bank ist Teil des »Silver Jubilee Walkway«, der 1977 zum Jubiläum Queen Elizabeths II. angelegt wurde. Beginnend bei der Westminster Bridge, vorbei am Riesenrad **London Eye**, eröffnet sich der beste Blick auf die gegenüberliegenden Houses of Parliament, Big Ben und das Victoria Embankment. Die Flanier- und Kulturmeile folgt dem Lauf des Flusses bis weit in den Osten der Stadt und ist immer belebt. Geballte Kultur findet sich zwischen der Eisenbahnbrücke Hungerford Bridge und der Waterloo Bridge im **South Bank Centre**. Das Kulturzentrum entstand im Jahr 1951 anlässlich des »Festivals of Britain« auf dem Gebiet ehemaliger Werften und Dockanlagen. An der äußeren Ästhetik der sogenannten »brutalistischen« Betonarchitektur scheiden sich die Geister: Einigkeit besteht allerdings darüber, dass hier einige der renommiertesten Veranstaltungsorte Londons entstanden sind.

Spektakulärer Eingang: Hier geht's ins South Bank Centre

Die **Royal Festival Hall** aus den 1950er-Jahren ist Heimat der Londoner Philharmoniker und bietet Platz für 3.000 Gäste. Im Foyer gibt es eine Bühne, wo kostenfreie Konzerte stattfinden. Ebenfalls hier untergebracht ist die **Poetry Library**, eine Bücherei mit einer umfassenden Sammlung englischsprachiger Poesie. Im Jahr 2007 erhielt die Royal Festival Hall eine neue Fassade aus Glas, die die Architektur etwas auflockert. Hinter der Halle liegt der **Festival Square**, auf dem Märkte und Ausstellungen stattfinden.

Die **Queen Elizabeth Hall** aus den 1960er-Jahren bietet im Hauptsaal Platz für 900 Gäste sowie eine kleinere Bühne im Purcell Room für 365 Gäste. Die Spanne der Darbietungen in allen drei Konzerthallen reicht von Klassik und Oper, über John Cage bis zu Rock und Folk.

Die **Hayward Gallery** entstand im Jahr 1968 als Anbau zur Queen Elizabeth Hall unter der Leitung der Architekten Dennis Crompton, Warren Chalk und Ron Herron. Die Galerie ist einer der führenden Ausstellungsräume für internationale moderne Kunst in London. Im Sommer gibt es witzige, interaktive Installationen von Gastkünstlern, ganzjährig Retrospektiven zu Künstlern wie Andy Warhol, Roy Lichtenstein und Tracey Emin. Eine umfassende Umgestaltung der Royal Festival Hall war für 2014–2017 geplant. Jedoch rief dies die Denkmalschützer der Organisation »English Heritage« auf den Plan. Zudem gibt es Uneinigkeit über den Verbleib eines Skateparks unterhalb des Gebäudes. Auf absehbare Zeit ist daher das Projekt, das auch die dringende Modernisierung der Inneneinrichtungen einschließen würde, auf Eis gelegt.

Künstler aus der ganzen Welt sind hier zu Gast

Auf der Ostseite der Waterloo Bridge schließt sich das **National Theatre** aus dem Jahr 1976 an. Drei verschiedene Bühnen wurden von dem Architekten Denys Lasdun an den Komplex angebaut. Viele der führenden nationalen Theaterproduktionen werden hier inszeniert. Auch gibt es im Sommer kostenfreie Aufführungen auf einer Open-Air-Bühne. Während Theaterumbauten finden gelegentlich Veranstaltungen im Anbau **The Shed** statt. In dem roten Schuppen erhalten junge Künstler eine Chance, ungewöhnliche Produktionen zu zeigen. Direkt unterhalb der Waterloo Bridge befindet sich das **BFI**, das British Film Institute (s. Kap. 40). Wer einmal den berühmten, von der Band The Kinks in den 1960er-Jahren besungenen »Waterloo Sunset« erleben möchte, muss sich bei Sonnenuntergang auf die Mitte der Brücke begeben.

An der Uferpromenade geht es weiter in Richtung Blackfriars Bridge, vorbei an der Gabriel's Wharf mit Cafés und Kunsthandwerksläden. Hier lässt es sich gut bummeln und verschnaufen. Der **Jubilee Walk** entlang der Themse erstreckt sich von hier weiter bis zur Tower Bridge, vorbei am **Globe Theatre** (s. Kap. 44), der **Tate Modern Gallery** (s. Kap. 39) und der **City Hall** (s. Kap. 60).

INFO

Hinkommen: U-Bahn Station Waterloo Station, Northern Line, Bakerloo Line oder Jubilee Line. [D3]
Information:
www.southbanklondon.com.
South Bank Centre, Royal Festival Hall, Queen Elizabeth Hall (Purcell Room) und Hayward Gallery, www.southbankcentre.co.uk, SE1 8XX. Geöffnet tgl. 10–20 Uhr, Reservierung Tel.: 0844-8750073. **Hayward Gallery** geöffnet tgl. 10–18, Do & Fr bis 20 Uhr.
National Theatre, www.nationaltheatre.org.uk, SE1 9PX. Theaterkasse Tel.: 74523000.
Essen & Trinken:
Royal Festival Hall: Rund um den Veranstaltungsort gibt es Terrassencafés. Vom schicken **Skylon-Restaurant** hat man durch die Glasfassade besonders abends den schönsten Blick auf das erleuchtete Themseufer. Tasting-Menu für £ 68. Tel.: 76547800, www.skylon-restaurant.co.uk. Geöffnet Mo–Sa 12–14.30, 17.30–22.30, So 12–16 Uhr. Tagsüber empfiehlt sich auch **The Wharf**, Gabriel's Wharf, 56 Upper Ground, SE1 9PP, Tel.: 74017314, www.wharfrestaurants.co.uk. Geöffnet tgl. 9–23 Uhr. Salate mit Grillfleisch, Fischgerichte und Klassiker wie Burger. Hauptgerichte ab £ 12,95.
Hayward Gallery: Die Bar in der Galerie hat den passenden Namen **Concrete** (Beton). Sie ist ein Künstlertreffpunkt, und man kann beim Kaffeetrinken Videoinstallationen anschauen. Geöffnet tgl. 10–18, Do und Fr bis 20 Uhr.

❹ Southwark – vom Gruselgefängnis bis zum Gourmetmarkt

In den kleinen Gässchen von Southwark kann man zwischen der **Blackfriars Bridge** und der **London Bridge** auch abseits des Themseufers einiges entdecken. Die Geschichte des Viertels reicht bis ins frühe Mittelalter zurück. Bis ins 16. Jh. war Southwark ein Amüsierviertel auf der dem Stadtkern von London gegenüberliegenden Themseseite. Der Bezirk lag außerhalb der Londoner Gerichtsbarkeit und unterstand dem Bischof von Winchester (Liberty of the Clink). Amüsierfreudige strömten in Scharen über die London Bridge nach Süden, um in den Kneipen, Bordellen und Theatern (s. Kap. 44) ausgiebig zu feiern. Dabei kam es zu mancher Handgreiflichkeit. Denen, die hier über die Stränge schlugen, brummte der Bischof schon für mittelschwere Vergehen längere Haftstrafen auf. Viele mussten mit den dunklen und feuchten Zellen des hiesigen **Clink Prison** in der Clink Street Bekanntschaft machen. Heute befindet sich dort das gruselige Clink Prison Museum. Der Bischof residierte gleich nebenan, im Winchester Palace, von dem heute nur noch einige Außenmauern stehen.

Zur Rechtssprechung nutzte er die Räumlichkeiten der Southwark Cathedral. Sie ist die älteste gotische Kathedrale der Stadt, bereits im 12. Jh. stand hier eine Augustinerabtei. Der später heiliggesprochene Thomas Becket predigte hier, bevor er zur Canterbury Cathedral reiste, wo er wenige Tage später auf Geheiß von Henry II. ermordet wurde. Im 15. Jh. wurde die Kathedrale zur Hauskirche für William Shakespeare und seinen Bruder Edmund. Dieser wurde hier begraben. Allerdings ist das Grab nicht markiert, es gibt lediglich einen Gedenkstein in der Kathedrale. Vor einem großen Farbglasfenster, das Szenen aus Shakespeares Theaterstücken zeigt, steht eine Statue des Dichters.

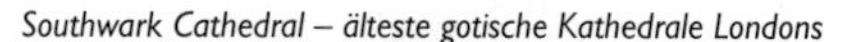

Southwark Cathedral – älteste gotische Kathedrale Londons

Ein besonderer Friedhof – ohne Gräber

Durch den verwunschenen Kirchhof mit großen Bäumen auf der Südseite gelangt man in wenigen Minuten zu den Hallen des **Borough Market**. Er ist einer der ältesten Märkte in London, angesiedelt unter den Bogengängen der Eisenbahnbrücke. Die London Bridge war damals die einzige Brücke in die Stadt und meist so verstopft, dass vollbeladene Händler gar nicht erst versuchten, auf die andere Seite zu gelangen, sondern ihre Waren gleich an Ort und Stelle feilboten. Bis heute existiert der traditionsreiche Markt und hat sich auf Gourmetwaren aus der ganzen Welt spezialisiert, zum großen Teil in Bio-Qualität. Zur Mittagszeit ist es hier immer voll, denn dann ziehen die verlockenden Düfte der Gourmet-Imbisse Hungrige aus den umliegenden Büros an. Auch um die Markthalle herum gibt es etliche Cafés und Restaurants.

Durch die Markthalle hindurch gelangt man in einige sehr alte Gässchen, die noch dem mittelalterlichen Straßenverlauf folgen. Bergab überquert man die Union Street und gelangt auf die Redcross Street. Hier befindet sich hinter einem verriegelten Gitter das Gelände des ehemaligen Armenfriedhofs von Southwark: **Cross Bones Cemetery**. Auf dem Brachland dahinter erinnert nichts an einen Friedhof – es gibt keine Gräber, nur eine Plakette.

Vom 12. bis zum 17. Jh. ließ der Bischof von Winchester sogenannte »alleinstehende Frauen« (Prostituierte) auf diesem ungeweihten Gelände ohne christliche Zeremonie beerdigen. Solange die Frauen ihrem Gewerbe nachgingen, profitierte die Kirche von den Steuereinzahlungen der Amüsierbetriebe. Sogar die Lizenzen für das Gewerbe wurden vom Bischof vergeben. Die Frauen trugen daher die inoffizielle Bezeichnung »Winchester Geese«, »Winchester-Gänse«. Nach ihrem Tod wollte man jedoch mit den Damen nichts mehr zu tun haben und versagte ihnen eine ehrenvolle Bestattung. An dem Gitter finden sich Notizen, Bilder, Blumen und Texte, die im Gedenken an die vergessenen Toten hier zurückgelassen wurden. Noch bis 1853 blieb das Gelände ein Armenfriedhof, mit wahrscheinlich Tausenden von Leichnamen. Interessengruppen haben sich dafür eingesetzt, dass der Friedhof nicht den Bauarbeiten zum Opfer fällt, die in der Nachbarschaft stattfinden. Auf dem Gelände soll nun ein kleiner Park als Gedenkstätte angelegt werden.

INFO

Hinkommen: U-Bahn London Bridge, Jubilee Line oder Northern Line. [D3]
Information:
Southwark Cathedral,
Tel.: 73676700, www.southwark.anglican.org. Geöffnet tgl. 8.30-17.30 Uhr.
Borough Market,
8 Southwark Street, SE1 1TL,
Tel.: 74071002, www.boroughmarket.org.uk. Restaurants geöffnet Mo-Di 10-17 Uhr, Marktstände: Mi & Do 10-17, Fr 10-18, Sa 8-17 Uhr.
Clink Prison Museum, 1 Clink Street, SE1 9DG, Tel.: 74030900, www.clink.co.uk. Geöffnet Okt.-Juni Mo-Fr 10-18, Sa & So 10-19.30, Juli-Sept. 10-21 Uhr. Eintritt Erwachsene £ 7,50, Kinder & ermäßigt £ 5,50.
Crossbones Graveyard, Redcross Way, www.crossbones.org.uk.

5 Mittelalterlicher Straßenverlauf und Glaspaläste – die Londoner City

Die Londoner nennen das Finanzzentrum im Herzen der City von London entweder nur **City** oder auch **Square Mile** (Quadratmeile). Hier befand sich das einstige Zentrum der römischen Stadt Londinium, aus der das mittelalterliche London hervorging. Die Zeiten, in denen die St. Paul's Cathedral das höchste Gebäude war (s. Kap. 52) sind zwar lange vorbei, doch obwohl seit einigen Jahrzehnten Hochhausriesen in dem Gebiet von Temple Bar bis zum Tower aus dem Boden sprießen, folgen die Straßen immer noch dem mittelalterlichen Muster.

Wenige Meter entfernt von der U-Bahn Station mit dem passenden Namen »Bank« befinden sich Institutionen, durch die jeden Tag Milliarden von Pfund fließen. Die City beherbergt einen der größten Geld- und Devisenhandelsmärkte der Welt. Bereits im Mittelalter gruppierten sich geldgebende Institutionen rund um die Lombard Street, die nach der italienischen Provinz Lombardei benannt ist. Damals verließen sich die Herrscher Europas auf reiche italienische Bankiers aus den Seerepubliken Genua und Florenz, denn nur durch Geldanleihen konnte man kostspielige Kriege gegen Franzosen, Waliser und Schotten finanzieren. Daher gab Edward I. (1272–1307) den Bankiers ein Siedlungsrecht.

Die berühmteste Bank in der Gegend ist die im Volksmund »Old Lady of Threadneedle Street« genannte **Bank of England**. Sie wurde im Jahr 1694 von William III. (1688–1702) gegründet, um Gelder für den Krieg gegen die Franzosen aufzubringen. 1946 wurde die Bank verstaatlicht, bis heute druckt sie englische Banknoten, setzt Zinssätze fest und verwaltet die Goldreserven von Großbritannien.

Im **Museum der Bank** sind neben alten Dokumenten über die Geschichte der Institution, Münzen und Banknoten aus verschiedenen Epochen, Möbel, Gemälde, Statuen und andere Artefakte ausgestellt. Interessant sind vor allem die antiken Waffen, die im 17. Jh. als Schutz gegen Banditen eingesetzt wurden. Von 1780–1973 wurde die Bank sogar jede Nacht von einer militärischen Garde (Picquet) bewacht.

Die **Royal Exchange**, gegenüber der Bank, entstand unter Elizabeth I. und wurde 1571 eröffnet. Verantwort-

Die Londoner City ist voller Kontraste zwischen alt und neu

lich für die Finanzierung war der Geschäftsmann Thomas Gresham (ca. 1519–1579), der hier eine Handelsbörse nach flämischem Vorbild errichtete. Als Wetterfahne dient noch heute auf dem Dach des Gebäudes ein goldener Grashüpfer – das Familiensymbol der Greshams. 1844 entstand ein neuer Bau unter William Tite, der von Queen Victoria 1844 eingeweiht wurde. Er diente bis 1945 als Börse. Heute befinden sich in der Halle schicke Geschäfte und Bars, die hauptsächlich werktags belebt sind. Obwohl täglich fast 300.000 Menschen in die Bürogebäude strömen, wohnen nur noch ca. 9.000 Menschen direkt in der City. Am Wochenende sind die Straßen hier ungewöhnlich leer. Vom Café im Atrium der Royal Exchange kann man die Ambulatory Paintings betrachten – die Wandgemälde, die den Wandelgang im ersten Stock zieren. Dort wurden zahlreiche Stationen der englischen Geschichte von Künstlern des 19. Jh. illustriert.

In der Royal Exchange wird heute geshoppt und gespeist

Aus einem Kaffeehaus in der Tower Street, das 1688 von Edward Lloyd eröffnet wurde, ging später die Versicherung **Lloyds of London** hervor. Im Kaffeehaus kamen Geschäftsleute zusammen, um ihre Unternehmungen zu besprechen und ihr Kapital sinnvoll in Gemeinschaftsprojekten – wie dem Überseehandel – anzulegen. So teilte man sich auch das Risiko, das beispielsweise durch den Verlust von Schiffen auf See nicht zu vernachlässigen war. 1691 zog man in die Lombard Street um, eine blaue Plakette (s. Kap. 19) markiert heute die Stelle des einstigen Kaffeehauses. 1713 verlagerten die Mitglieder ihren Sitz in die Royal Exchange am Cornhill. Sie benannten sich um in »The Society of Lloyds«. Heute hat die Versicherung in der Lime Street ihren Sitz.

Ein echter Londoner

Auf der Straße Cheapside, westlich des Royal Exchange, steht die Kirche St. Mary le Bow. Jeder der im Radius der Glocken dieser Kirche geboren wurde, galt als echter Londoner, im Volksmund genannt »Cockney«.

Inzwischen hat sich der Schwerpunkt des Finanzzentrums in den Osten der City und die Docklands verlagert (s. Kap. 7, 60, 61).

INFO

Hinkommen: U-Bahn Bank, Central Line oder Northern Line, Übergang von der District und Circle Line. [D-E3]
Information: Bank of England Museum, Threadneedle Street, EC2R 8AH, Tel.: 76015545, www.bankofengland.co.uk. Geöffnet Mo-Fr 10-17 Uhr, Eintritt frei.
Kurze Pause: In der Bow Lane gibt es das vegetarische **Café Below** in der Krypta der Kirche St. Mary le Bow, Tel.: 73290789, EC2V 6AU, www.cafebelow.co.uk. Geöffnet Mo-Fr 7.30-15 Uhr.

6 Durch die Docklands – St. Katherine's Dock bis Limehouse

Unterhalb der Tower Bridge beginnt das Gebiet der ehemaligen **London Docklands**, die zu einem entspannten Bummel am Wasser mit fantastischem Ausblick einladen. Die gut ausgeschilderte Route schlängelt sich entlang des Themsepfades durch das historische Gebiet im Osten. Zu Fuß oder mit dem Fahrrad geht es über verkehrsarme, kopfsteingepflasterte Gassen, zwischen ansprechend restaurierten Lagerhäusern und modernen Apartmentblocks sowie am Themseufer entlang. Enge Gässchen mit Stufen zum Fluss lassen die alten Zeiten wieder aufleben, als hier Boote anlegten. Ein Highlight sind die Hafenbecken mit historischen Schwenkbrücken, Jachten und Hausbooten.

Bereits 1981 begann die London Docklands Development Corporation (LDDC), das riesige Areal von maroden Warenhäusern und Industrieanlagen umzugestalten. Das **St. Katherine's Dock** (6a) hat drei Becken, die von Jachten belagert sind, Restaurants und Boutiquen säumen die Ufer. Als Orientierung dient der sehenswerte Glockenturm des Ivory House aus dem Jahr 1854 und der historische Dickens Inn Pub. Das Dock aus dem Jahr 1828 war auf Gewürze, Zucker, Rum, Parfüm und Elfenbein spezialisiert, und an der Ecke zur East Smithfield Street erinnern Elefantenstatuen noch an den Elfenbeinhandel. Hinter dem East Dock erkennt man noch einen Teil der Schutzmauer, die die wertvollen Waren vor Dieben schützte.

Von St. Katherine's führt der Pfad auf die Wapping High Street (6b), die mit der Seefahrtsgeschichte Londons eng verbunden ist. Ab 1570 siedelten sich in der Straße Zulieferindustrien für die Schifffahrt, wie beispielsweise Seilmacher, an. Der historische **Pub Town of Ramsgate** (ca. 1545) im Haus Nummer 62 ist einer von vielen berüchtigten Pubs, in denen Dockarbeiter

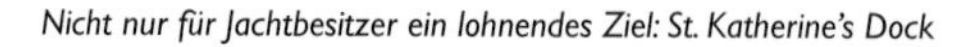
Nicht nur für Jachtbesitzer ein lohnendes Ziel: St. Katherine's Dock

und Matrosen damals einkehrten. Unterhalb des Pubs führen die Wapping Old Stairs zur Themse hinunter. Hier entluden die Fischer aus Ramsgate ihren Fang. In der Nähe der Stufen befand sich das sogenannte »Execution Dock«, wo man Verbrecher auf grausame Weise hinrichtete: Bei Ebbe wurden sie am Fuß der Treppen festgebunden und wenn die Flut kam, ertranken sie jämmerlich.

Ab 1798 finanzierten die Dockeigentümer die erste Flusspolizei der Welt, die Thamse River Police, die regelmäßig auf dem Fluss patroullierte und sich mit Schmugglern, Dieben und Mördern auseinandersetzen musste.

Moderne Architektur neben gemütlichen Booten: am Limehouse Basin

Wieder am Themseufer, geht es vorbei am **King Edward VII. Memorial Park** bis zur Narrow Street. Hier eröffnet sich ein toller Ausblick auf die Hochhaustürme der Canary Wharf (s. Kap. 7). Das angrenzende Limehouse Basin (6c) ist mit dem Regent's Canal verbunden (s. Kap. 68) und bot einst eine wichtige Anbindung für den Binnenschiffverkehr zur Themse. Im 19. Jh. befand sich hier die erste Chinatown Londons (s. Kap. 18).

Im Osten des Basins sieht man den Kirchturm von St. Anne's Limehouse aufragen, eine der Queen-Anne-Kirchen, die 1727 von Nicholas Hawksmoor (s. Kap. 53) erbaut wurden.

Einkehren mit Themseblick

Town of Ramsgate, 62 Wapping High Street, EW1 2PN, www.townoframsgate.co.uk. Geöffnet Mo–So 12–21 Uhr.
Prospect of Whitby, 57 Wapping Wall, E1W 3SH, www.taylor-walker.co.uk/pub/prospect-of-whitby-wapping. Hier tranken schon Charles Dickens und J. W. Turner.
The Wapping Project, Wapping Wall, E1W 3SG, Tel.: 76802080, www.thewappingproject.com. Geöffnet Mo–Fr 12–15.30 und 18.30–23, Sa & So Brunch 10–12.30 Uhr. Das Café befindet sich einer alten Pumpstation am Shadwell Basin.
The Narrow, 44 Narrow Street, E14 8DP, www.gordonramsay.com/thenarrow. Geöffnet Mo–Sa 12–22.30, So 12–22 Uhr. Der von Gordon Ramsey geführte Gastropub serviert britische Klassiker. 3-Gänge-Lunch £ 24.
The Grapes, 76 Narrow Street, E14 8BP, Tel.: 79874396, www.thegrapes.co.uk. Der 500 Jahre alte Pub taucht bereits in Charles Dickens' Romanen auf.

INFO

Hinkommen: Circle Line bis Tower Hill. DLR vom Tower Gateway bis Shadwell oder Limehouse. London Overground nach Wapping. [E-F3]

Information: Thamse Path, www.nationaltrail.co.uk/thames-path. www.skdocks.co.uk, www.dockland.co.uk.
Fahrradverleih: https://web.barclayscyclehire.tfl.gov.uk/maps, s. Kap. 84

7 Durch die Docklands – Canary Wharf bis Royal Docks

Fischers Fritz – der Billingsgate Fish Market

Im Nordosten der Canary Wharf beziehen die Gourmetrestaurants der Stadt frischen Fisch jeder Art vom Billingsgate Fish Market. Bis Mitte des 19. Jh. wurde der fangfrische Fisch noch im Billingsgate Dock zwischen Tower Bridge und London Bridge verkauft, 1982 zog der Markt in die Docklands um. Die alte Markthalle aus dem Jahr 1877 in der City ist heute ein Konferenzzentrum.
Billingsgate Market, Trafalgar Way, www.billingsgate-market.org.uk. Geöffnet Di–Sa 5–8.30 Uhr. Old Billingsgate Market, 16 Lower Thamse Street, EC3R 6DX.

Rund um die Halbinsel **Isle of Dogs** zieht die Themse eine markante S-Kurve. Um das Businesszentrum in der Canary Wharf (7a) gruppieren sich hier monumentale Spiegelbauten, riesige offene Plätze und fantasievoll geschwungene Brücken über Kanäle und Wasserflächen, die an New York oder Chicago erinnern. Die Anreise empfiehlt sich mit der Docklands Light Railway (DLR) bis zur Haltestelle Canary Wharf oder mit dem Boot. So erhält man bereits bei der Fahrt einen guten Blick auf das Panorama.

Der Name der Halbinsel stammt noch aus den Zeiten Heinrichs VIII., der von seinem Palast in Greenwich (s. Kap. 95) das Marschland am gegenüberliegenden Ufer zur Hetzjagd mit seinen Hunden nutzte. Im 19. Jh. befand sich hier das West India Dock, über das der Import von Zuckerrohr, Rum, Bananen und Mahagoniholz abgewickelt wurde. Nach der Schließung der Docks begann man Ende der 1980er-Jahre mit dem Abriss und der Neugestaltung am Reißbrett.

One Canada Square ist das mit 235 m zweithöchste Gebäude Großbritanniens, dessen pyramidenartiger Dachaufsatz das Bankenviertel dominiert. Es wurde von dem argentinischen Architekten Cesar Pelli entworfen und 1991 fertiggestellt. Damals ragte es zunächst einsam aus dem Dockgebiet auf und wurde so zum Sinnbild der Canary Wharf. Canada Square Nr. 25 (200 m) wird von einem weiteren Gebäude Pellis eingenommen. Die futuristische U-Bahn Station Canary Wharf stammt von Sir Norman Foster, der auch die Kuppel des Deutschen Reichstags in Berlin gestaltet hat. Durch den über-

Moderne Architektur auch an den Royal Docks

dimensionalen gewölbten Eingang strömen jeden Morgen ca. 90.000 Pendler, die in den umliegenden Bürotürmen arbeiten. Auch die Nr. 8 am Canada Square (200 m) stammt von Foster.

Einblick in die geschichtlichen Hintergründe der Docks gibt das **Museum of London Docklands** am West India Quay. Es zeigt eine Dauerausstellung zur Geschichte des Handels auf der Themse von römischen Zeiten bis in die Gegenwart.

235 m hoch: No 1 Canada Square

Seit der Olympiade 2012 sind auch die **Royal Docks** (7b), ca. 6 km weiter östlich von hier, ein attraktives Ziel geworden, nicht zuletzt aufgrund des benachbarten London City Airports. Am Royal Victoria Dock befindet sich die Haltestelle des Sessellifts Emirates Air Line Cable Car (s. Kap. 81), der von hier zur O2 Arena in North Greenwich über die Themse schwebt. Gleich daneben zeigt die Firma Siemens im futuristischen Bau **The Crystal** eine Ausstellung zur nachhaltigen Planung von »grünen« Großstädten der Zukunft. Die weitläufigen Hafenbecken-Anlagen der Docks eignen sich gut für die Freizeitgestaltung, neben einem Wassersportzentrum findet man hier daher auch den Stadtstrand Royal Victoria Beach, der im Sommer immer gut besucht ist.

INFO

Hinkommen: DLR vom Tower Gateway. Thames Clippers bis zum Canary Wharf Pier, Info s. Kap. 82 und Emirates Cable Car (s. Kap. 81). [G3]

Museum of London Docklands, No. 1 Warehouse, West India Quay, E14 4AL, Tel. 70019844, www.museumoflondon.org.uk/docklands. Geöffnet Mo–So 10–18 Uhr. Eintritt frei.

The Crystal, One Siemens Brothers Way, E16 1GB, www.thecrystal.org. Geöffnet Di–Fr 10–17, Sa & So 10–19 Uhr. Eintritt frei.

Wassersport:

WakeUp Docklands, G17, Waterfront Studios, 1 Dock Road, E16 1AG, Tel.: 70553855, www.wakeupdocklands.com. Hier kann man das waghalsige Wakeboarding ausprobieren oder einfach nur vom integrierten Café **The Oiler Bar** zuschauen. Café geöffnet Di–Sa 12–23, So & Mo 12–22.30 Uhr.

8 Am Puls der Zeit – Hoxton und Shoreditch

Die Stadtteile **Hoxton** und **Shoreditch** gehören zum Bezirk Hackney, der jahrzehntelang als wenig attraktiv galt. In den letzten Jahren hat sich das Gebiet rund um die Shoreditch High Street rasant entwickelt. Schicke Hotels, trendige Café-Bars und kreative Shops reihen sich aneinander. Hoxton ist gespickt mit innovativen Galerien.

In den 1990er-Jahren wurde das East End von der Londoner Künstlerszene entdeckt. Hier gab es leerstehende Warenhäuser mit Lofts, die man als Studio nutzen konnte und deren Mieten noch billig waren. Inzwischen haben sich hier viele Firmen für digitale Technik, Werbeagenturen und andere kreative Unternehmungen rund um die Old Street und die Shoreditch High Street angesiedelt. In Anlehnung an das Silicon Valley in Kalifornien wird die Gegend als »Silicon Roundabout« bezeichnet. Die hypermodernen Büros in den restaurierten Warenhäusern, wie beispielsweise das **Tea Building** bei der U-Bahn Station Shoreditch High Street, werden meist von Start-up-Unternehmen genutzt. Diese internetbasierten Firmen mit einstelliger Mitarbeiterzahl teilen sich dann die Räumlichkeiten. Aber auch der digitale Gigant »google« hat hier inzwischen eine Filiale.

In Hoxton geben sich Straßenmusiker ein Stelldichein

In der Umgebung haben sich auch Designhotels angesiedelt wie das Boundary, Ace Hotel und das Shoreditch House Hotel mit dem exklusiven Mitgliederclub für Popstars und Medien-Größen. Hotelgäste dürfen einen Teil der Clubräume, zum Beispiel die Dachterrasse, mitbenutzen. Viele der improvisierten Galerien und Clubs sind allerdings inzwischen der Sanierung zum Opfer gefallen. Die weniger betuchte Künstlerszene ist daher nun ins weiter nördlich gelegene Dalston abgezogen.

In der Tudorzeit entstanden in Shoreditch die ersten Freilufttheater (s. Kap. 44), auch Shakespeare lebte hier für kurze Zeit. Die Leonhard's Church aus dem Jahr 1740 entstand unweit der Bühne des **The Theatre** aus dem Jahr 1576. In der Kirche befindet sich ein Gedenkstein an James Burbage, der zu den Gründervätern des Theaters gehörte, und an seinen Sohn Richard, der die Hauptrolle in vielen Shakespeare-Stücken spielte. Der Stein wurde 1913 von der London Shakespeare League gestiftet.

Gegenüber der Kirche steht in der Old Street die alte **Town Hall**, in der heute ein Kulturzentrum und ein Restaurant untergebracht ist. Rundherum kann man viele Cafés, Bars und Galerien entdecken.

Gute Werbung: Graffiti in Sachen »Loungelover«

Um 1900 hatten sich die Handwerker in Shoreditch auf die Möbelherstellung spezialisiert. Das Viertel war zudem für seine Varietétheater und Music Halls bekannt. Im Shoreditch Empire, das sich in der Nr. 95–99 der High Street befand, trat zum Beispiel Charlie Chaplin auf, bevor er nach Amerika auswanderte.

Die Tradition der Möbelherstellung dokumentiert das **Geffrye Museum** in der Kingsland Road. Hier wird mit akribischer Genauigkeit der Einrichtungsstil der britischen Mittelklasse über verschiedene Jahrhunderte hinweg nachgestellt. Es gibt elf sogenannte »Period Rooms« (Epochen-Räume), in den man eine Zeitreise durch das britische Wohnzimmer ab 1600 bis heute machen kann. Von April bis Oktober kann man außerdem die dazugehörigen Gärten besichtigen. Das Gebäude ist untergebracht in einem ehemaligen Armenhaus (Almshouse), von denen es in viktorianischen Zeiten zahlreiche gab. Dort herrschte allerdings ein sehr strenges Regime, und den Armen wurde ihr Dasein kaum erleichtert. Einen restaurierten Raum des ehemaligen Almshouses kann man an bestimmten Tagen besichtigen.

INFO

Hinkommen: Shoreditch High Street oder Hoxton mit London Overground, Old Street per Northern Line. [E2]
The Geffrye Museum, Kingsland Road, E2 8EA, Tel.: 77399893, www.geffrye-museum.org.uk. Geöffnet Di–So 10–17, Bank Holidays auch Mo 10–17 Uhr. Eintritt zu den Period Rooms und Gärten frei. Sonderausstellungen s. Webseite.
Almshouse, Eintritt £ 2,50, Daten s. Webseite, Vorausbuchung erforderlich.

Essen & Trinken:
Shoreditch Town Hall, 380 Old Street, EC1V 9LT, Tel.: 77396176, www.shoreditchtownhall.com. Restaurant: **The Clove Club**, www.thecloveclub.com. Modern British, 3-Gänge-Menü £ 55.
Loungelover, 1 Whitby Street, E1 6JU, Tel.: 70121234, www.loungelover.co.uk. Geöffnet Mo–Do & So 18-24 Uhr, Fr & Sa 18-1 Uhr. Ausgefallene Bar mit japanischen Snacks.

9 Islington und Clerkenwell – Politik, Theater und Antiquitäten

Islington hat renommierte Theater und einen Antikmarkt vorzuweisen. Im benachbarten Clerkenwell wandelt man auf den Spuren der sozialistischen Bewegung des 19. und frühen 20. Jh.

Bereits seit Anfang des 20. Jh. galt Islington als Heimat der intellektuellen und kulturellen Elite. George Orwell lebte hier, Tony Blair und heute der Bürgermeister Boris Johnson sowie viele Schauspieler, Dichter und Musiker. Die beiden Viertel sind mit klassizistischen und viktorianischen Stadthäusern und vielen grünen Plätze gesegnet, im Süden fließt der **Regent's Canal** (s. Kap. 68) hindurch.

Nostalgisches im Camden Passage Market

Von der U-Bahn-Station Angel gelangt man auf die Hauptstraße Upper Street. »Angel« war ursprünglich der Name für ein Zolltor. Während der Industrialisierung siedelten sich Brauereien und Druckereien sowie viele Handwerksbetriebe in der Gegend an. Später öffneten »Music Halls« mit Varieté und anderer Unterhaltung, die das Publikum auch aus anderen Stadtteilen anzogen. Bei der Grünanlage Islington Green, an der Kreuzung zur Essex Road, findet mittwochs und samstags der Antiquitätenmarkt **Camden Passage Market** statt. Seit 1960 gibt es diesen Markt, bei dem über 200 Aussteller ihre Waren verkaufen.

In der Hausnummer 115 der Upper Street befindet sich das **King's Head Theatre**. Es ist an den Kings Head Pub angeschlossen. An der Stelle befand sich bereits zu Zeiten von Henry VIII. eine Kneipe mit demselben Namen. Angeblich trank der König hier regelmäßig ein Bier auf dem Weg zu seiner Geliebten. Samuel Pepys, der große Chronist Londons aus dem 17. Jh., verewigte den Pub in seinen Tagebüchern, den »Samuel Pepys Diaries«. Im Pub selbst treten Comedians und Bands auf. Er ist ausstaffiert mit Fotos von Stars aus Theater, Film und TV, die hier ihre erste Chance bekamen. Der Gründer des King's Head Theatre, Dan Crawford, gab talentierten Dramatikern, wie beispielsweise Steven Berkoff und Tom Stoppard, die Chance, ihre Stücke erstmals auf die Bühne zu bringen. Viele Shows waren so erfolgreich, dass sie von größeren Theatern im West End oder sogar am Broadway übernommen wur-

Veranstaltungsorte in Islington

Almeida Theater, Almeida Street, N1 1TA, Tel.: 73594404, www.almeida.co.uk. Britische und internationale Produktionen mit bekannten Schauspielern wie Ralph Fiennes und Kevin Spacey.
Sadler's Wells Theater, Roseberry Avenue, EC1R 4TN, Tel.: 0844-4124300, www.sadlerswells.com. Führendes Haus für modernes Tanztheater und Ballet in London.
Union Chapel, Compton Avenue, N1 2XD, Tel.: 72263750, www.unionchapel.org.uk. Die nonkonformistische Kirche ist ein bekannter Veranstaltungsort für Weltmusik, Gospel und Folk. Samstags von 12-14 Uhr treten junge Talente gratis auf.
King's Head Theatre, 115 Upper Street, N1 1QN, Tel.: 74780160, www.kingsheadtheatre.org.
King's Head Pub, Tel.: 72264443, www.kingsheadtheatrepub.co.uk. Geöffnet Mo-Mi 12-1, Do-Sa 12-2, So 12-24.30 Uhr.

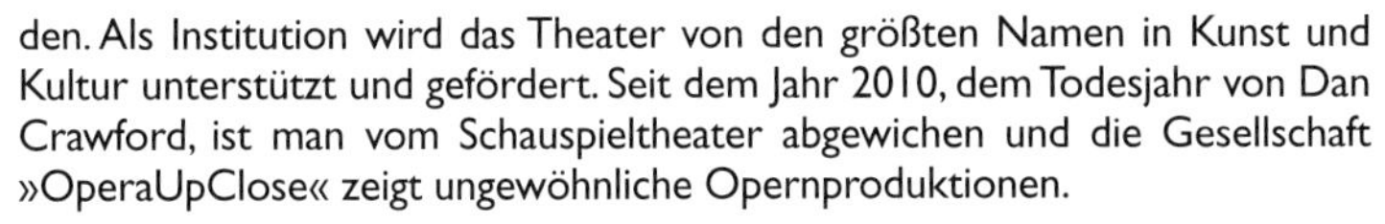

den. Als Institution wird das Theater von den größten Namen in Kunst und Kultur unterstützt und gefördert. Seit dem Jahr 2010, dem Todesjahr von Dan Crawford, ist man vom Schauspieltheater abgewichen und die Gesellschaft »OperaUpClose« zeigt ungewöhnliche Opernproduktionen.

Viele Straßen und Plätze in **Clerkenwell** werden mit den radikalen politischen Organisationen des 19. und frühen 20. Jh. in Verbindung gebracht. Die »Chartisten« – die erste britische Arbeiterbewegung – nahmen hier 1838 ihren Anfang. Die »Social Democratic Federation« hatte ihren Sitz beim Clerkenwell Green. Im Jahr 1902 wohnte Lenin kurzzeitig in London und publizierte von hier aus die radikale Zeitung »Iskra«. In dem Haus Nr. 37a befindet sich heute die **Marx Memorial Library**, die die sozialistischen Bewegungen Großbritanniens dokumentiert. Unweit von hier, im **Finsbury and Islington Museum**, kann man mehr über die Geschichte des Viertels erfahren. Es werden auch interessante Führungen veranstaltet.

INFO

Hinkommen: U-Bahn Angel, Northern Line. [D1]
Information:
Islington Museum, 245 St. John Street, Finsbury Library, EC1V 4NB, Tel.: 75272837, www.islington.gov.uk. Geöffnet Mo, Di, Do, Fr, Sa 10-17 Uhr. Eintritt frei.
Marx Memorial Library, 37a Clerkenwell Green, EC1R 0DU, Tel.: 72531485, www.marx-memorial-library.org. Geöffnet Mo-Do 12-16 Uhr.
Essen & Trinken: Moro, 34-36 Exmouth Market, EC1R 4QE, Clerkenwell, Tel.: 78338336, www.moro.co.uk. Tapas ganztags Mo-Sa, Lunch Mo-Sa 12-14.30, So 12.30-14.45, Dinner Mo-Sa 18-22.30 Uhr. Maurische Küche Südspaniens und Nordafrikas, mit netter Außenterrasse.
Caravan, 11-13 Exmouth Market, EC1R 4QD, Tel.: 78338115, www.caravanonexmouth.co.uk. Mo-Fr 8-11.30 Uhr Frühstück, 12-22.30 Uhr Tageskarte. Sa & So 10-16 Uhr Brunch, 17-22.30 Uhr Tageskarte. Fusion-Küche mit asiatischem Einschlag.

⑩ Bloomsbury – der Literatur, Kultur und Bildung verschrieben

Der Stadtteil **Bloomsbury** wurde im 17. und 18. Jh. von der Familie Russell im georgianischen Stil angelegt. Im 19. Jh. war das Viertel der bevorzugte Aufenthaltsort für die Literaten und Denker der Bloomsbury Group. Blaue Plaketten (s. Kap. 19) weisen am Fitzroy Square Nr. 29 auf die Autorin Virginia Woolf (1882–1941) hin. Auch am Gordon Square Nr. 46 lebte die Autorin zeitweilig, ebenso wie der Politkwissenschaftler John Maynard Keynes (1883–1946).

Unter den Viktorianern entstand 1836 an der Gower Street die **University of London**, die drittälteste britische Universität. Sie besteht aus 18 Colleges, die sich zwischen der Euston Road und dem Russell Square erstrecken. Das University College (UCL) ist das älteste und renommierteste der Einrichtungen.

1,9 Mio. Objekte warten im British Museum auf die Besucher

Im benachbarten **British Museum** kann man viele Stunden verbringen und danach in einem der Cafés und Pubs der umliegenden Straßen die Füße ausruhen.

Das Museum war bereits 1756 aus der Sammlung des irischen Arztes Sir Hans Sloane (1660–1753) entstanden, der der britischen Nation botanische, zoologische und archäologische Fundstücke vermacht hatte. Als Seefahrernation brachten die Briten bereits ab dem 16. Jh. Importwaren und Kunstschätze aus aller Herren Länder mit nach Hause. Nachdem das Land durch die Industrialisierung im 18. Jh. zu einer Imperialmacht aufgestiegen war, erstreckte sich sein Einfluss fast über den ganzen Globus. Jahrtausendealte Skulpturen, Artefakte und Kunstschätze von nationaler Bedeutung aus Griechenland, Ägypten, dem Mittleren Osten und Indien wurden teils von Entdeckern, teils von Archäologen zusammengetragen und in britische Museen verfrachtet. Oft wurden sie dadurch vor dem sicheren Verfall oder Diebstahl gerettet.

Heute werden jedoch Forderungen gegenüber dem Museum laut, Gegenstände an die Länder zurückzugeben, die sich als rechtmäßige Eigentümer sehen.

Das ursprüngliche Museum im Montague House wurde bald zu klein und 1823 erweitert. Sir Robert Smirke entwarf das eindrucksvolle Portiko am Eingang. Heute beherbergt das Museum ca. 1,9 Mio. Objekte. Aufgrund des Umfangs der Sammlung kann jeweils nur ein kleiner Teil der Werke ausgestellt werden. Allein die griechische Abteilung nimmt bereits 13 Räume ein. Neben Dauerausstellungen finden daher auch Wechsel-Ausstellungen statt.

Die beeindruckende Glaskuppel stammt von Sir Norman Foster

Zu den bedeutendsten internationalen Stücken gehört beispielsweise der ägyptische Rosetta Stein (Raum 4). Anhand der mehrsprachigen Auflistungen auf dem Stein gelang es dem Franzosen Jean François Champollion im Jahr 1815 erstmals, die ägyptischen Hieroglyphen zu entziffern. Zu den Funden aus Großbritanniens Geschichte gehört eine chronologische Ausstellung zur Frühgeschichte der Inseln, darunter der angelsächsische Grabschatz aus Sutton Hoo.

Sehenswert ist auch der **Reading Room**, der Leseraum der einst hier untergebrachten Nationalbibliothek, die inzwischen ausgelagert wurde. Das Dach wird überspannt von einer riesigen Glaskuppel, gestaltet vom Architekten Norman Foster. Die botanischen und zoologischen Exponate befinden sich heute im Natural History Museum in Kensington.

Kunst in der Pferdeklinik

In diesem Kulturzentrum, untergebracht in einer ehemaligen Pferdeklinik, versammelt sich die künstlerische Avantgarde. Geboten wird ein Programm aus experimentellem Film, Performance und Malerei.
The Horse Hospital, Colonnade, Bloomsbury, WC1N 1JD, Tel.: 78333644, www.thehorsehospital.com. Ausstellungen Mo–Sa 12–18 Uhr, Abendveranstaltungen Mo–So 19.30–23 Uhr.

INFO

Hinkommen: U-Bahn Bloomsbury, Russell Square; Piccadilly Line. [C2]
Information:
British Museum, Great Russell Street, WC1B 3DG, Ticket-Tel.: 73238181. www.britishmuseum.org.
Geöffnet tgl. 10–17.30, Fr bis 20.30 Uhr. Eintritt frei.

Essen & Trinken:
Museum Tavern, 49 Great Russell Street, WC1B 3BA, Tel.: 72428987. In diesem Pub gegenüber dem British Museum soll angeblich schon Karl Marx getrunken haben, als er im Leseraum der Bibliothek sein Werk »Das Kapital« verfasste.

11 Notting Hill – Karneval und Flohmarkt

Der Stadtteil **Notting Hill** ist vor allem für seinen Markt auf der Portobello Road bekannt, der einer der größten und touristischsten Märkte Londons ist. Auch der **Notting Hill Carnival** ist vielen ein Begriff. Heute wohnt in den schick renovierten Häusern die wohlhabende Mittelklasse – umgeben von grünen Parks. Seit der romantischen Komödie »Notting Hill« des Regisseurs Richard Curtis aus dem Jahr 1999 suchen Touristen sowohl den Buchladen (»The Travel Bookshop«) im Blenheim Crescent Nr. 13–15, in dem sich Hugh Grant und Julia Roberts verliebten, als auch die blaue Eingangstür des Hauses in der Westbourne Park Road Nr. 280. Der Buchladen wurde leider geschlossen. In dem Haus mit der blauen Tür lebte früher der Regisseur des Films, Richard Curtis. Es ist heute wieder in Privatbesitz und nicht zugänglich.

Wer ein original Londoner T-Shirt sucht, wird hier fündig

Bis zum 19. Jh. war Notting Hill wenig mehr als eine ländliche Gegend mit dem Namen Puerto Bello. Dies erinnerte an einen Sieg, den man über die Spanier errungen hatte. Das Viertel entstand auf Initiative der wohlhabenden Familie Ladbroke, nach der die Straße Ladbroke Grove benannt ist. An der Ecke zum Blenheim Crescent befindet das »Electric Cinema«, eines der ältesten Kinos in ganz Großbritannien. Im 20. Jh. ging es mit der Gegend bergab. Wie in Brixton siedelten sich auch hier afro-karibische Einwanderer an (s. Kap. 14), die anderswo keine Bleibe finden konnten. In den 1950er-Jahren kam zu Übergriffen der jugendlichen Protestbewegung »Teddy Boys« gegen die Einwanderer.

Der **Notting Hill Carnival** entstand 1958 als Projekt zur Völkerverständigung nach Übergriffen rechtsradikaler Gruppen auf die farbigen Einwanderer. Aus der kleinen Veranstaltung entwickelte sich eine Parade, die zum größten Straßenfest Großbritanniens wurde und ganze drei Tage dauert. Ähnlich wie beim Karneval in Rio ziehen hier farbenfroh geschmückte Wagen und kostümierte Tänzer in einem langen Zug durch die Straßen. Karibische Steelbands, DJs und Reggaebands sowie Musikbühnen sorgen für den musikalischen Hintergrund mit Calypso, Samba und Soca. An zahlreichen

Ständen kann man karibische Spezialitäten probieren. Schätzungsweise rund 16.000 Kokosnüsse und 25.000 Flaschen Rum werden hier pro Veranstaltungstag verarbeitet.

Ca. 1 Mio. Besucher kommen jedes Jahr Ende August zu dem Event. Leider kam es in der Vergangenheit manchmal zu Problemen mit Alkohol und Drogen. Der Umzug wird daher von mehreren tausend Polizisten begleitet.

Kunst & Krempel auf dem Portobello Market

Der **Portobello Market** ist mit rund 1 km sicher einer der längsten Märkte der Stadt und erstreckt sich fast über die Portobello Road hinaus. Ursprünglich war dies ein einfacher Wochenmarkt, den man immer noch am nördlichen Ende der Straße, zwischen der Colville Terrace und der Westbourne Park Road, findet – von Montag bis Freitag. Erst nach dem Zweiten Weltkrieg siedelten sich auch andere Stände hier an. Am Südende findet samstags der Antikmarkt statt. Dieser Teil gehört zu den geschäftigsten des Marktes, und hier muss man mit großen Menschenmengen rechnen.

Weiter in der Mitte gibt es einen Flohmarkt mit vielen Secondhand-Ständen und Ungewöhnlichem, von Aquarellzeichnungen bis zu antiken Teddybären, Teleskopen, Wedgewood-Porzellan, Schmuck etc. Freitags und samstags findet außerdem der **Portobello Green Markt** unter dem Westway im Norden statt, mit Flohmarkt und Secondhand-Ständen.

INFO

Hinkommen: U-Bahn Central, Circle und District Line. Ladbroke Grove, Hammersmith & City Line. [A3]
Information:
Portobello Market, www.portobelloroad.co.uk, www.portobellomarket.org
Geöffnet Mo-Mi 9-18.30, Do 9-13, Fr & Sa 9-19 Uhr.
Notting Hill Carnival, www.thenottinghillcarnival.com.
Electric Cinema, 191 Portobello Road, W11 2ED, Tel.: 79089696, www.electriccinema.co.uk.
Essen & Trinken:
Taqueria, 139-143 Westbourne Grove, W11 2RS, Tel.: 72294734, www.taqueria.co.uk. Geöffnet Mo-Do 12-22, Fr 12-22.30, Sa 11-23.30, So 12-23.30 Uhr. Mexikanisches Restaurant mit großer Auswahl, Gerichte ab £ 7.

12 Flaniermeilen erster Klasse – Mayfair, Knightsbridge und Belgravia

Drei der teuersten Wohnviertel Londons säumen den Hyde Park im Süden und Osten: **Mayfair**, **Belgravia** und **Knightsbridge**. Die Viertel sind zudem für die exklusiven Einkaufsstraßen bekannt, auf denen man ausgiebig flanieren kann.

Mayfair (12a) geht auf Sir Richard Grosvenor zurück, der 1720 das bis dahin als Schafsweide genutzte Gelände erwarb. Nach klassizistischem Muster ließ Grosvenor ein Wohnviertel mit begrünten Plätzen und großen Stadthäusern anlegen. Das zweiwöchige Maifest »May Fair« wurde jedoch 1764 abgeschafft. Königin Victoria verlieh der Familie Grosvenor den erblichen Titel »Duke of Westminster«. Der heutige Duke, Gerald Grosvenor, gilt als das reichste Mitglied des alten englischen Adels – denn ihm gehört ein Großteil der teuersten Immobilien Londons.

Bekannt auf der ganzen Welt: das Kaufhaus »Harrods«

Mayfair beherbergt die Auktionshäuser **Sotheby's** und **Christie's**, zahlreiche 5-Sterne-Hotels wie das **Dorchester** und noble Einkaufsadressen wie die Savile Row (s. Kap. 78). In der New Bond Street und der Old Bond Street haben viele namhafte Designer, von Ungaro bis Dolce & Gabbana ihren Sitz. Auf der Conduit Street findet man unter anderem den Flagship Store von Vivienne Westwood (s. Kap. 13). Die Regent Street, die an die Oxford Street angrenzt (s. Kap. 77), wird von Boutiquen und Kaufhäusern mit Konfektionsmode wie beispielsweise Burberry gesäumt.

In **Belgravia** südlich von hier finden sich ganze Straßenzüge homogener georgianischer Architektur, die immer gleichförmig und wie aus dem Ei gepellt wirkt. Die hellen Fassaden täuschen jedoch – die Gebäude wurden aus rotem Backstein gebaut und später entweder mit Steinplatten oder Stuck verblendet. Auch für dieses Viertel zeichnet die Familie Grosvenor verantwortlich, das Land war Teil der Besitzungen der Familie. Der Duke of Westminster trägt außerdem den Nebentitel »Viscount Belgrave». Nach 1820 wurde auch hier ein Straßenraster in klassizistischem Muster angelegt. Am Belgrave Square entstanden unter der Leitung von Thomas Cubitt, nach dem Design von George Basevi, vier Terrassen mit elf gleichförmigen Häusern rund um einen kleinen Park. Hier gibt es eine Büste von Basevi und eine Statue des Ersten Marquess von Westminster. Bis zum Zweiten Weltkrieg lebte hier hauptsächlich der Hochadel, seitdem ist der Platz Sitz von Botschaften und Institutionen (Deutsche Botschaft Nr. 21–23).

Typische Häuser in Belgravia

Südlich von hier liegt der Eaton Square, dessen sechs Abschnitte sich um das Nordende der King's Road (s. Kap. 13) gruppieren. Hinter den georgianischen Fassaden hat sich das Innere der Häuser grundlegend geändert, einige sind inzwischen durch Durchbrüche zusammengewachsen. Die Preise für Apartments und Häuser in dem Viertel bewegen sich in zweistelliger Millonenhöhe.

Westlich von Belgravia schmiegt sich der Bezirk **Knightsbridge** (12b) an die Südseite des Hyde Park. Bei der U-Bahn Station Knightsbridge finden sich die bekannten Edel-Kaufhäuser Harrods und Harvey Nichols. Von hier aus verläuft die Sloane Street in Richtung Süden bis zum Sloane Square. Die Sloane Street hat die dichteste Konzentration von internationalen Designerläden in London – von Chanel und Dior bis Armani, Gucci und Versace ist alles vorhanden. Vor den Häusern parken nicht selten dicke Limousinen – die exklusiven Geschäfte ziehen eine internationale Kundschaft an.

Gut Einkaufen und fein Essen in Belgravia

Harvey Nichols, 109-125 Knightsbridge, SW1X 7RJ, www.harveynichols.com/stores/london. Geöffnet Mo-Sa 10-20, So 12-18 Uhr. **Fifth Floor Restaurant**, Tel.: 72355250. Lunch Mo-Sa 12-15, So 12-18, Afternoon Tea Mo-So 15-17, Dinner Mo-Sa 18.30-23 Uhr.

Harrods, 87-135 Brompton Road, SW1X 7XL, Tel. 77301234, www.harrods.com. Geöffnet Mo-Sa 10-20, So 12-18 Uhr. Harrods hat schicke Restaurants (mit Reservierung) sowie vier Bistro-Theken mit Spezialitäten im Erdgeschoss.

INFO

Hinkommen:
Grosvenor Square: U-Bahn Bond Street, Central Line und Jubilee Line. [B-C3]
Belgrave/Eaton Square: U-Bahn Hyde Park Corner, Piccadilly Line. [B3-4]

Information:
www.grosvenorlondon.com,
www.sloane-street.co.uk.

13 Entlang der King's Road in Chelsea

Die **King's Road** zieht sich auf einer Länge von 3,2 km durch den Bezirk Chelsea. Sie verläuft vom Sloane Square südwestlich bis Fulham und dann als New King's Road weiter bis Putney Bridge (s. Kap. 70). Die Straße wurde von Charles II. als direkte Reiseroute nach Kew (s. Kap. 98) angelegt. Erst 1830 wurde sie für den Publikumsverkehr geöffnet und es setzte ein regelrechter Bauboom ein. Daher stammt fast die gesamte Architektur des teuren Wohnviertels aus dem 19. Jh.

»World's End« – ein Klassiker in der King's Road

Am Nordende der King's Road mündet die Sloane Street auf den Sloane Square (13a). Beide sind benannt nach dem Sammler Sir Hans Sloane (s. Kap. 10), der hier Anfang des 18. Jh. ein Landgut besaß. Der schicke Sloane Square ist ebenso wie der angrenzende Duke of York Square von teuren Geschäften gesäumt. Im Komplex der ehemaligen Armeebaracken des Duke of York sollte man einen Abstecher zur **Saatchi Gallery** machen – der Eintritt ist frei. Der Sammler und Mäzen Charles Saatchi hat es sich zur Aufgabe gemacht, unbekannten zeitgenössischen Künstlern (national und international) eine Plattform zu bieten. Saatchi verhalf beispielsweise den Künstlern Damien Hirst und Tracey Emin zum Erfolg, als er ihre Werke in der sogenannten »Sensation«-Ausstellung im Jahr 1999 präsentierte.

An die Gärten der Galerie schließt sich das Royal Hospital an. Es entstand 1682 als Pflegeheim für Kriegsveteranen. Noch heute leben in dem von Christopher Wren entworfenen Gebäude Veteranen (Chelsea Pensioners), die sonntagmorgens in ihren roten Uniformen auf dem Platz paradieren. Im Mai findet auf dem Gelände alljährlich die RHS Chelsea Flower Show statt. Die renommierte Gartenschau wird von der Royal Horicultural Society veranstaltet und zählt neben vielen Prominenten auch Mitglieder der königlichen Familie zu ihren Besuchern.

Vom Sloane Square aus kann man die **King's Road** (13b) nach Westen entlangspazieren und einen ausgiebigen Schaufensterbummel unternehmen. Die Straße ist fast auf ihrer ganzen Länge von Geschäften gesäumt. Von den

1950er-Jahren bis in die 1980er-Jahre war Chelsea der Mittelpunkt der Jugendkultur und hier wurden die neuesten Modetrends geboren.

1955 eröffnete Mary Quant zusammen mit ihrem späteren Ehemann Alexander Plunkett-Greene ihre erste Boutique »Bazaar«. In den 1960er-Jahren fing Quant an, ihre eigenen Modelle zu entwerfen und zu schneidern. Bekannt wurde sie später als Erfinderin des Minirocks und der Hotpants. Am Sloane Square gibt es übrigens eine Filiale der neuen Mary Quant-Shops. Die Marke wurde von der Designerin allerdings an einen japanischen Unternehmer verkauft. Die Boutiquen und Kaffeehäuser der King's Road zogen ein neues Klientel von coolen Kids und Popstars an, und bald sprach man vom »Chelsea Set«, der Mode- und Musik-Avantgarde. Der Cheyne Walk, südlich der King's Road am Themseufer, wurde zum bevorzugten Wohnort der angesagten Szene. Mick Jagger und Keith Richards lebten dort als Nachbarn.

Mitte der 1970er-Jahre eröffnete die Designerin Vivienne Westwood mit ihrem Freund Malcolm McLaren (gest. 2010) im Hinterzimmer der Boutique »Paradise Garage« in der **Kings Road No. 430** einen Laden mit Rockabilly-Klamotten mit dem Namen »Let it Rock«. Ab 1973 verkauften die beiden hier Bikerkleidung und man benannte sich um in »Too fast to live, too young to die«. 1974 taufte man sich dann um in »SEX«. Der Laden fing außerdem an, Sado-Maso-Klamotten und Zubehör zu verkaufen. Hieraus entwickelte sich nach und nach Westwoods und McLarens eigener Stil aus provozierenden T-Shirts, zerrissenen und mit Sicherheitsnadeln zusammengesteckten Hosen und Jacken. Die King's Road Nr. 430 wurde zum Treffpunkt für die kreative Szene und angehende Punks, und unter McLarens Management formierte sich die Band »The Sex Pistols«. Nach dem Abebben der Punkbewegung hatte Westwood mit ihren Designs für die »New Romantic«-Szene internationalen Erfolg. Seit 1980 verkauft die Boutique unter dem Namen **World's End** Kreationen aus Westwoods Kollektion.

INFO

Hinkommen: U-Bahn Sloane Square, Piccadilly Line. [B4]
Information:
Royal Hospital Museum, www.chelsea-pensioners.co.uk, Mo–Fr 10–16 Uhr, Eintritt frei. Geführte Touren Mo–Fr 10 und 13.30 Uhr, Erwachsene £ 8, Kinder £ 5.
Duke of York Square, www.dukeofyorksquare.com, 80 Duke of York Square, SW3 4LY.
Saatchi Gallery, Duke of York HQ, King's Road, SW3 4RY, www.saatchi-gallery.co.uk. Geöffnet Mo–So 10–18 Uhr, Eintritt frei.
Einkaufen: Mary Quant Fashion, http://mq.maryquant.co.uk.
Vivienne Westwood Mode, 430 King's Road, Tel.: 73526551, www.viviennewestwood.co.uk. Geöffnet Mo–Sa 10–18 Uhr.
Essen & Trinken:
My Old Dutch, 221 King's Road, Tel.: 7376-5650, www.myolddutch.com. Geöffnet tgl. 12–23 Uhr. Pancake House mit holländischem Einschlag.

Multikulturelles London

Begegnungen in Chinatown

14 Karibisches Flair – Märkte und Musik in Brixton

Rund um die Electric Avenue in **Brixton**, Südlondon, ist das Straßenleben geprägt von Einwanderern aus den West Indies, den karibischen Inseln des britischen Commonwealth.

Der weitläufige **Brixton Market** erstreckt sich von der U-Bahn Station Brixton über die Electric Avenue, Pope's Road und Brixton Station Road. Daneben verlaufen die alten Marktarkaden aus den 1920er- und 1930er-Jahren, Reliance Arcade (Brixton Road), Market Row (Atlantic Road) und Granville Arcade – Brixton Village. Hier werden viele Spezialitäten und Zutaten der afro-karibischen Küche sowie internationale Waren verkauft, die man nicht überall in London erhält. Zudem finden **Kunsthandwerksmärkte** und **Flohmärkte** statt und im Food Corner gibt es leckere Snacks aus den Straßenküchen.

Die Electric Avenue wurde im Jahr 1880 als erste »elektrifiziert« – hier wurden Straßenlaternen errichtet, die nicht mehr durch Gas, sondern mit Elektrizität betrieben wurden. Zwischen 1860 und 1890 war das Gebiet ein schicker viktorianischer Vorort mit Stadthäusern und Geschäftsarkaden. Nachdem im Zweiten Weltkrieg ein Großteil des Viertels zerbombt wurde und die wohlhabendere Bevölkerung auswanderte, hauchten in den 1950er-Jahren die Immigranten aus der Karibik dem Viertel wieder Leben ein. Es kam zu einer Einwanderungswelle, nachdem die britische Regierung in den Commonwealthländern um Arbeitskräfte für das Gesundheitswesen und den Transportsektor warb – die Anreise wurde kostenfrei angeboten. Schnell entstand eine karibische Gemeinschaft in Brixton, hier gab es temporäre Unterkünfte – gleich um die Ecke vom Arbeitsamt in der Coldharbour Lane. Farbige Einwanderer waren jedoch nicht überall als Mieter erwünscht. Oft mussten sie sich engen Wohnraum miteinander teilen und mit Mietwohnungen und Bed & Breakfast Vorlieb nehmen, die noch Kriegsschäden aufwiesen. Eine weitere karibische Enklave von Einwanderern aus Trinidad bildete

Auf dem Brixton Market gibt es die Dinge des täglichen Lebens

In Brixton lebt ein buntes Bevölkerungsgemisch

sich im Stadtteil Notting Hill. Ende der 1970er hatten sich die Lebensbedingungen aufgrund fehlender Investitionen kaum verbessert. Während der Wirtschaftskrise stieg die Arbeitslosigkeit und Hausbesetzer zogen in die leerstehenden, halbverfallenen Häuser ein. Drogenmissbrauch und Kriminalität führten zu zahlreichen Razzien in der Gegend. Die Polizei ging vor allem gegen farbige Anwohner vor, und bald wurde der Vorwurf des Rassismus laut. 1981 und 1985 kam es zu Aufständen, den **Brixton Riots,** in denen sich die Polizei und die Brixtoner Einwohner heftige Straßenschlachten lieferten. Diese Zeiten sind längst vorbei und auch in Brixton hat inzwischen die »Gentrifizierung« eingesetzt.

Jamaican Rude Boys und die Musikszene von Brixton

Die Reggae-Musik der sogenannten »Jamaican Rude Boys« inspirierte beispielsweise die 2-Tone- und Ska-Bewegung der 1980er-Jahre mit Gruppen wie »The Specials«, »The Selecter« und »Madness«. Bis heute ist Brixton für seine lebendige Musikszene und die Musikclubs bekannt, wo von Reggae, Jungle, Drum & Bass, Garage, Grime, Dubstep bis Northern Soul alles gespielt wird.
Beliebte Clubs:
Windmill, 22 Blenheim Gardens, Brixton Hill, windmillbrixton.co.uk.
Brixton Jamm, 261 Brixton Road, www.brixtonjamm.org.
Electric Brixton, Town Hall Parade, http://electricbrixton.uk.com.
Dogstar, 389 Coldharbour Lane, www.dogstarbrixton.com.
Hootananny, 95 Effra Road Brixton, www.hootanannybrixton.co.uk.
Kaff Bar, 64-68 Atlantic Road, www.kaff-bar.co.uk.

INFO

Hinkommen: U-Bahn Brixton, Victoria Line.
Information: www.brixtonbuzz.com.
Brixton Market, Brixton Station Road, SW9 8PD, http://brixtonmarket.net.
Geöffnet: Arkaden tgl. 8-11.30, Mo bis 18 Uhr; Markt Mo-Sa 8-18, Mi bis 15 Uhr; Food Corner Mi-Fr 12-14 Uhr.

15 Kilburn – irisches Lebensgefühl

Die **Kilburn High Road** ist eine der ältesten Straßen in Großbritannien, denn sie verläuft auf einer ehemaligen römischen Achse nach Nordwesten. Im Mittelalter stand hier eine Abtei, die von Heinrich VIII. im 16. Jh. aufgelöst wurde. 1714 wurde eine eisenhaltige Wasserquelle entdeckt und man unternahm Ausflüge, um in Kilburn »das Wasser zu nehmen«. Damals war dies ein ländliches Gebiet, das weit vom industrialisierten Stadtkern entfernt lag. Die Quelle Kilburn Wells befanden sich an der Stelle des heutigen **Old Bell Pub**. Heute würde freilich keiner mehr auf die Idee kommen, hier Wasser aus einem Brunnen zu trinken.

Im »County Kilburn« fühlen sich irische Einwanderer wie zu Hause

Die Iren emigrierten zur Zeit der großen Hungersnot, der »Potato Famine«, um 1840 zu Tausenden nach England. Sie gehörten zu den benachteiligsten Einwanderern. Oft kamen sie bereits krank und halbverhungert an. Sie nahmen fast jede Arbeit zu jeder Bezahlung an. Dabei wurden sie von anderen Arbeitern verachtet, denn sie drückten die Mindestlöhne weiter nach unten. Die ersten Iren siedelten in Spitalfields im East End, nahe der Docks, später verlagerte sich das Zentrum nach Kilburn, Willesden und Cricklewood. In den 1950er-Jahren folgten viele Iren dem Ruf Großbritanniens nach Fremdarbeitern. Sobald eine Familie sich niedergelassen hatte, folgte auch die weitere Verwandtschaft, sodass große, zusammenhängende Gemeinschaften entstanden.

Auch heute noch lebt in Kilburn die höchste Konzentration an irischen Staatsbürgern in London, obwohl sich inzwischen auch Einwanderer aus anderen Commonwealth-Staaten hier angesiedelt haben. Kilburn wird daher im allgemeinen Sprachgebrauch spaßeshalber auch als das 33. County Irlands, **County Kilburn**, bezeichnet, da man sich hier unter Gleichgesinnten wie zu Hause fühlt.

Entlang der **Kilburn High Road**, die heute von den gängigen Supermarktketten gesäumt wird, gibt es Kioske, die irische Zeitungen verkaufen. Hier tauscht man sich über Familienbelange im Heimatland aus. Auf der High Street selbst und in den Seitenstraßen gibt es noch zahlreiche traditionelle irische Pubs. Oft spielen hier am Wochenende Folkbands, und es gibt ein Unterhaltungsprogramm (auf irisch »Craig«), das man beim traditionellen **Guinness** genießen kann. Dazu gehören unter anderem Karaoke, Quizveranstaltungen oder Sportübertragungen. Aus diesem Grund ist das Viertel

Pubs in Kilburn

The Good Ship, 289 Kilburn High Road, NW6 7JR, www.thegoodship.co.uk. Geöffnet Mo-Do, So bis 2, Fr-Sa bis 4 Uhr, Real Ale Pub mit Live-Musik und einer Juke Box mit Indie-Hits.
The Cooper's Arms, 164 Kilburn High Road, Tel.: 86248501. Traditioneller Pub mit Dartscheibe und Biergarten.
Brondes Age, 328 Kilburn High Road, NW6 2QN, www.brondesage.com. Geöffnet So 11-24.30, Mo-Do 11-1, Fr & Sa 11-2 Uhr, Live-Musik (Rock, Folk, Jazz und Indie)
The Alliance, 40-4 Mill Lane, NW6 1NR, Tel.: 0872-1483795. Geöffnet Mo-Mi 9-23, Fr und Sa 9-1, So 9-23.30 Uhr. Gutes Guinness.
The Betsy Smith, 77 Kilburn High Road, NW6 6HY, www.thebetsysmith.co.uk. Geöffnet Mo-Mi 10.30-23, Do 10.30-2, Fr 10.30-4, Sa 9-4, So 9-23 Uhr. Gutes Essen und DJ Fr/Sa.
The Corrib Rest, 76-80 Salusbury Road, NW6 6PA, www.claddagh-ring.co.uk/corrib. Geöffnet Mo-Fr 11-22, Sa 11-19, So 12.30-19 Uhr. Untergebracht in einem ehemaligen irischen Kulturzentrum,ist der Pub benannt nach dem Corrib River in Galway.

auch bei Nicht-Iren abends beliebt. Die meisten der Pubs sind inzwischen recht weltoffen und haben ein gemischtes Publikum. Allerdings gibt es auch eingeschworene Stammkneipen, wo fremde Besucher nur ungern gesehen werden. Ein guter Anhaltspunkt ist, wenn man als Urlauber einen relativ leeren Pub betritt und sich alle Blicke schweigend auf den Eintretenden richten. Hier sollte man besser ein anderes Etablissement aufsuchen.

Ein Stück irisches Lebensgefühl in London

Besonders belebt wird Kilburn am **St. Patrick's Day**, zu Ehren des Schutzheiligen Irlands. Dann finden Paraden statt, bei denen man sich traditionell in Grün kleidet. Ein weitverbreitetes Symbol ist das dreiblättrige Kleeblatt, das für die heilige Dreifaltigkeit steht. In den umliegenden Pubs spielen Bands und es finden Tanzdarbietungen statt.

INFO

Hinkommen: U-Bahn Kilburn, Jubilee Line. Kilburn Park oder Queen's Park, Bakerloo Line. [A1]

Information:
St. Patrick's Day
s. S. 239

16 Golders Green und Gartenvorstadt – auf den Spuren der jüdischen Gemeinschaft

In Golders Green bietet sich eine günstige Gelegenheit, koschere Mahlzeiten zu probieren

Golders Green war früher eine ländliche Gegend, die erst durch den Ausbau der U-Bahn im Jahr 1907 erschlossen wurde. Heute lebt in Golders Green eine der größten orthodoxen jüdischen Gemeinden in Großbritannien. Das grüne Vorortviertel wurde ein rettender Hafen für jüdische Familien, die aus den beengten Verhältnissen des East End entkommen wollten.

Zunächst entstand die Gartenstadt Hampstead Garden Suburb, bei der Hoop Lane, unter der Federführung der Sozialreformerin Henrietta Barnett. Sie war die Ehefrau von Samuel Barnett, der unter anderem die Whitechapel Gallery im East End förderte (s. Kap. 45). Barnett wollte einen idealen Lebensraum schaffen, in dem reiche und arme Bürger harmonisch miteinander lebten. Für Arbeiter wurden kleinere Cottages errichtet, während für die reicheren Bürger Villen entstanden. Das Konzept funktionierte jedoch nie wirklich. Heute sind die Häuser hier heiß begehrt und der Gartenvorort gehört zu den wohlhabendsten Vierteln Londons. Unter anderem lebten hier die Schauspielerinnen Elizabeth Taylor und Rachel Weizs.

Wer aus der Golders Green U-Bahnstation kommt und entlang der **Golders Green Road** läuft, passiert viele Cafés und etliche koschere Restaurants und Delis. Freitags geht es hektisch zu, da man sich auf den Sabbat vorbereitet. Samstags bleiben Geschäfte und Restaurants geschlossen. Sonntags füllen sich die Restaurants mit Familien, die dort das sonntägliche Mittagessen zu sich nehmen. Das Viertel hat verschiedene Synagogen, und am Samstagnachmittag sieht man auf den Straßen neben sorgsam gekleideten Familien auch Gruppen von streng orthodoxen Juden mit dem traditionellen schwarzen Mantel, ausladendem schwarzen Hut, langem Bart und geflochtenen Schläfenlocken.

Die Juden erlebten eine wechselvolle Geschichte: 1066 wurden sie von William the Conqueror ins Land geholt, von Edward I. wurden sie 1278 verbannt.

Von Oliver Cromwell erhielten sie im 17. Jh. erneut das Recht, ihren Glauben in England zu praktizieren. Ab Mitte des 19. Jh. kam es aufgrund des aufkeimenden Antisemitismus in Europa zu großen Einwanderungswellen der Juden nach Großbritannien. Wie so viele Einwanderer, fanden auch sie zunächst in den beengten Verhältnissen des East End ein Unterkommen.

Einen Angriff auf die Juden des East End gab es 1936, als eine Gruppe von Anhängern des britischen Faschisten Oswald Mosley in Spitalfields einfiel. Die Schlacht ging als **Battle of Cable Street** in die Geschichte ein. 5.000 Faschisten hatten für den 4. Oktober eine Demonstration angemeldet, die trotz erheblicher Proteste genehmigt wurde. Fast 250.000 Gegendemonstranten fanden sich zusammen, zu denen auch die Anwohner der Nachbarschaft gehörten: Sie bewarfen die Faschisten vom Fenster aus mit Eiern und Nachttöpfen. Schnell zerstreuten sich die Anhänger Mosleys und gaben die Demonstration auf. Die Polizei wurde hinterher scharf kritisiert, da sie brutal gegen die Gegendemonstranten eingeschritten war. Als Reaktion auf die Schlacht stellte die Whitechapel Gallery 1939 Picassos »Guernica« aus. Im Jahr 1983 wurde ein Wandgemälde in der Cable Street in Whitechapel fertiggestellt, das an die Schlacht erinnert. Wer mehr über die Geschichte der Londoner Juden erfahren möchte, sollte sich einer der vielen Touren anschließen, die durch das East End angeboten werden. Interessante Einblicke ermöglicht auch das **Jewish Museum** in Camden.

Letzte Ruhestätte der Stars

Gegenüber dem jüdischen Friedhof in der Hoop Lane befindet sich das Golders Green Crematorium, auch genannt **Celebrity Crematorium**, weil hier seit dem Jahr 1902 viele berühmte Persönlichkeiten eingeäschert wurden. Der frühere Premierminister Stanley Baldwin gehört hierzu, die Ballerina Anna Pavlova und der Glam-Rock Star Marc Bolan von der Gruppe T-Rex (s. Kap. 70), Sigmund Freud (s. Kap. 97), Keith Moon, der Drummer der Rockband The Who, der Autor H. G. Wells, der Punk-Sänger Ian Dury und die Sängerin Amy Winehouse. In dem historischen Bau aus dem Jahr 1902 befinden sich auch denkmalgeschützte Familien-Mausoleen, beispielsweise das **The Philipson Mausoleum** von Edwin Lutyens, der auch den Cenotaph entwarf (s. Kap. 2).

INFO

Hinkommen: U-Bahn Golders Green, Northern Line.

Information: London Jewish Cultural Centre, Ivy House, 94–96 North End Road, NW11 7SX, Tel.: 84575000, www.ljcc.org.uk. Im Haus der Ballerina Anna Pavlova ist das jüdische Kulturzentrum untergebracht. Hier gibt es Workshops, Veranstaltungen und Sprachkurse für Jiddisch und Hebräisch, eine große Bücherei und ein Filmarchiv.

Battle of Cable Street Mural, 236 Cable Street, E1 0BL, www.battleofcablestreet.org.uk.

Jewish Museum, Raymond Burton House, 129–131 Albert Street, NW1 7NB, Tel.: 72847384, www.jewishmuseum.org.uk, U-Bahn Camden Town, Northern Line. Geöffnet So–Do 10–17, Fr 10–14 Uhr. Eintritt Erwachsene £ 7,50, ermäßigt £ 6,50, Kinder 5–16 Jahre £ 3,50.

Touren durch das jüdische East End: beispielsweise www.jewishlondonwalkingtours.co.uk, www.golondontours.com, www.londonjewishtours.com, www.eastendwalks.com.

Essen & Trinken: Carmelli Bakery, 126–128 Golders Green Road, NW11 8HB Tel.: 84552074, www.carmelli.co.uk. Handgefertigte Bagels und andere leckere Backwaren.

⑰ Curryhäuser und Moschee – Bangladescher in der Brick Lane

Es gibt kaum eine Straße in London, die eine so vielschichtige Geschichte und multikulturelle Entwicklung aufweist wie die **Brick Lane**. Sie grenzt an drei wichtige Bezirke des East End: Whitechapel, Spitalfields und Bethnal Green. Der Name rührt von alten Ziegeleien her, die hier gebaut wurden, um London nach dem Großen Brand von 1666 wieder aufzubauen. Als die Stadt sich auszudehnen begann, wurden die Brennöfen nach und nach durch Wohnhäuser ersetzt, zunächst im Süden, dann im Norden der Straße.

Das Viertel war von aufeinanderfolgenden Wellen von Immigranten geprägt: Auf die Hugenotten folgten irische und jüdische Flüchtlinge, dann im 20. Jh. Einwanderer aus Bangladesch. Heute macht diese Kulturgruppe ca. 37 % der Einwohner aus. In der Umgangssprache wird das Viertel auch »Banglatown« genannt.

In zahlreichen Imbissen wird gebrutzelt und Leckeres zubereitet

Die Gegend ist bekannt für ihre **Curry Houses**, denn die indische Küche gehört auf jeden britischen Speiseplan. Man hat sich jedoch dem westeuropäischen Geschmack angepasst. Die Gerichte sind nicht ganz so scharf, wie sie in Asien ausfallen würden.

Ursprünglich kochten die Restaurants zuerst für bengalische Seeleute. Die Anzahl der Restaurants nahm bald proportional zum Wachstum der Einwohner der Gemeinschaft zu, sodass man das Viertel einst als »Curry Capital«, also »Curry-Hauptstadt« Großbritanniens bezeichnete. Inzwischen haben jedoch asiatische Viertel in nordenglischen Städten der Brick Lane diesen Titel abgerungen.

Wer noch nie ein Curry gegessen hat, sollte die Madras- oder Vindaloo-Variante meiden. Diese gehören zu den schärfsten Gerichten und können einem die Tränen in die Augen treiben. Da die meisten Restaurants von Muslimen geführt werden, gibt es normalerweise keinen Alkohol.

Jedes Jahr Ende Mai feiern die Bangladescher auf der Brick Lane das »Baishaki Mela« (s. S. 239), die bengalische Neujahrsfeier mit einer Straßenparade, indischen Tanz-Vorführungen und anderer Unterhaltung.

Immigrationsgeschichte hautnah erleben

Die Lebenserfahrungen der Einwanderer kann man gleich in zwei Museen in Spitalfields nachempfinden. Die Hausnummer **19 Princelet Street** aus dem Jahr 1719 war einst die Heimat von Hugenotten, die hier eine Seidenweberei betrieben. Später war es eine Werkstatt und dann entstand im Garten eine jüdische Synagoge. Die Ausstellung betrachtet die Einwanderungswellen aus der Sicht von Kindern.

19 Princelet Street, www.19princeletstreet.org.uk. Geöffnet 16. und 23. Juni 2014, 12–17 Uhr, ansonsten nur als Gruppenbesuch nach Voranmeldung: office@19princeletstreet.org.uk.

Im **Dennis Severs' House** in der Folgate Street können Besucher nachempfinden, wie wohlhabende Seidenhändler des East End im 18. Jh. gelebt haben mögen. Der kanadische Künstler Dennis Severs (gest. 1999) verwandelte ein Anwesen mit zehn Zimmern in den Lebensraum der fiktiven Hugenotten-Familie Jervis, über einen Zeitraum von 1724–1914. In den Räumen haben die Bewohner Spuren hinterlassen, wie z. B. ein ungemachtes Bett, einen Topf mit Suppe, etc. Das Ganze wird durch eine dezente Geräuschkulisse untermalt. Fast gruselig sind die abendlichen Führungen bei Kerzenlicht.

Dennis Severs' House, 18 Folgate Street, Tel.: 72474013, www.dennisseversHouse.co.uk. Geöffnet So 12–16 (£ 10); Mo (Daten siehe Webseite) 12–14 Uhr (£ 7). Abendbesuch Mo und Mi 18–21 Uhr (£ 14).

Einige Gebäude entlang der Brick Lane haben im Laufe der Jahrhunderte die verschiedensten Funktionen ausgeübt. An der Ecke zur Fournier Street steht zum Beispiel die **Moschee Jamme Masjid** oder Große Londoner Moschee aus dem Jahr 1976. Die Kirche wurde im Jahr 1742 als eine protestantische Hugenottenkirche erbaut und im 19. Jh. zur bedeutendsten Synagoge in Spitalfields – bevor die Juden von hier wegzogen und die Muslimen aus Bangladesch ihre Moschee errichteten.

In nördlicher Richtung, auf der anderen Seite der Bahnschienen, gelangt man bei der Sclater Street zum **Brick Lane Market**. Bereits im 17. Jh. gab es hier einen Wochenmarkt mit Gemüse, Früchten und anderen Lebensmitteln. Der heutige Sonntagsmarkt geht auf die jüdische Gemeinschaft zurück, die außer Lebensmitteln auch Gebrauchsgegenstände und Kleidung verkaufte.

INFO

Hinkommen:
U-Bahn Aldgate East, District Line/Hammersmith & Circle Line. [E2]

Information:
Brick Lane Market, Cygnet/Sclater Street, E1 6PU, www.visitbricklane.org. Geöffnet So 8–14 Uhr.

Essen & Trinken:
Sheba Indian Cuisine, 136 Brick Lane, E1 6RU, Tel.: 72477824, www.shebabricklane.com. Geöffnet Mo–So 12–24 Uhr. An der indischen Küche Interessierte finden hier Fleisch-, Fisch- und vegetarische Gerichte ab £ 9.

⓲ Asiatisches London – Chinatown

Die Londoner **Chinatown** ist eine einzigartige Enklave, eingezwängt zwischen der Shaftesbury Avenue und der Coventry Street, wohlhabenden Innenstadtvierteln des West End und den Seitenstraßen von Soho mit ihren Strip- und Schwulenclubs sowie Bars und Cafés, in denen sich das Nachtleben abspielt.

In der Chinatown um die Gerrard Street in Soho reihen sich Läden und Restaurants aneinander und man taucht in eine asiatische Welt ein. Das chinesische Flair erhielt das Viertel jedoch erst in den 1950er-Jahren, vorher lebten hier Hugenotten, Malteser und Italiener.

Die ursprüngliche Chinatown Londons lag im Osten in den Docklands bei Limehouse (s. Kap. 6). Zuerst ließen sich hier chinesische Seeleute nieder, die auf den Schiffen der »East India Company« arbeiteten und als Berater und Führer in den unbekannten Gewässern des Fernen Ostens angestellt wurden. Nachdem Hong Kong 1840 unter britische Herrschaft gelangte, führte dies zu einer weiteren Einwanderungswelle.

Das Viertel in Limehouse hatte keinen guten Ruf. Hier gab es Opiumhöhlen, in denen Bohemiens der Droge verfielen. Dies ging wiederum Hand in Hand mit wachsender Kriminalität. Besonders bekannt war das Viertel jedoch auch für seine Wäschereien, den »Limehouse Laundries«, eine Dienstleistung, auf die sich die Chinesen spezialisiert hatten.

Während der Luftangriffe (»The Blitz«) im Zweiten Weltkrieg im Jahr 1939 wurde auch dieser Teil der Docklands großflächig zerstört. Die Bewohner zogen nach Westen in den Bezirk **Soho**. Aus einfachen Garküchen entwi-

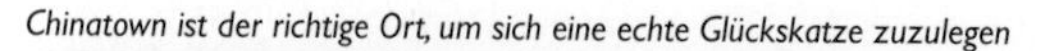
Chinatown ist der richtige Ort, um sich eine echte Glückskatze zuzulegen

ckelten sich schnell Restaurants. In den 1950er-Jahren hatte allerdings auch Soho keinen besonders guten Ruf. Berüchtigt war es vor allem als Drogenumschlagplatz mit hoher Kriminalität und Prostitution. Allerdings war es auch der Dreh- und Angelpunkt der Film- und Musikszene, mit Jazzclubs, in denen man die Nächte durchtanzte. Die chinesische Kulisse bot hierfür einen exotischen Hintergrund.

Auf den ersten Blick mag sich der Besucher wie in China fühlen

Stetig bauten die Chinesen ihre kleine Gemeinschaft aus. Neben der Gastronomie entwickelte sich eine Kulturszene. So entstanden Kinos, die chinesische Filme zeigten, und man feierte im Januar oder Februar das chinesische Neujahr mit farbenfrohen Paraden.

Die gastronomische Auswahl hat sich inzwischen auch auf andere asiatische Küchen ausgeweitet. Es gibt Thai-Restaurants ebenso wie japanische Küche und eine Auswahl an asiatischen Supermärkten. Beliebt ist das »Dim Sum«, das sonntägliche Mittagessen. Hierbei bestellt man ca. acht bis zwölf verschiedene kleinere Häppchen aus der chinesischen Speisekarte, die man dann mit der Familie teilen kann.

INFO

Hinkommen: U-Bahn Leicester Square, Northern oder Piccadilly Line. U-Bahn Piccadilly Circus, Piccadilly oder Bakerloo Line. [C3]
Information: www.chinatownlondon.org.
Essen & Trinken: Dumplings' Legend, 15-16 Gerrard Street, W1D 6JE, Tel.: 74941200, www.dumplingslegend.com. Geöffnet Mo-Do 12-24, Fr & Sa 12-3, So 12-23 Uhr. In diesem Restaurant mit offener Küche gibt es eine große Speisekarte. Zu den Spezialitäten gehören die chinesischen Dampfklöße, »Dumplings«, die mit verschiedenen Einlagen gefüllt sind, Gerichte von £ 6-10, Menü ab £ 14,50.
Royal Dragon, 30 Gerrard Street, W1D 6JS, Tel.: 77341388, www.rdklondon.co.uk. Geöffnet tgl. 12-3 Uhr. Hier wird neben gutem Dim Sum auch Karaoke geboten.

Geschichte erleben

Teile der historischen Stadtmauer am »Museum of London«

⓳ Blaue Plaketten – auf den Spuren bekannter Persönlichkeiten

In London wurde eine inzwischen oft kopierte Idee geboren: die Gedenkplakette oder auch **Blue Plaque**. Wenn man in London unterwegs ist, fallen immer wieder die gut sichtbaren, frisbeegroßen blauen Plaketten auf, die auf historisch, wissenschaftlich oder kulturell bedeutende Bewohner eines Gebäudes hinweisen.

Blaue Plaketten: leicht zu übersehen – aber immer voller Geschichten

Die Organisation English Heritage (Historic Buildings and Monuments Commission for England) ist eine staatliche Organisation und verantwortlich für die Erhaltung von historisch wichtigen Stätten. Die Initiative besteht seit 140 Jahren und zählt momentan 850 Plaketten, die in London angebracht wurden. Aus Geldmangel wurden 2013 keine neue Plaketten vergeben, ab Juni 2014 können jedoch wieder Vorschläge eingereicht werden.

Wer eine Lücke in der Dokumentation entdeckt oder einen Vorschlag für eine Blaue Plakette hat, die an einer bestimmten Stelle angebracht werden soll, kann die Kommission kontaktieren. Es müssen allerdings bestimmte Kriterien erfüllt werden: Die geehrte Persönlichkeit muss hinreichend bekannt, entweder mehr als 20 Jahre tot oder vor mindestens 100 Jahren geboren worden sein. Bevor eine Plakette an einem Haus angebracht wird, muss sichergestellt werden, dass die Person für einen längeren Zeitraum dort gelebt hat. Dazu muss die Person einen gesellschaftlichen Beitrag geleistet haben, beispielsweise indem sie in ihrem Berufsleben eine besonders herausragende Leistung erbracht hat. Nicht-Briten werden nur in den Kreis der Auserwählten aufgenommen, wenn sie international bekannt sind. Zu den Deutschen, die die Ehrung erhielten, gehören beispielsweise Heinrich Heine und Theodor Fontane.

Die Idee hinter der blauen Plakette ist es, die Verbindung einer berühmten Person mit einem Gebäude zu würdigen. Auf diese Weise wird dem Gebäude eine historische Bedeutung verliehen, was unter Umständen zu dessen Erhalt beiträgt. Dies schien besonders wichtig gegen Ende des 19. Jh., als London rapide anwuchs und viele historische Gebäude neuen Bauprojekten weichen mussten. Auch heute ist dies wieder von großer Bedeutung.

Die ersten Personen, die 1867 anhand einer Plakette geehrt wurden, waren Benjamin Franklin, David Garrick und Lord Nelson. Von den 35 Plaketten, die die »Royal Society of Arts« anbrachte, existiert heute nur noch die Hälfte – unter anderem die für Napoleon III. in der King Street, St. James's Park.

Die ersten Plaketten sahen noch anders aus. Sie hatten einen dekorierten Rand, waren dunkelrot und zeigten den Namen der Gesellschaft »Society of Arts«.

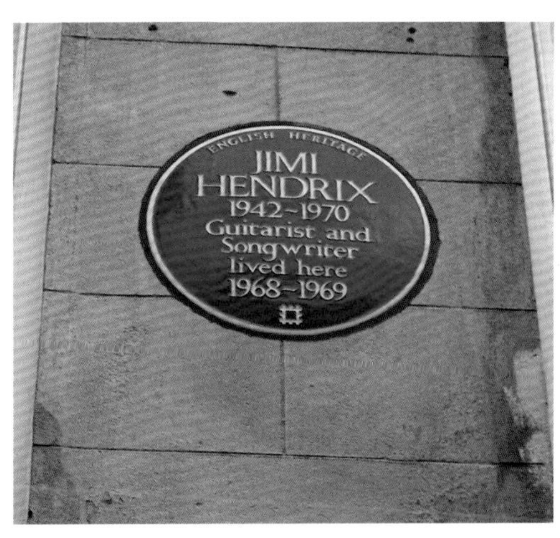

Jimi Hendrix lebte hier und wurde per Plakette verewigt

Hendrix und Händel – Nr. 23 und 25 Brook Street

Was verbindet Jimmy Hendrix und Georg Friedrich Händel? Sie wohnten beide in der Brook Street, in Mayfair nahe dem Grosvenor Square. In den Hausnummern 23 und 25 erinnern zwei blaue Plaketten Seite an Seite an den Rockgitarristen Jimi Hendrix und den Komponisten Georg Friedrich Händel. Im **Handel House Museum** in der Nr. 25 lebte der Komponist 36 Jahre bis zu seinem Tod 1759. Er war 1712 nach London gekommen und wurde vom Hannoveraner König George I. zum Hofkomponisten ernannt. Für den Monarchen komponierte er so bekannte Stücke wie den »Messiah«, die »Wassermusik« und die »Feuerwerksmusik«. 1727 nahm er die britische Staatsbürgerschaft an. Das Museum ermöglicht einen Einblick in seine Kompositionen und sein Leben. Ganzjährig finden in seinem Übungsraum Musikveranstaltungen auf historischen Instrumenten statt wie Konzerte auf Cembalo und Spinett. **Jimmy Hendrix** lebte von 1968–1969 mit seiner Freundin Kathy Etchingham in der Hausnummer 23. Zum Glück hatten die beiden damals keine Nachbarn, sodass Hendrix nach Lust und Laune auf seiner elektrischen Gitarre üben konnte. Das restaurierte Apartment gehört zwar mit zum Komplex des Museums, dort sind allerdings Büros untergebracht und es kann daher nicht besichtigt werden.

Handel House Museum: 25 Brook Street, Tel.: 02074951685, www.handelhouse.org. Geöffnet Di, Mi, Fr, Sa 10–18, Do 10–20, So 12–18 Uhr. Erwachsene £ 6,50, ermäßigt £ 5,50, Kinder 5–16 Jahre £ 2 (Sa & So frei). Konzerte: Tickets Erwachsene £ 9, ermäßigt £ 5. [C3]

Information:
www.english-heritage.org.uk/discover/blue-plaques

Mehr blaue Plaketten:
Karl Marx, 28 Dean Street
W. A. Mozart, 180 Ebury Street
John F. Kennedy, 14 Princes Gate
Mahatma Gandhi, Kingsley Hall
Boris Karloff, 36 Forest Hill Road
Heinrich Heine, 32 Craven Street
Theodor Fontane, 6 St Augustine's Road
John Lennon, 34 Montague Square
Agatha Christie, 58 Sheffield Terrace

INFO

⑳ Houses of Parliament – die Mutter der Parlamente

Das Gebiet um die **Houses of Parliament** und die **Westminster Abbey** war bereits im Mittelalter Regierungssitz. Edward the Confessor verlegte 1065 seine Residenz vom alten Stadtkern im Osten in den neuen Palace of Westminster an der Themse. In den darauffolgenden Jahrhunderten wurden immer wieder Anbauten errichtet.

Hier trat der große Rat, »Great Council«, zusammen, der frühe Vorläufer des Parlaments. 1265 versammelte sich an diesem Ort zum ersten Mal eine Gruppe rebellischer Barone unter Simon de Monfort. Ab 1295 kamen dann regelmäßig Vertreter der mittleren Stände, Adelige, Kaufleute und Würdenträger zusammen. Nach 1547 fanden diese Treffen im Chorgestühl der ehemaligen Stephanskirche statt. Hieraus entstanden später die beiden Kammern des Parlamentes: **House of Lords** (Oberhaus) und **House of Commons** (Unterhaus). Heinrich VIII. verlegte sein Domizil nach Whitehall (s. Kap. 2) woraufhin die Palastgebäude nur noch für die Abwicklung von Regierungsgeschäften dienten.

Die **Westminster Hall** (1097) wurde unter anderem zur Rechtsprechung genutzt. Sie ist eines der wenigen noch erhaltene Gebäude des ehemaligen Palastes. Direkt davor steht die Statue des Lord Protectors Oliver Cromwell, der nach dem Bürgerkrieg für eine kurze Zeit anstelle des hingerichteten Charles I. die republikanische Regierung führte.

Ein großer Brand im Jahr 1834 bot Anlass, über ein neues, zeitgemäßes Parlamentsgebäude nachzudenken. Charles Barry und Augustus Pugin wurden mit dem Neubau beauftragt, der unter Queen Victoria 1840 begann. Es ent-

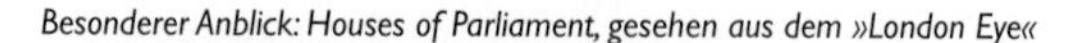

Besonderer Anblick: Houses of Parliament, gesehen aus dem »London Eye«

stand ein Palast der Neogotik, der das Selbstbewusstsein einer starken Nation repräsentierte. Noch heute ist das Parlamentsgebäude an der Themse – zusammen mit dem **Glockenturm Big Ben** – eines der Wahrzeichen der Stadt.

Der Big Ben: eines der Wahrzeichen von London

Der Glockenturm der ehemaligen Stephanskirche ist mit 96,3 m zwar 2 m kürzer als der Viktoria Tower am Südende. Das Besondere an ihm ist aber die Glocke Big Ben aus dem Jahr 1858. Sie läutet jeweils zur vollen Stunde und spielt eine Melodie, die einer Arie aus Händels »Messias« nachempfunden ist. Zu Ehren des 60. Thron-Jubiläums der Queen wurde der Turm 2012 in »Elizabeth Tower« umbenannt.

Eine Lobby trennt die beiden Abgeordnetenkammern. Bei Debatten wird die Presse nur bis hierhin vorgelassen. In der Stephanskirche saßen die Abgeordneten einst auf Bänken des Chorgestühls. Bis heute hat das Unterhaus diese Sitzordnung beibehalten, in der sich die Regierungsvertreter und die politische Opposition auf langen Bänken gegenübersitzen. Im Oberhaus befindet sich der Thron der Königin, von dem aus sie jedes Jahr nach der Sommerpause in einer formellen Staatszeremonie das Parlament wieder eröffnet.

Jewel Tower: Ausstellung zur Palast-Geschichte

Außerhalb des Gebäudes, vor dem Sovereign's Entrance, durch den die Königin das Gebäude betritt, steht der **Jewel Tower**. Neben der Westminster Hall ist er der einzige noch erhaltene Teil des mittelalterlichen Palastes. Hier gibt es eine informative Ausstellung über die Geschichte des Palastes.

INFO

Hinkommen: U-Bahn Westminster, District, Circle oder Jubilee Line. [C4]
Information:
Houses of Parliament und Westminster Hall,
Führungen Sa 9.15-16.30 Uhr.
Eintritt: Erwachsene £ 16,50, ermäßigt £ 14, Kinder £ 7 (5-15 Jahre). Während der Parlamentszeiten kann man als Tourist Debatten beiwohnen, aber an keiner Führung teilnehmen. Reservierung online oder Tel.: 0844-8471672, www.ticketmaster.co.uk/Houses-of-Parliament-tickets-London.
Jewel Tower, Abingdon Street
Tel.: 72222219. Geöffnet tgl. April-Nov. 10-17, Nov.-März 10-16 Uhr, Eintritt: Erwachsene £ 3,90, Kinder £ 2,30. Eine gute Alternative, wenn man für die Houses of Parliament keine Tickets mehr bekommt.

21 Westminster Abbey – Geschichte durch die Jahrhunderte

Edward the Confessor (1042–1066) begann im Jahr 1042 mit dem Bau der »größten Kirche aller Zeiten« an der Stelle einer ehemaligen Benediktinerabtei. Die **Westminster Abbey** ist sicherlich eine der wichtigsten Kirchen der Nation und vereint viele Jahrhunderte britischer Geschichte. Das heutige Gebäude im französisch-gotischen Stil entstand unter Henry III. im Jahr 1245 und ist das beeindruckendste Beispiel mittelalterlicher Architektur in Großbritannien.

1066 wurde der Normanne William the Conquerer als erster König an diesem Ort gekrönt – er kam zu Pferde in die Kirche. Danach war die Abtei die Krönungsstätte für fast alle englischen und britischen Monarchen, zuletzt am 2. Juni 1953 für die amtierende Queen Elizabeth II. Heute befindet sich unter der riesigen Gewölbedecke ein Mausoleum mit prunkvollen Grabstätten und Gedenksteinen für über 3.300 Persönlichkeiten: Staatsmänner, Gelehrte und Künstler. In der Abtei fanden auch einige Hochzeiten der königlichen Familie statt, wie die von Elizabeth II. und Prinz Philip 1947 und Kate und William 2011.

Interessante Ansicht: Innenhof der Westminster Abbey

Der Rundgang durch die Abtei beginnt am Nordtor. Gleich dahinter befindet sich die **Statesmen's Aisle**, wo wichtige Politiker beigesetzt sind wie z. B. Premierminister William Pitt Benjamin Disraeli (1804–1881), aber auch Sir Robert Peel (1788–1850), der Begründer der britischen Polizei (Bobbys).

Dahinter befindet sich der Schrein für Edward the Confessor, den letzten großen angelsächsischen Herrscher. Erst mit den nachfolgenden Normannen wurde das Feudalsystem Europas in England eingeführt. Um den Schrein herum befinden sich die Gräber von Henry III., das der angevinischen Könige Edward I. und Edward III. sowie von Richard II. Henry V. aus dem Haus Lancaster besiegte die Franzosen im »Hundertjährigen Krieg« bei Agincourt.

Westlich von hier führen Treppen hinauf zur prachtvollen **Lady's Chapel** (auch »Henry VII. Chapel«) im Perpendikularstil der englischen Gotik aus dem Jahr 1503. An der Nordseite liegen die Gräber der Tudorfamilie. Unter anderem sind hier aufgebahrt: Queen Elizabeth I. (1558–1603) und ihrer Halbschwester Mary I. (Bloody Mary, 1553–1558). Die Familie Stuart mit der von Elizabeth als Verräterin hingerichteten Cousine Mary, Queen of Scots (1542–1567), sind auf der Südseite beigesetzt.

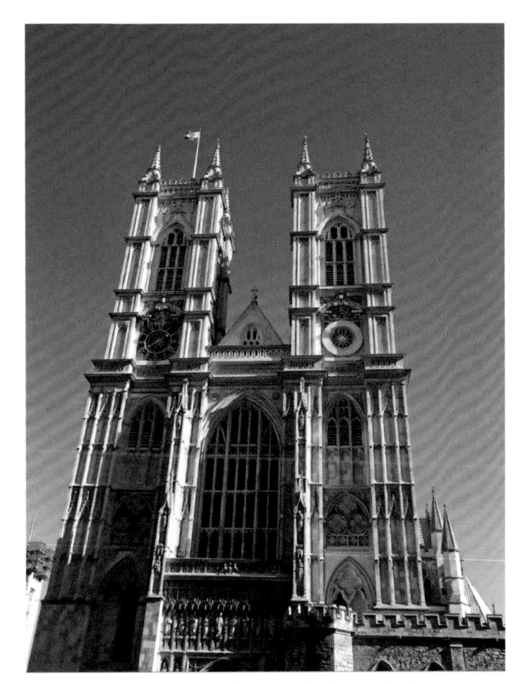

Sie sollte die größte Kirche aller Zeiten werden

Im südlichen Querschiff befinden sich Gedenksteine großer Literaten, Poeten und Komponisten wie John Milton (1608–1674), William Shakespeare (1564–1616), William Blake (1757–1827) ebenso wie die Gräber von Geoffrey Chaucer (1343–1400), Charles Dickens (1812–1870), Thomas Hardy (1840–1928), Rudyard Kipling (1865–1936) und Georg Friedrich Händel (1685–1759), dem Hofkomponisten des Hannoveranerkönigs George I. Im Kirchenschiff auf der Ostseite, beim Ausgang, passiert man die Gräber von Isaac Newton (1643–1727) und Charles Darwin (1809–1882), zwei der herausragendsten britischen Wissenschaftler.

Das **Museum** der Abtei befindet sich in der Krypta, einer der ältesten Gebäudeteile, der auf das 11. Jh. zurückgeht. Hier gibt es unter anderem ein Korsett von Queen Elizabeth I. zu sehen.

INFO

Hinkommen: U-Bahn Westminster, District, Circle oder Jubilee Line. [C4]
Westminster Abbey, Broad Sanctuary, Dean Yard, SW1P 3PA, Tel.: 72225152, www.westminster-abbey.org. Besichtigungen Mo, Di, Do, Fr, Sa 9.30-15.30, Mi 9.30-18 Uhr. **Museum** 10.30-16 Uhr. Eintritt Erwachsene 18 £, ermäßigt 15 £, Kinder 11-18 Jahre 8 £.

Bitte beachten:
Die Abtei gehört zu den meistbesuchten Sehenswürdigkeiten Londons, deswegen muss man mit Wartezeiten rechnen. Ein Audioguide in deutscher Sprache ist kostenfrei erhältlich. Bei Empfängen, Gottesdiensten oder anderen Veranstaltungen gibt es keinen Zugang.

22 London Bridge – von der Römerzeit bis heute

Die **London Bridge** verbindet die beiden ältesten Stadtteile Londons miteinander – **City** und **Southwark**. Der heutigen Brücke, die sich nicht durch besondere Merkmale auszeichnet, würde man ihre Bedeutung nicht ansehen.

An dieser Stelle gab es jedoch bereits um 50 n. Chr. eine Brücke, lange bevor die Stadt London existierte. Sie war nicht mehr als eine Behelfsbrücke, auf der die römischen Truppen den Fluss überqueren konnten. Aus einer kleinen Siedlung am Nordufer entstand später der Kern der Londoner City (s. Kap. 5). Ein Kinderlied erzählt von der Brücke, die erst aus Lehm und Holz gebaut wird, dann aus Ziegeln, dann aus Eisen und Stahl. Dies entspricht ungefähr den verschiedenen Stationen im Leben der London Bridge, die immer wieder durch Stürme, Feuer und Fluten zerstört und danach wieder aufgebaut wurde.

Auf die Römer folgten die Wikinger, die Angelsachsen und die Normannen. Diese bauten die erste Steinkonstruktion im Jahr 1173. Die Grundstruktur dieser **Old London Bridge** hielt bis 1833, obwohl immer wieder Änderungen und Umbauten vorgenommen wurden.

Die mittelalterliche Brücke hatte 19 kleine Bögen und eine Zugbrücke. Nur sehr kleine Boote passten unter den Bögen hindurch, und der Sog durch die Gezeiten der Themse stellte ein weiteres Hindernis dar. Daher war für die meisten Boote der Weg hier zu Ende. Über die Borough High Street, die von Süden in die Stadt führte, kamen landwirtschaftliche Erzeugnisse von den Bauernhöfen der südlichen Grafschaften wie Kent in die Stadt. Auch Kutschen aus dem Süden benutzten diese Straße. Von den ehemals 30 Kutschenstationen ist heute nur noch der Pub **The George Inn Yard** (s. Kap. 31) geblieben. Hinzu kamen die Händler und Fußgänger auf der Brücke, sodass diese meist völlig überfüllt war. Im Mittelalter befanden sich auf der Brücke, wie damals üblich, Fachwerkhäuschen, in denen Geschäfte untergebracht waren. Sie waren allerdings sehr feueranfällig. Im Jahr 1212 wurden durch ein solches Feuer 3.000 Menschen eingeschlossen, die qualvoll verbrannten.

Die viktorianische Version der Brücke aus dem Jahr 1831 hatte fünf breite Bögen, die die Schiffspassage erleichterten. Allerdings passten große Segel- oder Dampfschiffe dennoch nicht darunter hindurch und mussten ihre Waren in den Docks im East End abladen. 1967 beschloss man den Neubau der Brücke. Dabei kamen die Verantwortlichen auf die ungewöhnliche Idee, das bisherige viktorianische Bauwerk zu verkaufen. Robert McColloch, ein Geschäftsmann und Stadtgründer aus Arizona, erwarb die Brücke 1968 für einen englischen Themenpark in Lake Havasu City, wo sie heute noch steht.

Die heutige Brücke wurde am 17. März 1973 von der amtierenden Queen eröffnet und hat sich seitdem kaum verändert. Heute erinnert nichts mehr daran, dass am Südende der Brücke einst die Köpfe von hingerichteten Staats-

Geschichtsträchtig: Die London Bridge mit »The Shard«

feinden und Verbrechern als Warnung aufgespießt wurden. Bis heute ist sie jedoch eine wichtige Lebensader für den Verkehr zwischen der City und dem Südufer der Themse, wo rund um den Bahnhof London Bridge das moderne London Bridge Quarter entsteht, überragt vom Hochhaus »The Shard« im Hintergrund (s. Kap. 60).

Die schwebenden Gärten von London

Für die ständig wachsende Stadt sind momentan vier neue Brücken im Westen und Osten geplant, drei davon ausschließlich für Fußgänger und Radfahrer. Zu den ausgefallensten Vorschlägen gehört die **Garden Bridge**, zwischen der U-Bahn Station Temple und Waterloo. Der Entwurf des Architekten Thomas Heatherwick sieht eine begrünte Brücke vor, deren Pfeiler zu Parks ausgeweitet werden sollen. Die Brücke soll demnach nicht nur zweckmäßig sein, sondern neuen Lebensraum auf dem Wasser erschließen. Die Idee stammt von der Schauspielerin Joanna Lumley, die sich seit Jahren für ungewöhnliche Anliegen und Projekte einsetzt.
Info: www.gardenbridgetrust.org/index.html, www.heatherwick.com/garden-bridge.

INFO

Hinkommen: U-Bahn London Bridge, Northern Line, Jubilee Line oder London Bridge Railway. [E3]
Information:
The London Bridge Experience, 2-4 Tooley Street, SE1 2SY, Tel.: 0844-8472287, www.thelondonbridgeexperience.com. Geöffnet Mo–Fr 10–17, Sa & So 10–18 Uhr. Eintritt: Erwachsene £ 23, ermäßigt £ 21, Kinder £ 19. In diesem Gruselkabinett werden unschönere Aspekte der Londoner Geschichte aus verschiedenen Jahrhunderten nachgestellt. Interessant sind Modelle der Brücke aus den verschiedenen Epochen.

㉓ Das juristische Zentrum Londons und die Temple Church

Die Gegend zwischen Charing Cross Road und Fleet Street ist bereits seit Jahrhunderten als das juristische Zentrum Londons bekannt. Die **Inns of Court** entstanden rund um die Temple Church, eine Kirche aus dem 12. Jh., die von den Rittern des Templerordens errichtet wurde. Die Temple Church ist eingebettet in ein Ensemble aus alten Gebäuden und Innenhöfen, mit zahlreichen Anwaltskammern und Büros. Das Gelände erscheint wie eine Oase inmitten der geschäftigen City von London und nicht nur die Juristen aus den umliegenden Anwaltskammern ruhen sich hier auf den alten Steinbänken im Schatten aus.

Die **Temple Church** selbst besteht aus zwei Teilen, einem Rundbau, »Round Church«, und einer Kanzel, »Chancel«. Der runde Teil entstand in Anlehnung an die heilige Grabstätte in Jerusalem. Innen befinden sich die Gräber und Grabplatten der Ritter des Templerordens, jeweils mit einer lebensgroßen Statue des jeweiligen Ritters ausgestattet. Ungeklärt ist, warum die Gräber leer sind und die Ritter nie hier bestattet wurden. Die bis heute genutzte Kirche dient oft als Filmkulisse. So war sie zum Beispiel Schauplatz für einige Szenen des Films »Der Da Vinci Code« (2006) nach dem Buch von Dan Brown.

Die Verbindung zwischen dem mittelalterlichen Tempel und der Rechtsprechung entstand vor vielen Jahrhunderten. 1307 beschlagnahmte König Edward II. die Kirche. Der Orden hatte den Unbill des Papstes auf sich gezogen und wurde der Ketzerei und der Sodomie angeklagt. Im Jahr 1312 wurde der Orden in einem Schauprozess vom Papst aufgelöst. Eduard ließ in dem

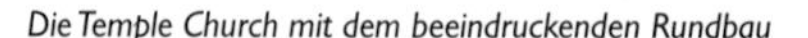
Die Temple Church mit dem beeindruckenden Rundbau

Tempelgebäude erstmals eine Rechtsgelehrtenschule einrichten, und der Berufszweig ist hier bis heute ansässig. Inzwischen bestehen die Inns of Court aus vier Vereinigungen, den »Honourable Societies«: Lincoln's Inn, Inner Temple, Middle Temple und Gray's Inn. Hier werden Gerichtsanwälte ausgebildet. Jeder, der in Großbritannien diesen Beruf ausüben will, muss einer dieser Vereinigungen angehören.

Der Prince Henry's Room – ein ehemaliger Pub

Der letzte Großmeister des Templerordens, Jacques de Molay, wurde übrigens 1314 auf dem Scheiterhaufen in Paris verbrannt. Interessanterweise wurde der Großteil der Ordensgüter auf den Johanniterorden übertragen, der im 16. Jh. Malta besiedelte und seitdem als Malteserorden bekannt ist.

Früher befand sich hier bei dem Gerichtsgebäude der Royal Courts of Justice, wo die Fleet Street in den Strand übergeht, die **Temple Bar**, eine Grenzschranke zum Bezirk der City of London. Sie bildete die Grenze zwischen den Regierungsbezirken Westminster und London. Wenn der jeweils regierende Monarch von seinem Regierungssitz in Whitehall in die City wollte, musste er sich jedes Mal einem Ritual unterziehen: Der Bürgermeister von London überreichte ihm feierlich ein zeremonielles, juwelenverziertes Schwert, erst dann durfte er weiterziehen.

Der große steinerne Torbogen, der ursprünglich vom Londoner Baumeister Christopher Wren entworfen worden war, wurde im Jahr 1878 bei einer Straßenerweiterung entfernt und nördlich der St. Paul's Cathedral, am Eingang zum Paternoster Square, wieder aufgestellt. Heute ist die Stelle markiert durch die Statue eines Greifs auf einem Podest in der Mitte der Straße. Von hier aus entdeckt man südlich ein Fachwerkhaus aus der Tudorzeit, das hier nicht hinzugehören scheint: Der **Prince Henry's Room**, ein ehemaliger Pub, ist eines der wenigen Gebäude, die den Großen Brand von 1666 überstanden. Es gibt Pläne, es in ein Museum umzuwandeln. Bis dahin bleibt Prince Henry's Room geschlossen.

INFO

Hinkommen: U-Bahn Temple, Circle oder District Line. [D3]
Information:
Temple Church,
Masters House, Temple Place,
EC4Y 7BB, Tel.: 73533470,
www.templechurch.com.
Geöffnet Mo, Di, Do, Fr 11–16, Mi 14–16 Uhr. Eintritt Erwachsene £ 4, ermäßigt £ 2, Kinder bis 18 Jahre frei.
Prince Henry's Room, 17 Fleet Street. Informationen über die Wiedereröffnung können erfragt werden unter visit@cityoflondon.gov.uk.

24 Museum of London und Postman's Park – Zeitdokumente verschiedener Epochen

Das **Museum of London**, mitten im mittelalterlichen Straßengewirr der wenig touristischen City von London nördlich von St. Paul's, ist ganz der Geschichte der Stadt London gewidmet und sehr sehenswert. Da in London ständig irgendwo gebaut wurde und wird, stieß man über die Jahrhunderte hinweg immer wieder auf Überreste vergangener Zivilisationen. Was immer Archäologen an verschiedenen Stellen ausgegraben haben, ist hier im Museum of London ausgestellt.

Sogar ein Teil der mittelalterlichen Stadtmauer mit römischen Fundamenten wurde in das Gebäude des Museums integriert, den man von einer Aussichtsplattform betrachten kann.

Das Museum ist chronologisch angeordnet, damit man der Reihe nach die verschiedenen Zeitabschnitte durchwandert. Zu sehen gibt es außerdem Drucke und Modelle der Stadt aus den verschiedenen Epochen. Der Rundgang beginnt mit **prähistorischen Funden**, wie den 6.000 Jahre alten Überresten einer Frau, der »Shepperton Woman«, deren Gesicht man anhand der Knochen rekonstruieren konnte. Im römischen Abschnitt gibt es **Mosaike** aus Stadtvillen und **Marmorskulpturen**. Die Zeiten überlebt hat auch ein Lederslip, wie man ihn unter der römischen Toga trug. Er erinnert an ein Bikini-Unterteil. Die Spannbreite reicht von Wikingerschmuck und Seidenwaren, die im East End gewebt wurden, Gemälden, Dokumentationen und Kurzfilmen über Ereignisse wie den Großen Brand, bis zu Fotografien aus der neueren Zeit – beispielsweise London im Zweiten Weltkrieg und die »Swinging

Das Museum of London – ein wenig versteckt im Straßengewirr nördlich von St. Paul's

Sixties«. Das **Docklands Museum** (s. Kap. 7) gehört ebenfalls zum Museum of London. Dort werden, wie in anderen Gebieten Londons, auch weiterhin Ausgrabungen vorgenommen.

Ein kurzer Spaziergang über die Aldersgate Street in südlicher Richtung führt vom Museum zum **Postman's Park**, eingegrenzt von der King Edwards Street, Little Britain und Angel Street. Der hübsch angelegte Park, von hohen Gebäuden umgeben, ist eine ruhige Oase inmitten des Verkehrs und gehörte früher zu dem Gelände verschiedener Kirchen.

Erinnerung an Menschen, die für andere das Leben gaben

Hier befindet sich das **Memorial to Heroic Self Sacrifice** – eine Wand mit Plaketten, die an Menschen erinnert, die selbstlos für andere ihr Leben gaben. Die Wand wurde im Jahr 1887 von George Frederic Watts anlässlich des Goldenen Jubiläums von Queen Victoria angelegt. Das Denkmal besteht aus Keramikplatten, die den Namen der jeweiligen Person zeigen und kurz erklären, welche selbstlose Tat vollbracht wurde. Hierbei handelt es sich nicht um große Generäle oder Kriegshelden.

Es finden sich die Namen einfacher Leute, die in alltäglichen Situationen ihr Leben ließen und die normalerweise in Vergessenheit geraten wären. So zum Beispiel ein Lokführer, der ein Zugunglück verhinderte, eine Frau, die bei einem Schiffsunglück ihre Schwimmweste hergab, oder eine Frau, die drei Kinder aus einem brennenden Haus rettete. Watts war ein radikaler Sozialist, der sich für die Belange der weniger begünstigten Mitbürger einsetzte und aus Protest gegen seinen eigenen Stand zweimal die Verleihung eines Ehrentitels ablehnte.

Historische Ansichten per App

Mithilfe des kostenlosen Apps »Streetmuseum« kann man bei Spaziergängen Fotos abrufen, die zeigen, wie Straßenansichten vor hunderten von Jahren ausgesehen haben. Die Fotos stammen aus dem riesigen Archiv des Museums of London (www.museumoflondon.org.uk/streetmuseum.htm).

INFO

Hinkommen: Moorgate oder Barbican, District Line, Hammersmith & City Line oder Metropolitan Line. [D2]
Information: Museum of London, 150 London Wall, EC2Y 5HN, Tel.: 70019844, www.museumoflondon.org.uk. Geöffnet tgl. 10–18 Uhr, Eintritt frei. Täglich kostenlose Führungen.
Postman's Park, St Martin's le Grand, Aldersgate Street and King Edward Street, EC1A, www.cityoflondon.gov.uk. Geöffnet tgl. 8–19 Uhr.
Essen & Trinken: Im Museum gibt es drei Cafés für kleinere Snacks (10–17.30 Uhr) sowie ein Restaurant.
London Wall Bar & Kitchen, Tel.: 76007340. Geöffnet Mo–Fr 9–23, Sa & So 12–16 Uhr.

25 St. Bartholomew's – das älteste Krankenhaus Englands

St. Bartholomew's oder abgekürzt **St. Barts**, ist eine einzigartige Institution: Es ist das älteste Krankenhaus Englands. Es entstand bereits im Jahr 1123 unter der Herrschaft von Henry I. Teile der Originalgebäude sind bis heute erhalten, sie überstanden den Großen Brand und den Zweiten Weltkrieg – bereits seit 900 Jahren werden hier Patienten versorgt. Auch diente das St. Bartholomew's schon früh als Lehrkrankenhaus.

Der Kreuzritter Raher gründete die Abtei und Kirche St. Bartholomew's, deren Mönche ein Hospital für die Kranken und Armen führten. Das Krankenhaus wurde zu einer eigenständigen Organisation, aber von der Abtei finanziert. Nach der Auflösung der Abteien durch Henry VIII. gingen die Geldmittel aus. Aufgrund von Protesten und Bitten aber gab der Monarch 1546 schließlich seine Einwilligung zur Finanzierung von vier Krankenhäusern in der Stadt. **St. Bartholomew's** wurde zum königlichen Hospital. Als Erinnerung an seine Großzügigkeit steht Henrys Statue über dem Haupteingangstor. Sie ist die einzige im Freien stehende Statue Henrys in London. Der erste Hofarzt war 1567 der Portugiese Rodrigo Lopez. Er wurde jedoch der versuchten Vergiftung von Elizabeth I. angeklagt, erhängt und gevierteilt.

Das Eingangstor des St. Bartholomew's

Das Tor führt in den Hof, der von James Gibbs (s. Kap. 53) im Jahr 1730 mit vier Hauptflügeln angelegt wurde. Im nördlichen Block befindet sich die große Halle, **Great Hall**, im Barockstil mit hohen Decken. Der große Treppenaufgang wurde von dem Künstler William Hogarth mit zwei Wandgemälden verziert: »The Good Samaritan« (»Der gute Samariter«) und »Christ at the Pool of Bethseda« (»Christus am See von Bethseda«).

William Hogarth (1697–1764) wurde später vor allem als satirischer Maler bekannt, der die Laster und die Trunksucht des einfachen Volkes in Gemälden mit Namen wie »Beer Street« and »Gin Lane« karikierte. Die

Gemälde in St. Bartholomew's betonen den karitativen Charakter der Institution. Hogarth war, ebenso wie Gibbs, unentgeltlich tätig.

Der Ostflügel (1758–1768) und der Westflügel (1743–1753) des Krankenhauses entsprechen noch den Entwürfen von Gibbs. Der Südflügel (1735–1740) wurde 1937 abgerissen.

Heinrich VIII. schaut herab vom Portal

St. Bartholomew's profitierte von der Nähe des **Newgate Prison** (s. Kap. 29) und des gegenüberliegenden Hinrichtungsfeldes in **Smithfield** (s. Kap. 26). Viele der Leichname wurden für medizinische Studien in das Lehrkrankenhaus gebracht. Eine ordentliche Beerdigung war den Verurteilten versagt, dies war Teil der Bestrafung. Es wurden jedoch auch weniger legale Methoden angewandt, um an Studienobjekte zu gelangen. So grub eine Reihe von Grabräubern beim benachbarten Friedhof der Kirche **St. Sepulchre** Leichen aus und verkaufte diese dann für gutes Geld im Pub in der Cock Lane. Um dieses Unwesen zu unterbinden, wurde schließlich ein Wachhaus auf dem Friedhof errichtet.

In den letzten Jahren war das Krankenhaus wegen Überalterung mehrfach von der Schließung bedroht. Nun werden jedoch bis 2015 Modernisierungsarbeiten vorgenommen.

Zur gleichen Zeit wie das Hospital entstand auch die benachbarte Abteikirche **St. Bartholomew's the Great** in der Cloth Fair, die einen Abstecher wert ist. Sie ist eines der wenigen mittelalterlichen Gebäude, die den Großen Brand von London 1666 und den Zweiten Weltkrieg überlebten und weist viele normannische Stilelemente auf. Während der Reformation wurde die Abtei aufgelöst. Danach wurde St. Bartholomew's the Less auf dem Hospitalgelände zur Krankenhauskapelle.

Das Museum

Im Nordflügel des Krankenhauses befindet sich ein Museum, das Einblick in die medizinische Entwicklungen der letzten 900 Jahre gibt. Unter anderem gibt es historische chirurgische Instrumente zu sehen sowie einen etwas altmodischen Kurzfilm, in dem eine mittelalterliche Krankenschwester, ein Lehrarzt und eine moderne Krankenschwester ihren Beitrag leisten. Interessant sind die Gründungsdokumente des Krankenhauses, unterzeichnet von Henry VIII. und mit seinem königlichen Siegel versehen. Einer der herausragenden Chirurgen, die von 1609-1643 hier arbeiteten, war William Harvey. Er gelangte zu revolutionären Erkenntnissen über den Blutkreislauf. Interessant ist auch die Dokumentation über das Krankenhausessen, das die Patienten früher hier erleiden mussten. Freitags kann man zudem die zwei Gemälde von Hogarth besichtigen.

INFO

Hinkommen: U-Bahn St. Paul's, Central Line. Entlang der Newgate und Giltspur Street, bis zum Eingangstor mit der Statue von Henry VIII. [D2]
Information: St. Bartholomew's Hospital Museum, West Smithfield, EC1A 7BE, www.medicalmuseums.org/St-Bartholomews-Hospital-Museum-and-Archives. Geöffnet Di-Fr 10-16 Uhr, Eintritt frei (Spenden werden gerne gesehen).

26 Smithfield Market und die Pest 1348

Smithfield, eine Ableitung aus »Smooth Field«, war ein Feld außerhalb der Stadtgrenzen der City und eignete sich perfekt für Veranstaltungen aller Art. Hier fanden mittelalterliche Ritterturniere statt, die teilweise eine Woche dauerten und an denen bis zu 60 Ritter teilnahmen. Später wurde der offene Platz für Hinrichtungen genutzt. Verurteilten, die des Verrats angeklagt waren, wurden in Smithfield die Eingeweide bei lebendigem Leib herausgerissen. Münzfälscher wurden mit heißem Öl übergossen. Wat Tyler, der Führer des Bauernaufstandes von 1381 (s. Kap. 49), wurde hier hingerichtet. Während der Reformation richtete sich die Aggression besonders gegen die sogenannten »Häretiker« (Protestanten). Queen Mary I. (1553–1558), auch bekannt als »Bloody Mary«, ließ Hunderte von Protestanten hier auf dem Scheiterhaufen verbrennen.

Im Jahr 1348 kam es zu einer Pestepidemie in London, dem »Black Death«, der fast ein Drittel der Bevölkerung zum Opfer fiel. Die Kirchenfriedhöfe reichten nicht mehr aus, um die große Anzahl der Opfer zu beerdigen. Das Feld in Smithfield, außerhalb der Stadt, bot sich an. Man begann nördlich der heutigen Long Lane, Massengräber auszuheben. 1545 wurde auf dem Gelände das **London Charterhouse** errichtet, das später ein Armenhaus und eine Schule wurde. Heute beherbergt es das Sutton's Hospital in Charterhouse, das Teil des Lehrkrankenhauses des nahegelegenen **St. Bartholomew's** Krankenhauses ist. (s. Kap. 25). Mehr über die Geschichte erfährt man bei einer geführten Tour der City of London Tourist Guides (s. u.).

Smithfield wurde aber nicht nur mit schrecklichen Begebenheiten in Verbindung gebracht. Denn ab 1133 wurde hier die alljährliche **Bartholomew's Fair** gefeiert, eines der größten und beliebtesten Marktfeste in London.

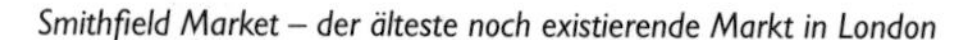

Smithfield Market – der älteste noch existierende Markt in London

Dekoration auf einem der Ecktürme

Angeblich geht das Fest auf den Kreuzritter Raher zurück, der die Einnahmen des Marktes zur Finanzierung des gegenüberliegenden Krankenhauses St. Bartholomew's nutzte. Das Fest wurde zum Inbegriff der Trunksucht und Ausschweifung, sodass die Viktorianer diesem Treiben schließlich ein Ende setzten. Übrig blieb jedoch der angegliederte Fleischmarkt. Das Feld eignete sich für Bauern aus der Umgebung, die ihre Kühe und Schafe hierhertreiben und grasen lassen konnten, bevor sie geschlachtet wurden. Die umliegenden Straßennamen, wie »Cock Lane« (Hahnenweg) oder »Duck Lane« (Entenstraße) weisen noch darauf hin, dass einst Tiere zum **Smithfield Market** zur Schlachtung geführt wurden.

Zunächst bestand der Markt nur aus dem Feld, das mit einem einfachen Holzzaun eingegrenzt war. Als die Stadt London sich ausdehnte, entstanden im Umland Gebäude und Straßen. Dies führte dazu, dass die Tiere auf einer sehr kleinen Fläche zusammengepfercht werden mussten. Man fürchtete die Ausbreitung von Krankheiten und entschloss sich daher zum Bau des großen Marktgebäudes, das heute noch hier steht. Das Gebäude wurde von Sir Horace Jones 1868 fertiggestellt, der auch die Tower Bridge entwarf. Er hatte bereits die Arkade des Leadenhall-Marktes gestaltet. Das große Gebäude erinnert an die italienische Architektur. Die zentrale Straße, Grand Avenue, führt durch das Hauptgebäude. Sie hat ein gewölbtes Dach aus schmiedeeisernen Streben und wird östlich und westlich von zwei Markthallen flankiert. Viele heraldische Dekorationen zieren die vier Ecktürme. Seit 800 Jahren in Betrieb, ist der Smithfield Market der älteste noch existierende Markt in London. Das Westende des Gebäudes wird nun komplett verwandelt: Hier sollen Luxusapartments und Geschäfte entstehen. Unter Denkmalschutz steht jedoch das **Red House** aus dem Jahr 1898. Das Haus mit rot-weißen Säulen an der Außenwand war das erste Kühlhaus in Großbritannien.

INFO

Hinkommen: U-Bahn Barbican oder Farringdon, Metropolitan, Circle und Hammersmith & City Line. [D2]

Information:

Smithfield Market, Smithfield Market Tenants' Association, 225 Central Markets, EC1A 9LH, Tel.: 72483151, www.smithfieldmarket.com. Fleischmarkt geöffnet Mo–Fr 3–14 Uhr.

Führungen:

City of London Tourist Guides, www.cityoflondontouristguides.com. Die Tour über den Markt beginnt jeden Mittwoch um 7 Uhr, Erwachsene £ 8, ermäßigt £ 6. Treffpunkt ist die U-Bahn-Station Barbican. Man muss im Voraus per E-Mail über die Webseite buchen.

Essen & Trinken: Carluccios, 12 West Smithfield, EC1A 9JR, Tel.: 73295904, www.carluccios.com/restaurants/smithfield. Geöffnet Mo–Fr 8–23, Sa 9–23, So 9–22.30 Uhr. Filiale der Restaurantkette des italienischen Fernsehkochs Carluccio. Es gibt sehr guten Cappuccino und erschwingliche italienische Klassiker wie Risotto ab £ 10,95, Fischgerichte ab £ 15, 3-Gänge-Menü ab £ 14,45

27 Luftige Säule als Erinnerung – der Große Brand von 1666 und das Monument

Zur Zeit des Baus war das **Monument** das höchste Bauwerk in der City, bis es nach und nach von Bürogebäuden und Hochhäusern überragt wurde. Bis heute ist es jedoch die höchste freistehende Steinsäule der Welt und der Ausblick von oben ist immer noch sehenswert. Zuvor muss man allerdings 311 Stufen erklimmen. Das Monument erinnert an ein verheerendes Unglück, das das Antlitz Londons für immer veränderte. Am 2. September 1666, nach einem langen trockenen Sommer, brach in einer Bäckerei in der **Pudding Lane** im Herzen der City von London ein Feuer aus, das als »The Great Fire« in die Geschichte einging. Es griff schnell auf die benachbarten Häuser über und geriet außer Kontrolle. Der vorherrschende Wind kam aus Osten und blies die Flammen in die Stadt, wo die mittelalterlichen Fachwerkhäuser und reetgedeckten Cottages sofort Feuer fingen. Die Häuser standen so dicht beieinander, dass sich das Feuer schnell über die Dächer ausbreitete. Die Löschversuche der Bewohner blieben angesichts der Ausmaße des Feuers erfolglos. Diese Ereignisse wurden durch verschiedene Augenzeugen überliefert, nicht zuletzt durch den Chronisten Samuel Pepys, der von einem Aussichtspunkt im Tower of London auf die Stadt blickte.

61 m hoch – das Monument sticht ins Auge

Den Berichten zufolge wurde das Feuer so heiß, dass es eiserne Beschläge schmolz, Ziegel und Pflastersteine zerbrach und das Wasser in den Brunnen zum Kochen brachte. Ein Feuersturm trieb brennende Asche und Funken in die Luft. Später hörte man, dass die riesige Rauchwolke, die über London schwebte, sogar noch in Oxford gesehen werden konnte. Es wird berichtet, dass sich selbst der amtierende König Charles II. in die City begab und daran beteiligt war, eine Bürgerwehr zu organisieren, die als Feuerwehr eingesetzt werden konnte.

Charles II. verteidigt London gegen die Flammen

Schnell suchte der Mob die Schuldigen in den Einwanderergemeinden aus den Niederlanden und Frankreich, denn mit diesen Ländern lag England zu dieser Zeit gerade aufgrund von Religionsstreitigkeiten im Zwist.

Drei Tage lang dauerte der Brand, danach wurde das Ausmaß der Zerstörung deutlich: Fast die ganze mittelalterliche Altstadt war unwiderbringlich verloren. Die hölzernen Häuser standen zu eng beeinander, um ein Übergreifen der Flammen zu verhindern, ca. 14.000 Gebäude wurden zerstört. Wie durch ein Wunder kamen jedoch nur wenige Menschen zu Schaden – offiziell gab es nur neun Todesopfer. Etwa 200.000 Menschen waren mit ihrer ganzen Habe auf die offenen Felder im heutigen Stadtteil Islington geflohen. Fast unverzüglich begann man mit dem Wiederaufbau und bis 1669 wurden 8.000 neue Häuser gebaut. Hochtrabende Pläne, London nach Pariser Muster mit großen Paradeboulevards umzugestalten, wurden schnell wieder verworfen. Es siegte die konservative Fraktion, und man blieb bei dem bestehenden mittelalterlichen Straßenmuster, das noch heute im Wesentlichen erhalten ist (s. Kap. 5). Dem Architekten Christopher Wren fiel die Aufgabe zu, die Kirchen der Stadt zu restaurieren (s. Kap. 51). Zusammen mit Robert Hooke entwarf er auch die Gedenkstätte des **Monument**. Die 61 m hohe dorische Säule steht auf einem großen Sockel, westlich der Pudding Lane, wo das Feuer ausbrach.

In der Säule führt eine steinerne Wendeltreppe mit 311 Stufen hinauf zu einer Aussichtsplattform. Oben befindet sich eine vergoldete Urne. Das Panel am Fuß der Säule zeigt eine Allegorie von Charles II. als römischer Kaiser, der London gegen die Flammen verteidigt. Die Stadt London selbst wird als vom Unglück gezeichnete Frau dargestellt, die auf einem Berg von Ruinen sitzt.

Ursprünglich gab es eine lateinische Inschrift am Nordpanel, die das Feuer und das Ausmaß des angerichteten Schadens beschrieb. Der letzte Satz gab den Katholiken die Schuld am Ausbruch des Feuers und sprach davon, dass der »päpstliche Wahnsinn, der solche Schrecken hervorruft«, noch nicht ausgelöscht sei. 1830 wurde diese Zeile aber entfernt.

INFO

Hinkommen: U-Bahn Monument, District oder Circle Line, London Bridge, Northern und Jubilee Line. [E3]
Information:
Monument, Tel.: 76262717, www.themonument.info.
Geöffnet April–Sept. 9.30–18, Okt.–März 9.30–17.30 Uhr. Eintritt Erwachsene £ 3, ermäßigt £ 2, Kinder £ 1,50. Kinder unter 13 Jahren nur in Begleitung eines Erwachsenen.

28 Dr. Johnson's House und Ye Olde Cheshire Cheese – London im 18. Jahrhundert

Im Dr. Johnson's House kann man Originalausgaben des »Dictionary of the English Language« besichtigen

Der Schriftsteller Samuel Johnson (1709–1784) lebte von 1748 bis 1759 am **Gough Square Nr. 17**. Hierher gelangt man durch die Seitenstraßen Bolt Court und Hind Court, die von der Fleet Street nördlich abzweigen. Nur wenige Londoner Stadthäuser aus dieser Zeit haben überlebt, daher hat bereits das Gebäude Museumswert. 1911 wurde es von dem MP (»Member of Parliament«) Cecil Harmsworth erworben. Damals befand es sich in einem maroden Zustand, denn nach Johnsons Tod wurde es unter anderem als Lagerhaus und Druckerei genutzt. Harmsworth ließ es restaurieren und für die Nachwelt erhalten. Das Haus hat noch die originalen, steilen Treppen und ist eingerichtet mit Mobiliar und Kunstgegenständen aus dem 18. Jh. Johnsons Arbeitszimmer befand sich in der Dachkammer.

In seinen ersten Jahren in London bestritt Samuel Johnson seinen Lebensunterhalt als satirischer Essayist für verschiedene Zeitungen. Er stammte aus der Familie eines Buchhändlers und musste sein Studium am Pembroke College in Oxford aus Geldmangel abbrechen. Seine literarischen Verdienste wurden jedoch noch zu seinen Lebzeiten anerkannt, und Johnson erhielt die Ehrendoktorwürde von drei Universitäten.

Anfang des 18. Jh. spielte man in den literarischen Zirkeln mit der Idee, ein Wörterbuch der englischen Sprache zu veröffentlichen, da es bisher kein repräsentatives Werk gab. Johnson stellte sein Konzept 1746 vor und bekam den Zuschlag. Aus dem für drei Jahre anvisierten Projekt wurden insgesamt neun Jahre, und das Buch wurde 1755 unter dem Titel **A Dictionary of the English Language** veröffentlicht.

Es war zwar nicht das erste Wörterbuch der englischen Sprache, aber wesentlich umfassender, aktueller und detaillierter als die Vorgänger. Johnson ließ außerdem seiner literarischen Ader freien Lauf und so sind die An-

Ye Olde Cheshire Cheese Pub

An der Fleet Street befindet sich dieser historische Pub, der nach dem Feuer im Jahr 1666 entstand. Hier waren nicht nur Dr. Johnson, sondern auch andere Literaten Stammgäste. Einige Jahrzehnte später frequentierte auch Charles Dickens den Pub und verewigte den Namen des Etablissements in seinem Roman »Tale of Two Cities«. In den mit dunklen Holzpanelen verkleideten Räumen kann man am Kamin sitzen und sich in vergangene Zeiten zurückversetzt fühlen.
Ye Olde Cheshire Cheese Pub, Wine Office Court, 145 Fleet Street, EC4A 2BU. Geöffnet Mo–Fr 11–23, Sa 12–23 Uhr.

merkungen zu den einzelnen Begriffen oft humorvoll und unterhaltsam zu lesen. Das Buch enthielt zahlreiche angewandte Beispiele, ähnlich wie moderne Wörterbücher. 114.000 Zitate wurden bearbeitet, und Johnson beschäftigte sechs Schreiber, die ihm bei den Aufzeichnungen halfen. Erst der **Oxford English Dictionary** löste im Jahr 1884 »A Dictionary of the English Language« als Standardwerk ab. Bis dahin wurde es weltweit als Referenzbuch benutzt. Neben William Shakespeare gehört Johnson zu den am häufigsten zitierten englischen Autoren. In der Bibliothek des Hauses befinden sich zwei Originalausgaben des Buches.

Als Johnson im Jahr 1784 verstarb, wurde er in der Westminster Abbey beigesetzt. Der mit Johnson befreundete Autor James Boswell schrieb eine sehr lesenswerte Biografie über Johnson, »The Life of Samuel Johnson« (1791). Er verbrachte außergewöhnlich viel Zeit mit dem Literaten, daher entstand ein sehr lebendiges Bild des Schriftstellers. Vor dem Haus am Gough Square steht eine Statue, die Johnsons Katze **Hodge** darstellt. Sogar sie wird in Boswells Biographie von Johnson erwähnt. Das Denkmal selbst wurde 1997 von der Stadt London gestiftet.

Ein Hauch von Luxus

Wer das nötige Kleingeld für einen Einkaufsbummel mitgebracht hat, gelangt vom Dr. Johnson's House über die New Fetter Lane nach Norden in das Juweliersviertel Londons in **Hatton Garden**. Hier verkaufen 55 Geschäften erlesenste Schmuckstücke. Danach kann man noch in den London Silver Vaults Silberwaren bestaunen. In dem von Stahltüren abgesicherten, absolut einbruchsicheren Gewölbe befanden sich ab 1876 Tresore, die Geschäftsleute zum Schutz ihrer Waren mieteten. Heute verkaufen hier Fachgeschäfte Silberwaren und Antikes aus verschiedenen Jahrhunderten.
Hatton Garden, EC1N 8PN, www.hatton-garden.net.
London Silver Vaults, 53–64 Chancery Lane, WC2A 1QS, http://silvervaultslondon.com. Geöffnet Mo–Fr 9–17.30, Sa 9–13 Uhr.

INFO

Hinkommen: U-Bahn Chancery Lane, Central Line. [D2-3]
Information:
Dr. Johnson's House,
17 Gough Square, EC4A 3DE, Tel.: 73533745, www.drjohnsonshouse.org. Geöffnet Mai–Sept. Mo–Sa 11–17.30 Uhr, Okt.–April 11–17 Uhr, Eintritt Erwachsene £ 4,50, ermäßigt £ 3,50, Kinder £ 1,50.

29 The Old Bailey und Newgate Prison – moderne Rechtsprechung und berüchtigtes Gefängnis

Imposant: die Fassade des Central Criminal Court, genannt »Old Bailey«

Im Volksmund wird der **Central Criminal Court**, also der »Zentrale Strafgerichtshof«, als **Old Bailey** bezeichnet – da die Straße Old Bailey hier entlang der einstigen römischen Stadtmauer verläuft.

Der Gebäudekomplex befand sich unweit des ehemaligen **Newgate Prison**, eine der berüchtigtsten Strafanstalten Londons vom Mittelalter bis zur viktorianischen Zeit. Es war zunächst in einem Torhaus an der Ecke zur Newgate Street untergebracht. Nachdem das Gebäude beim Großen Brand von London abgebrannt war, entstand ein neuer unansehnlicher Bau. Es war weithin bekannt, dass die Zustände, in denen die Gefangenen hier lebten, unmenschlich waren. Im Gefängnis mangelte es an Hygiene, es war ungeheizt, von Ungeziefer verseucht, und viele Insassen starben an Krankheiten.

Das Newgate Prison fand in der englischen Literatur häufige Erwähnung, vor allem in den Romanen von Charles Dickens (s. Kap. 31). Dickens war erschüttert über die Ausweglosigkeit der Schicksale, die er hier beobachtete.

In Newgate befanden sich auch die Zellen, in denen zum Tode Verurteilte auf ihre Hinrichtung warteten. Bis 1783 fanden die Exekutionen zuerst in Smithfield (s. Kap. 26) und dann an dem öffentlichen Galgen in Tyburn statt, von 1783 bis 1858 jedoch direkt außerhalb von Newgate. Diese Ereignisse zogen große Menschenmengen an. Es gab Gasthäuser, die ausschließlich von dem so erzeugten »Tourismus« lebten. Die Viktorianer aber fanden diese Spektakel nicht mehr zeitgemäß. Anstatt die Todesstrafe abzuschaffen, verlegten sie die Exekutionen jedoch lediglich in den Innenhof. Im Jahr 1902 schließlich wurde das Gefängnis geschlossen.

Zwischen 1904 und 1907 entstand auf dem Gelände des Newgate Prison und des ehemaligen Old Bailey das neue Gebäude, das man heute sieht. Aus dem Innenhof erhebt sich ein Turm mit einer runden Kuppel. Auf ihr steht eine vergoldete Justitia, in der einen Hand ein Schwert, in der anderen eine Waage. Über dem Eingang befindet sich das Motto »Beschütze die Kinder der Armen und bestrafe den Übeltäter«.

Als einer der wichtigsten Gerichtshöfe im Land hat der Old Bailey medienwirksame Prozesse gesehen, beispielsweise den des Mörders Dr. Crippen im Jahr 1910, ebenso die Verurteilung der Kray Twins (s. Kap. 90) und 1981 die des als »Yorkshire Ripper« bekannten Serienmörders Peter Sutcliffe.

Die Gerichtsverhandlungen sind für die Öffentlichkeit zugänglich, was heutzutage aufgrund des begleitenden Medienspektakels Kritik hervorruft. Im Erdgeschoss befindet sich eine Ausstellung über die Geschichte von Newgate und Old Bailey. Auch einen Teil der alten Stadtmauer kann man im Untergeschoss unter den Zellen besichtigen.

Im ersten Stock beleuchtet eine Dokumentation die Ereignisse der neueren Geschichte, als der Old Bailey im Jahr 1973 Ziel eines Terroranschlags der IRA wurde: Eine Autobombe explodierte vor dem Gebäude und richtete großen Schaden an. Ein Stück Glas, das von der Explosion zurückblieb, steckt noch in der Wand. Viele IRA-Mitglieder wurden hier im Laufe der Jahre verurteilt.

Mahnende Glocke

Gegenüber vom Newgate Gefängnis und dem Galgen stand und steht die Kirche **St. Sepulchre-without-Newgate**. Die Glocke der Kirche wurde bei bevorstehenden Hinrichtungen geläutet. Jeweils um Mitternacht wurde außerdem vor den Zellen eine Handglocke geläutet, wobei die Kriminellen zur Ruhe ermahnt wurden, damit sie nicht im Fegefeuer landen mussten: »(...) and when St. Sepulchre's bell tomorrow tolls, the Lord have mercy on your souls«. Diese Handglocke ist heute in einem Glaskasten im südlichen Kirchenschiff ausgestellt.

St. Sepulchre-without-Newgate, Holborn Viaduct, EC1A 2DQ, www.st-sepulchre.org.uk. Geöffnet Mo–Fr 11–15 Uhr.

INFO

Hinkommen: U-Bahn St. Paul's, Central Line. [D2]

Information:

The Old Bailey,
Newgate Street & Old Bailey, EC4M 7EH, Tel.: 724832777, www.oldbaileyonline.org.
Zuschauergalerie geöffnet Mo–Fr 10–13, 14–17 Uhr.
Kinder unter 14 Jahre nicht erlaubt.

Essen & Trinken:

Viaduct Tavern, 126 Newgate Street, EC1A 7AA, Tel.: 76001863. Geöffnet Mo–Fr 11–23 Uhr. Dieser viktorianische Pub aus dem Jahr 1870 grenzt an das Gelände, das einst vom Newgate Prison eingenommen wurde. Im Keller soll sich noch eine Original-Kerkerzelle befinden, die man auf Anfrage besichtigen kann.

30 Geschichtsträchtiges East End – Whitechapel und Royal London Hospital

Das **East End**, das sich nördlich der City und der Docklands erstreckt, war einst Auffanglager für Einwanderer und Dockarbeiter, die hier in unmenschlichen Bedingungen arbeiteten und lebten. Aufgrund der preiswerten Unterkünfte wurde das East End zur ersten Heimat für viele Einwanderer, wie die französischen Hugenotten (s. Kap. 17), Juden (s. Kap. 16) und Iren (s. Kap. 15). Zu viktorianischen Zeiten war der Bezirk Whitechapel aufgrund von Kriminalität und Prostitution als gefährlich verschrien – hier verübte Jack the Ripper seine berühmt-berüchtigten Morde.

Heute ist Whitechapel ein multikulturelles Viertel, bevölkert von Immigranten aus Bangladesch, Pakistan und Afrika. Am östlichen Ende der Whitechapel Road reihen sich arabisch anmutendende Geschäfte aneinander und die Ostlondoner Moschee liegt nur unweit von hier. Die Whitechapel Gallery (s. Kap. 45) versucht durch Nachbarschaftsarbeit die kulturelle Integration zu fördern.

Treffpunkt der islamischen Gemeinschaft

Whitechapel und Spitalfields waren einst Dörfchen außerhalb der Londoner Stadtmauer. Nach dem Abriss der Mauer 1766 begannen sie sich zeitgleich mit dem Wachstum der Docks auszudehnen. Während die Schifffahrtsgesellschaften mit dem Export und Import von Waren große Reichtümer erwirtschafteten, lebten die Arbeiter in engen Gassen ohne Licht und sanitäre Anlagen. Da die vorherrschende Windrichtung auf den britischen Inseln aus Westen kommt, wurden schlechte Gerüche und der Rauch aus den Fabrikschloten beständig nach Osten getragen. Das Gebiet zählte daher aufgrund von Übervölkerung, Gestank und Luftverschmutzung zu den schlimmsten Wohngegenden.

The Royal London Museum

Das Royal London Museum, untergebracht in der Krypta der ehemaligen Krankenhauskirche St. Philips, zeigt eine Dokumentation früher Medizin und viele historische, chirurgische Instrumente. William Blizzard und James Maddocks richteten in dem Krankenhaus 1785 eine der ersten medizinischen Akademien ein, die der Forschung und der Entwicklung neuer Techniken diente. Bis zum Ende des 19. Jh. war kaum bekannt, dass ansteckende Krankheiten durch Bakterien übertragen werden und dass fehlende Hygiene zu

Seit 1740 wurde hier den Ärmsten der Armen medizinisch geholfen

dem Übel beitrug. Auch gab es keine effektiven Behandlungsmethoden, wenn man erst einmal erkrankt war. In Unkenntnis dessen verabreichten viele Mediziner giftige oder süchtig machende Substanze wie Laudanum, Opium und Alkohol.

Erst nach den Choleraepidemien im Jahr 1830 und 1866 entdeckte man Karbolsäure als Hygienemittel. Die erste Operation mit Betäubung durch Chloroform fand im Royal Hospital im Jahr 1847 statt. Vorher wurde lediglich die Operation Bell geläutet, die das medizinische Personal davor warnte, dass nun mit einem schreienden Patienten zu rechnen war, den man auf dem Operationstisch festhalten musste.

Im Museumsarchiv gibt es außerdem forensische Untersuchungsmaterialien zu den Ripper-Morden (s. Kap. 33). Eine weitere Dokumentation berichtet über den sogenannten »Elephant Man« (Elefantenmensch) Joseph Merrick (1862–1890), der durch schwere Deformierungen (Proteus-Syndrom) gezeichnet war. Er verbrachte die letzten Jahre seines tragischen Lebens im Royal London Hospital, nachdem er von dem Arzt Sir Frederick Treves aus einem Kuriosenkabinett gerettet worden war.

INFO

Hinkommen: U-Bahn Whitechapel, District oder Hammersmith & City Line. [F2]
Information:
The Royal London Museum,
St. Philip's Church, Newark Street, E1 2AA, Tel.: 73777608, www.medicalmuseums.org/Royal-London-Hospital-Museum-and-Archives. Geöffnet Di–Fr 10–16.30 Uhr. Der Eintritt ist frei, für eine Spende ist man jedoch dankbar.

31 Chronist der viktorianischen Zeit: Charles Dickens

Charles Dickens (1812–1870) ist einer der beliebtesten und meistgelesenen Schriftsteller Großbritanniens. Seine Lebensgeschichte und seine Literatur sind eng mit der Stadt London verbunden. Sein besonderer Verdienst ist, dass er die Lebensumstände im viktorianischen London in vielen Romanen plastisch zu Papier brachte. Denn durch die Industrialisierung im 18. Jh. waren viele soziale Probleme entstanden, hervorgerufen durch den rapiden Bevölkerungszuwachs in der Stadt.

Auch Charles Dickens hatte keinen einfachen Start ins Leben. Aufgrund finanzieller Schwierigkeiten verbrachte sein Vater mehrere Jahre im Marshalsea Gefängnis in Southwark, und Charles musste bereits als zehnjähriger Junge in einer Schuhfabrik arbeiten. Diese Erfahrungen verhalfen ihm zu Verständnis und Sympathie gegenüber den Menschen, die in den benachteiligten Stadtbezirken lebten. Er besuchte die Orte des Geschehens wie beispielsweise das **Newgate Prison** (s. Kap. 29) und beschrieb als politischer Journalist aus erster Hand, wie es dort zuging. Sein Mitgefühl mit den benachteiligten Klassen zeigt sich in allen seinen Schriften, vor allem auch in den Protagonisten seiner Romane. Meist müssen sie ein hartes Schicksal erleiden und es wird ihnen oft bereits als Kindern oder Jugendlichen ein schier untragbares Los aufgebürdet – wie beispielsweise in den Romanen **Oliver Twist**, **Little Dorrit** und **The Old Curiosity Shop**. Der wohlhabende Mittelstand wurde erst gegen Ende des 18. Jh. auf die wachsende Armut und die unhaltbaren Lebensumstände in

Doughty Street Nr. 48: Der Besuch im Charles Dickens Museum lohnt

den Arbeitervierteln aufmerksam, woraufhin zahlreiche Wohltätigkeitsorganisationen entstanden.

Eine Plakette vereweigt den Dichter

Es gibt viele Stellen in London, die Dickens in seinen Romanen verewigt hat. Einen guten Einstieg in das Leben und Werk des Schriftstellers erhält man im **Charles Dickens Museum** in der Doughty Street Nr. 48 in Bloomsbury. Hier lebte der Dichter von 1837–1839, und hier entstanden viele seiner bekanntesten Werke wie **Nicholas Nickleby** und **Oliver Twist**. Bei einer kompletten Renovierung im Jahr 2013 sind die Zimmer in dem Haus wieder in ihren ursprünglichen Zustand versetzt und das Museum ausgeweitet worden. Außerdem gibt es Zusatzausstellungen mit Themen zu viktorianischen Besonderheiten, wie z. B. »Viktorianische Bartmode«. Man sieht Originalmanuskripte und viele seiner persönlichen Gebrauchsgegenstände. Im Besucherzentrum im Nachbarhaus Nr. 49 wird man von kostümierten Personen durch die Wohnräume geführt.

Schauplätze von Dickens-Romanen

Zu seinem Roman »The Old Curiosity Shop« (1841, »Der Raritätenladen«) wurde Dickens angeblich durch einen Laden im Viertel Holborn inspiriert. Dort steht noch heute ein historisches Haus aus dem Jahr 1567 in der Portsmouth Street, das den Großen Brand von 1666 überlebte und das genauso aussieht, wie Dickens es beschreibt. Heute befindet sich darin ein Schuhgeschäft.

Zu den historischen Pubs, die Dickens in seinen Romanen erwähnte, gehören zum Beispiel Ye Olde Cheshire Cheese (s. Kap. 28) und The George Inn Yard, im Buch »«Little Dorrit« (1857, »Kleine Dorrit«). Letzterer befindet sich im Viertel Southwark auf der Borough High Street. Er ist die einzige noch überlebende Kutschenstation mit Gasthaus in London. Der Pub bestand bereits im Jahr 1598, wurde aber 1676 restauriert. Hier hielten etwa 80 Kutschen pro Woche, heute ist der Pub denkmalgeschützt.

The Old Curiosity Shop, 13 Portsmouth Street, Holborn, WC2A 2ES. Geöffnet Mo–Sa 11–19 Uhr.

The George Inn Yard, 77 Borough, High Street, Southwark, Tel.: 74072056, geöffnet Mo–Sa 11–23, So 12–22.30 Uhr. U-Bahn London Bridge, Jubilee oder Northern Line.

INFO

Hinkommen: U-Bahn Russell Square, Piccadilly Line. [D2]
Information:
The Charles Dickens Museum, 48 Doughty Street, WC1N 2LX, Tel.: 74052127, www.dickensmuseum.com. Geöffnet Mo–So 10–17 Uhr, Eintritt Erwachsene £ 8, ermäßigt £ 6, Kinder £ 4. Kostümierte Touren: an festgelegten Sa 10, 10.45 und 11.30 Uhr. Erwachsene £ 15, ermäßigt £ 12, Kinder (6–16) £ 8.
Literatur-Tipp:
Tomalin, Claire. Charles Dickens, A Life, Penguin 2012. Lesenswerte Biografie des Autors von der Dickens-Kennerin Tomalin.

32 Highgate Cemetery – verwunschenes Kleinod in Nordlondon

Im Norden Londons befindet sich ein einzigartiges Denkmal viktorianischer Kultur, der Friedhof **Highgate Cemetery**. Als Londons Bevölkerung Ende des 18., Anfang des 19. Jh. sprunghaft zunahm und auf rund 1 Mio. Einwohner anwuchs, reichte die Fläche der Stadtfriedhöfe nicht mehr aus. Daher wurden im Jahr 1830 sieben neue Friedhöfe auf ländlichen Grünflächen im Londoner Stadtumkreis geplant.

Das Gebiet in Highgate wurde wie eine Parklandschaft gestaltet, und die schöne Lage auf einem Hügel in Nordlondon zog von Anfang an wohlhabende Bürger an. Sie kauften hier nicht nur Grabplätze, sondern ließen sich teilweise pompöse Mausoleen errichten. Die Anlage vermittelt heute einen Einblick in die Hoffnungen und Wünsche der reichen Menschen in der viktorianischen Zeit, die auf der einen Seite sehr religiös und um ihre unsterbliche Seele besorgt waren, denen es auf der anderen Seite aber auch wichtig war, nach ihrem Tod noch einen guten Eindruck zu hinterlassen.

Einblick in ein würdevolles Kleinod

Um die Jahrhundertwende änderten sich die Geschmäcker, und nach dem Ersten Weltkrieg bestand auch bei der Stadt kein Interesse mehr an der aufwendigen Instandhaltung des Geländes. Die Familien, für die die Mausoleen einst errichtet wurden, starben aus, die neuen Grabstätten hatten normale Größe. Ab den 1970er-Jahren erklärte die Friedhofsverwaltung den Bankrott, die Tore wurden geschlossen, und die Bepflanzung begann zu wuchern. 1975 aber formierte sich die private Interessengemeinschaft »Friends of Highgate Cemetery«. Diese machte es sich zur Aufgabe, die Anlage zu restaurieren.

Der Friedhof besteht aus einem westlichen und östlichen Teil, die durch die Swain's Lane getrennt werden. Damals waren die beiden Seiten durch einen Tunnel miteinander verbunden, damit man mit den Särgen die Straße nicht überqueren musste. 1839 entstand der westliche Teil. Hier befindet sich die »Egyptian Avenue« mit Gruften, die an das alte Ägypten und das antike Griechenland erinnern. Die Grabstätten sind wie Katakomben in den Boden eingelassen. Durch ein Eingangstor gelangt man auf einen düsteren, von Pflanzen umwucherten Weg. Das Ganze erinnert an Kulissen aus Abenteuer- oder Gruselfilmen. Der Weg führt hinauf zum »Circle of Lebanon«. Dort formen

Letzte Ruhstätten wohlhabender Viktorianer

klassizistische Portikos den Zugang zu den einzelnen Grabstätten, die um einen jahrhundertealten Zedernbaum angeordnet sind.

Der Ostteil enthält weniger aufwendige Gräber, allerdings trifft man hier auf die Namen bekannter Persönlichkeiten. Zu den bekanntesten Namen, deren Grab man hier besichtigen kann, gehört **Karl Marx**. Seine Frau und sein Enkelkind sind ebenfalls hier beigesetzt. Seit 1954 schmückt eine große Marmorbüste seines Kopfes die Grabstelle. Hier brachten unter anderem Chruschtschow und Breschnew ihre Ehrerbietung dar, auch heute noch ist das Grab fast immer von frischen Blumen geschmückt. Die Schriftstellerin George Elliot ist hier als Mary Ann Cross beigesetzt. Der Drehbuchautor Carl Mayer (»Das Cabinet des Doctor Caligari«) liegt hier ebenso wie der Schriftsteller Douglas Adams (»Per Anhalter durch die Galaxis«) und Malcolm McClaren, der Manager der Punkband »The Sex Pistols«.

INFO

Hinkommen: U-Bahn Archway, Northern Line.
Information:
Highgate Cemetery, Swain's Lane, N6 6PJ, Tel.: 83401834, http://highgatecemetery.org.
Öffnungszeiten und Führungen:
East Cemetery,
Mo–Fr 10–17, Sa und So 11–17 Uhr. Eintritt: Erwachsene £ 4, Kinder unter 18 Jahre frei. Eine Führung findet jeden Samstag um 14 Uhr statt. Eintritt Erwachene £ 8, Kinder £ 4. Diesen Teil kann man jedoch auch ohne Führung besuchen.
West Cemetery, nur mit geführter Tour zu besuchen, Buchung unter Tel.: 83401834, Führungen Mo–Fr, Beginn 13:45 Uhr. Sa & So, Beginn halbstündlich von 11–16 Uhr. Eintritt Erwachsene £ 12, Kinder 8–17 Jahre £ 6 (Kinder unter 8 Jahre nicht zugelassen).

33 New Scotland Yard – Londons Gesetzeshüter

Den **Metropolitain Police Service**, kurz Met, gibt es seit 1829, als Sir Robert Peel die erste Polizeitruppe im Vereinigten Königreich gründete. Die Polizisten wurden daher lange Zeit auch in Anspielung auf seinen Namen »Bobbies« genannt. Die Met verwaltet auch die anderen Einheiten der Londoner Polizei: die City of London Police, die nur innerhalb der City of London zuständig ist, die Transportpolizei, die für die Sicherheit der öffentlichen Verkehrsmittel sorgt, und die Marine Policing Unit (MPU), also die Wasserpolizei.

Das erste Hauptquartier der Met war im Whitehall Place, dann wuchs die Organisation und dehnte sich auf benachbarte Gebäude aus. Unter anderem bezog man auch ein Gebäude im Great Scotland Yard, südlich des Trafalgar Square, das früher einmal das Wohnhaus des schottischen Botschafters gewesen war. Sehr bald wurde die Bezeichnung Scotland Yard zum Synonym für die städtische Polizei. Als man 1890 umzog, entstand daher die Bezeichnung **New Scotland Yard**. So wird die Einheit auch heute noch genannt, und vor dem Eingang des Hauses weist ein rotierendes Schild darauf hin.

Durch Kriminalromane und Verfilmungen wurde der Name Scotland Yard zu einem vertrauten Begriff und ist heute aus der Geschichte der Met nicht mehr wegzudenken. The Yard, wie er auch abgekürzt wird, dankte dem Kriminalschriftsteller Conan Doyle für die kostenlose Öffentlichkeitsarbeit: Die Institution gab ihrer Kriminaldatenbank den

Ein bekannter Name aus zahlreichen Krimis und Filmen

Namen »Home Office Large Major Enquiry System«. Die Initialen lesen sich als »Holmes«, eine Anspielung auf den berühmten Detektiv – der ja angeblich für Scotland Yard tätig war. Das Trainingsprogramm für neue Rekruten trägt den Namen »Elementary«, eines von Holmes Schlagworten: »Elementary, my dear Watson.«

Im **Kriminal-Archiv** der Met befinden sich interessante historische Dokumente und Beweisstücke. Erst ab 1869 war es per Gesetz möglich, Gegenstände aus dem Eigentum von Gefangenen aufzubewahren. Diese wurden ab 1874 im »Central Prisoners Property Store« aufbewahrt. Bereits im selben Jahr kam man auf die Idee, die Gegenstände und ihre Geschichte für Lehrzwecke in der Kriminalabteilung »Criminal Investigation Department«, CID, zu nutzen, und man begann mit der Zusammenstellung eines Kriminalmuseums, dem **Crime Museum**.

1877 wurde das Museum auch dem Publikum zugänglich gemacht. In späteren Jahren allerdings war das Museum nur noch ausgesuchten Gästen geöffnet wie beispielsweise der königlichen Familie oder bekannten Persönlichkeiten wie eben Sir Arthur Conan Doyle.

Das Museum beherbergt heute mehrere hundert Gegenstände, die an Tatorten gefunden wurden und als Beweisstücke dienten. Zudem gibt es hier Waffen, noch aus der Zeit vor den »Rippermorden«, und Totenmasken von Verurteilten aus dem Newgate-Gefängnis.

Die Sammlung enthält einen gesonderten Bereich für berühmte Morde. Hier befinden sich beispielsweise die Briefe, die »Jack the Ripper« an Scotland Yard schrieb. Eine andere Abteilung wiederum ist Mördern gewidmet, die ihre Opfer vergifteten. Eine weitere dokumentiert Banküberfälle, Spionageverbrechen oder Geiselnahmen.

Auch heute ist das Museum nur für besondere Gäste geöffnet. So wird es beispielsweise von Kriminologen für Vorlesungen über Forensik, Pathologie und Untersuchungstechniken genutzt. Inzwischen gibt es jedoch Überlegungen, das Museum in Zukunft wieder der breiten Öffentlichkeit zugänglich zu machen.

INFO

Hinkommen: U-Bahn St. James's Park, District und Circle Line. [C4]
Information: Metropolitan Police Service, New Scotland Yard, Broadway, www.met.police.uk.
Essen & Trinken:
The Vincent Rooms, Westminster Kingsway College, 76 Vincent Square, Tel.: 78028391, www.centrallondonvenues.co.uk. Dieses Restaurant ist an das Westminster Kingsway College angeschlossen. Hier kochen die Studenten der renommierten Kochschule, die im Jahr 1908 von Isidore Salmon, Auguste Escoffier und César Ritz ins Leben gerufen wurde. Ein bekannter Schüler war beispielsweise Jamie Oliver. Es gibt zwei verschiedene Restaurants:
The Escoffier Room, geöffnet Mo–Fr Lunch 12–13.15 Uhr, »Tasting Menu« £ 27, 7-Gänge.
The Brasserie, geöffnet Mo–Fr Lunch 12–13.15, Dinner 18–19.15 Uhr. Hauptgericht ab £ 10. Küche vom Feinsten, sehr preiswert.

Kunst und Kultur

Millennium Bridge und Tate Modern

DON'T MISS - FUTURISM - A CENTENARY

34 Freiluftmuseum – der vierte Sockel (Fourth Plinth) am Trafalgar Square

Der **Trafalgar Square** wäre sicher auch ohne Statuen ein beliebter Treffpunkt, denn er ist der zentralste Platz der Stadt. Überragt wird er von der Nelson's Column, einer 51,5 m hohen Säule, auf der die Statue von Admiral Horatio Nelson thront. Der bekannte Nationalheld gewann 1805 die Schlacht gegen Napoleon bei Waterloo. Der **Fourth Plinth**, der vierte Sockel in der Nordwestecke des Platzes, lenkt die Aufmerksamkeit auf wechselnde Kunstwerke, die hier jeweils für ein Jahr im Freiluftmuseum ausgestellt werden.

Bis 1760 befanden sich auf dem Gelände des heutigen Trafalgar Square noch die Great Mews, die Stallungen des königlichen Hofes Whitehall Palace. Erst zu Beginn des 19. Jh. wurden sie nach Pimlico verlegt. Man beauftragte den Meisterarchitekten der Regency-Periode John Nash (s. Kap. 54) mit dem Entwurf eines öffentlichen Platzes für das große, freigewordene Gelände. Seine heutige Form erhielt der gesamte Platz jedoch erst Mitte und Ende des 19. Jh. 1843 wurde die **Nelson's Column** errichtet. 1868 wurden die vier Bronzelöwen unterhalb der Säule von Edwin Landseer hinzugefügt. Sie sind ein beliebtes Fotomotiv der Touristen. 1880 entstand die National Gallery, die den Platz im Norden flankiert (s. Kap. 35).

Der Platz wird gesäumt von vier Podesten, drei davon mit Denkmälern. Im Nordosten steht eine Statue von König George IV. zu Pferde. Im Südosten und Südwesten stehen die Statuen der Generäle Charles Napier und Henry Havelock, die beide in Indien für das British Empire kämpften. Für die Nordwestecke des Platzes war eine Statue von William IV. vorgesehen, der wie sein Bruder George zu Pferde sitzen sollte. Der Entwurf aus dem Jahr 1841 stammte von Charles Barry. Leider gingen hierfür die Gelder aus und es wurde nur das Podest aufgestellt.

Nelson's Column wurde 1843 errichtet und ist heute weithin zu sehen

Auf dem »Fourth Plinth« gibt es Raum für Kunst

Der Sockel blieb bis zum Jahr 1999 leer, da man keine zufriedenstellende Lösung finden konnte. Schließlich wurde vorgeschlagen, das Podest mit abwechselnden Kunstwerken zu besetzen, die jedes Jahr erneuert werden. Hierfür erfolgt eine Ausschreibung, bei der Künstler Vorschläge einreichen, aus denen dann ein Komitee den Sieger auswählt. Das Projekt wird dann von der Stadt London finanziert. Unter der Schirmherrschaft der »Royal Society for the Encouragement of Arts, Manufactures and Commerce« (RSA) wurden 1998 zum ersten Mal Skulpturen bei den Künstlern Mark Wallinger, Bill Woodrow und Rachel Whiteread in Auftrag gegeben. Dies stieß bei der Öffentlichkeit auf so großes Interesse, dass dieses Konzept beibehalten wurde.

Die Werke der Künstler lösen oft Kontroversen aus. So zum Beispiel die Skulptur der »Alison Lapper Pregnant« von Marc Quinn (2005), die den schwangeren Körper der schwerbehinderten Künstlerin Alison Lapper zeigte. Großes Aufsehen erregte auch das Projekt des Jahres 2009. Hier initiierte der Bildhauer Anthony Gormley »One and Other«: Er hatte Bürger eingeladen, Vorschläge für einen Kurzauftritt auf dem Sockel einzureichen. Aus 35.000 Bewerbern wurden 2.400 ausgewählt. Sie konnten jeweils für eine Stunde als menschliche Skulptur ihre Ideen oder sich selbst auf dem Sockel vorstellen. Das Spektrum reichte von Akrobatikdarbietungen, Vorträgen, Nackten und Verkleideten, bis hin zu Aktionskunst und Wohltätigkeitsprojekten.

2014 wird der Sockel von der Skulptur eines großen, ultramarin-blauen Huhns von Katharina Fritsch gekürt. 2015 wird die Skulptur »Gift Horse«, des Deutsch-Amerikaners Hans Haacke zu sehen sein, die das Skelett eines Pferdes zeigt (eine Anspielung auf die nie realisierte berittenen Statue Williams IV.).

St. Martin-in-the-Fields

Die Modelle für die Plinth-Kunstwerke werden in der Kirche St. Martin-in-the-Fields (s. auch James Gibbs, Kap. 53) auf der Ostseite des Trafalgar Squares ausgestellt. Dort kann die Bevölkerung ihre Meinung kundtun, die in die endgültige Auswahl mit einfließt.

INFO

Hinkommen: U-Bahn Charing Cross, Northern Line oder Bakerloo Line. [C3]
Information: www.london.gov.uk/fourthplinth
Essen & Trinken: **Vista at the Trafalgar**, 2 Spring Gardens, Trafalgar Square, SW1A 2TS, Tel.: 78702900, www.thetrafalgar.com/vista-homepage. Die Rooftop-Bar des Trafalgar Hotels bietet im Sommer neue Ausblicke auf den Platz und die Stadt (April.-Sept. geöffnet).

35 Kunstschatz mit internationaler Anziehungskraft – die National Gallery

Unter den vielen Museen Londons nimmt die **National Gallery** national und international eine herausragende Stellung ein, sowohl durch ihre Größe als auch durch die Vielfalt der Sammlung.

»Eintritt frei« in der National Gallery

Die Geschichte des Museums nahm ihren Anfang, als das britische Parlament im Jahr 1824 die private Sammlung des Bankiers John Julius Angerstein aufkaufte. Sie bestand aus 38 Gemälden italienischer, flämischer und englischer Meister. Hierfür zahlte man die damals sehr stolze Summe von £ 57.000. Durch Vermächtnisse, Spenden und neue Einkäufe wurde die Sammlung im 19. Jh. erweitert, und man baute ein neues Heim am Trafalgar Square, in dem man diese ausstellen konnte.

Von William Wilkins 1838 im neo-klassizistischen Stil entworfen, wird der Eingang der Gallery von Säulen und einem Portiko gesäumt. Eine terrassenartige Treppe führt hinauf in das palastähnliche Gebäude, in dem man gut und gerne einige Stunden verbringen kann. Einige der Säulen stammen von dem alten Stallungsgebäude der Great Mews, die sich hier befanden, bevor der Trafalgar Square entstand (s. Kap. 34). Wilkins hatte beschlossen, diese weiter zu verwenden. Von 1869–1871 wurden Erweiterungen angebaut und der Kuppelbau in der Mitte angefügt. 1975 und 1991 wurde noch einmal erweitert. In dem angeschlossenen **Sainsbury Wing**, gesponsort von Lord Sainsbury, ist heute die Renaissancesammlung untergebracht.

Zu Anfang wurden Bedenken laut, dass die Sammlung keine klare Richtung habe und dass für den Kauf meist der persönliche Geschmack der Einkäufer entscheidend sei. Ab 1855 bereiste der Direktor Charles Eastlake ausgiebig Europa und brachte insbesondere aus Italien viele Werke mit. Sir Robert Peel, der Gründer der Polizei (s. Kap. 33), steuerte im Jahr 1871 seine Sammlung holländischer Meister bei. Der Maler J. W. Turner vermachte dem Museum im Jahr 1856 seine große Sammlung, die später in das von Henry Tate gestiftete Museum ausgelagert wurde. Inzwischen ist die Sammlung der National Gallery auf 2.300 Ausstellungsstücke angewachsen, darunter befinden sich einige der bedeutendsten Werke internationaler Kunst.

In der Sammlung aus dem 13.–15. Jh. findet sich z. B. das berühmte »Arnolfini Portrait« von Jan van Eyck aus dem Jahr 1434, Botticellis »Venus und Mars« von 1485, aus der Hochrenaissance Leonardo da Vincis »Anna selbdritt« (1491/2–1499 und 1506–1508) und »Bacchus und Ariadne« von Tizian (1523–1524). Aus dem 16. Jh. gibt es Werke von Holbein, Michelangelo, Raphael, Brueghel und Hieronymus Bosch. In der Sammlung aus dem 17. Jh. sind allein zwei Räume Rembrandt gewidmet, weiterhin sieht man Werke von Vermeer, Van Dyck, Caravaggio und von Velasquez die »Venus vor dem Spiegel« (1647–1651). Auch eine umfassende Sammlung aus dem 18. bis frühen 20. Jh. ist vorhanden. Neben Canaletto, Goya, Degas, Cézanne und Monet findet man hier auch die »Sonnenblumen« von Van Gogh (1888).

Es wird gerne darüber gescherzt, dass die National Gallery in Wirklichkeit ein großes Café-Restaurant sei, dem eine Galerie angeschlossen ist. Tatsächlich zieht das Museum aufgrund des freien Eintritts und aufgrund der zentralen Lage am Trafalgar Square Unmengen von nationalen und internationalen Besuchern an. Die drei Cafés im Gebäude sind daher auch ständig gut besucht.

Auf den Treppen ist immer etwas los

Die Treppenstufen vor der Galerie, die auf den Trafalgar Square führen, sind immer bevölkert von Touristen, die hier nach langer Besichtigung die Beine ausstrecken.

INFO

Hinkommen: U-Bahn Charing Cross, Northern Line oder Bakerloo Line. [C3]
Information: National Gallery, Trafalgar Square, WC2N 5DN, Tel.: 77472885, www.nationalgallery.org.uk. Geöffnet tgl. 10-18, Fr 10-21 Uhr, Eintritt frei.

Erfrischung:
National Café, Tel.: 77475942. Geöffnet Mo-Fr 8-23, Sa 9-23, So 9-18 Uhr. In dem wunderschönen Museums-Café gibt es britische und internationale Bistroküche.

36 Institute of Contemporary Art (ICA) – interdisziplinäre Avantgardekunst

Zwischen dem St. James Park und der Geschäftigkeit des Trafalgar Square verläuft die ruhige Edelchaussee **The Mall.** Die Prachtstraße wurde 1910 angelegt und führt an ihrem westlichen Ende direkt zum Buckingham Palace – vorbei an der königlichen Residenz **Clarence House**. Am Ostende, in der Nähe des Admiralty Arch und unweit von Nelson's Column, steht der Gebäudekomplex **Carlton House Terrace**. Er war eines der letzten Projekte des Regency-Architekten John Nash (s. Kap. 54) im Jahr 1835. 1968 zog hier eine der bedeutendsten Institutionen für moderne Kunst in London ein, das **Institute of Contemporary Art (ICA)**.

Das Institut wurde bereits 1947 von Künstlern gegründet mit dem Ziel, zeitgenössischer britischer Kunst ein Forum zu geben. Man wollte sich von dem klassischen Kunstverständnis der Royal Academy absetzen und den Rahmen festgelegter Abgrenzungen in den Kunstformen sprengen. Der Poet und Kunstkritiker Herbert Read rief zusammen mit Künstlern wie Richard Hamilton, Eduardo Paolozzi, Roland Penrose und Peter Watson einen Diskussionsraum im Keller des alten Academy Kinos in der Oxford Street ins Leben. Dort konnten Künstler unterschiedlichster Richtungen zusammenkommen und sich untereinander austauschen. Noch heute ist das

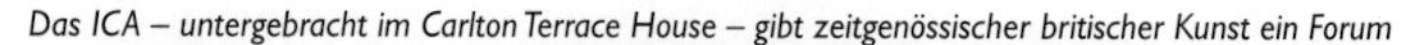

Das ICA – untergebracht im Carlton Terrace House – gibt zeitgenössischer britischer Kunst ein Forum

ICA sehr interdisziplinär und gibt unter anderem auch nationalen und internationalen Künstlern eine Plattform, die sich kritisch mit aktuellen politischen Themen auseinandersetzen.

Das Gebäude beherbergt zwei Galerien, zwei Programmkinos, ein Theater, Räume für Workshops und Kurse sowie einen Buchladen. Neben wechselnden Ausstellungen, Filmen und Performancedarbietungen organisiert das ICA auch Konzerte und Open-Air-Veranstaltungen. Das Institut trägt sich durch Spenden und Interessierte können Mitglied werden.

Das ICA ist bekannt für seine zahlreichen Events

Zu den Förderern des Projektes und Künstlern, die die Geschichte des Instituts mitgeprägt haben, gehören klangvolle Namen, wie beispielsweise Yoko Ono, die Witwe von John Lennon, der Philosoph Jacques Derrida, der Künstler Ives Klein, der Schriftsteller T. S. Elliot, die Maler Jackson Pollock, Keith Haring und die Performancekünstlerin Cindy Sherman.

Oft bot das ICA neuen Bands eine Plattform. So fand hier das erste Konzert der Punkband »The Clash« statt. Noch heute ist das ICA eine beliebte Konzerthalle und fast jedes Wochenende gibt es hier Veranstaltungen der unterschiedlichsten Musikrichtungen.

In den 1990er-Jahren bewegte sich das ICA in Richtung Mainstream und andere Institutionen übernahmen seine Vorreiterfunktion. Heute versucht man sich wieder umzuorientieren und dem Institut durch neue, außergewöhnliche Projekte neues Leben einzuhauchen. Unter dem früheren Kurator der Tate Modern (s. Kap. 39), Georg Muir, fördert man eine Zusammenarbeit von Musikern und bildenden Künstlern. Im Jahr 2007 fand das erste **iTunes Festival** unter der Organisation des ICA statt, ebenso wie das **Beck's Fusion Festival** am Trafalgar Square mit Darbietungen von Musikern unter Einbeziehung visueller Kunst.

INFO

Hinkommen: U-Bahn Charing Cross und Piccadilly Circus, Bakerloo Line. [C3]
Information:
Institute of Contemporary Arts (ICA), 12 Carlton House Terrace, SW1Y 5AH, Tel.: 79303647, www.ica.org.uk.
Essen & Trinken: ICA Café Bar, Tel.: 79308619. Café- und Barbetrieb geöffnet Di–So 11–23 Uhr.

37 Wahrhaft königlich – die Kunstsammlung in der Queen's Gallery

Die **Queen's Gallery** im Buckingham Palace zeigt, genauso wie ihre Namensvetterin in Edinburgh im Palace of Holyroodhouse, thematische Wechselausstellungen mit Werken aus der sogenannten **Royal Collection**. Diese Kunstwerke, die sich heute im Besitz der königlichen Familie befinden, wurden in über 500 Jahren zusammengetragen. Die Objekte kamen auf den unterschiedlichsten Wegen nach Großbritannien: Teils wurden sie gekauft, teils geschenkt oder auch von den Monarchen selbst in Auftrag gegeben. Unter dem Protektorat Cromwells wurden die meisten Wertstücke aus vorherigen Jahrhunderten entwendet und gingen für immer verloren. Seit der Wiedereinführung der Monarchie im Jahr 1660 sammelte sich jedoch eine große Kollektion aus Gemälden, Zeichnungen, Aquarellen, Mobiliar, Keramik, Uhren, Silberwaren und Skulpturen an. Teilweise wurden verkaufte Werke auch wieder zurückerworben, wie beispielsweise wertvolle Miniaturportraits aus der Zeit des Tudorkönigs Henry VIII.

Erwähnenswert sind auch die Philatelie-Sammlung, das königliche Archiv mit vielen historischen Dokumenten sowie historischen Fotografien und die **Kronjuwelen** – die im Tower of London aufbewahrt werden.

Die Sammlung selbst gehört nicht zum persönlichen Besitz der Queen, sondern wird von einer Treuhandgesellschaft in ihrem Namen für nachfolgende

In über 500 Jahren zusammengetragen – Blick in die Kunstsammlung der Queen's Gallery

Monarchen und das Land verwaltet. So wird unter anderem garantiert, dass sie nicht aufgelöst oder verkauft werden kann. Viele Werke sind in den königlichen Palästen Großbritanniens ausgestellt und können hier besichtigt werden. Allerdings kann aus Platzgründen nur ein kleiner Teil der Sammlung permanent gezeigt werden. Für Besucher hat dies den Vorteil, dass man die Queen's Gallery immer wieder besuchen kann und jedes Mal neue Werke zu Gesicht bekommt. Leihgaben aus der Sammlung befinden sich außerdem im **British Museum**, der **National Gallery** (s. Kap. 35) und dem **Victoria and Albert Museum**.

»Inn the Park« – ein guter Ort für Rast mit Ausblick

Nach der Wiederherstellung der Monarchie begann Charles II. mit der systematischen Erfassung der von ihm erworbenen Werke. Der lebenslustige König, der auch den Beinamen »The Merry Monarch« (fröhlicher Monarch) trug, galt als besonders kunst- und kulturinteressiert. Auch die nachfolgenden Hannoveraner-Herrscher sowie Queen Victoria mit ihrem Mann Albert bauten die Sammlung aus.

Die Miniaturensammlung aus 3.000 Stücken beinhaltet unter anderem Werke von Hans Holbein, Van Dyck und Gainsborough. Unter den 7.000 Gemälden befinden sich Werke aus der italienischen Renaissance, von Michelangelo, Bellini, Tizian und anderen. Es gibt eine Sammlung flämischer Meister, in der auch Rembrandt vertreten ist, aber auch Portraits aus neuerer Zeit, wie vom Künstler Lucien Freud. Unter den Skulpturen findet man viele Büsten vergangener Monarchen.

INFO

Hinkommen: U-Bahn Victoria oder Green Park, Victoria Line. [C4]
Information: The Queen's Gallery, Buckingham Palace, Tel.: 77667301, www.royalcollection.org.uk, Eingang Südseite Buckingham Palace Road. Geöffnet tgl. 10–17.30 Uhr. Geschlossen (2014): 13.–30. Okt., 25.–26. Dez. Eintritt (inkl. Audiotour) Erwachsene £ 9,50, Kinder 5–17 Jahre £ 4,80, ermäßigt £ 8,75.

Essen & Trinken:
Das Café/Restaurant **Inn the Park** des Gastronomen Oliver Peyton befindet sich im östlich vom Palast gelegenen St. James's Park am See, SW1A 2BJ, Tel.: 74519999, www.innthepark.com. Geöffnet Frühstück Mo–Fr 8–11, Sa & So 9–11, Lunch 12–16 Uhr.

38 Britische Kunst – Tate Britain und der Turner Prize

Die erfolgreichen Unternehmer der viktorianischen Zeit sind verantwortlich für viele Kunst- und Architekturprojekte in Großbritannien. Einer von ihnen war Henry Tate, der durch den Zuckerrohrhandel mit den karibischen Kolonien immense Reichtümer erwirtschaftet hatte. Die von ihm gegründete Firma »Tate & Lyle« ist noch heute eine der bekanntesten Zuckermarken in Großbritannien. Unter anderem darf man ihr für die Erfindung des Würfelzuckers danken.

Tate Britain – Heimat einer Sammlung von britischer Kunst

Henry Tate war ein begeisterter Kunstsammler und wie viele seiner wohlhabenden Zeitgenossen Philantrop, ein ausgewiesener Menschenfreund. Er setzte Teile seines Vermögens für Projekte ein, die dem Wohle und der Bildung des Volkes dienen sollten. Im Jahr 1897 ließ er am Nordufer der Themse an der Stelle des alten Millbank Gefängnisses eine Galerie erbauen. In dem eleganten weißen Gebäude von Sidney R. J. Smith sollte die beste britische Kunst ausgestellt werden.

Am besten gelangt man entlang des Themseufers von den Houses of Parliament nach Millbank. Von hier eröffnen sich schöne Ausblicke auf die Themse und die Vauxhall Bridge. Auf der anderen Flussseite erblickt man das Gebäude des britischen Geheimdienstes MI6. (s. Kap. 62).

Ursprünglich als »National Gallery of British Art« bekannt, verkürzte sich der Name der Galerie im Sprachgebrauch in Tate Gallery und später in **Tate Britain**. Zunächst wurden hier Werke aus Tates eigener Sammlung ausgestellt, später begann man mit dem Aufbau einer Sammlung von internationaler zeitgenössischer Kunst. Im Jahr 2013 eröffnete die restaurierte Galerie nach monatelangem Umbau. Sechs Jahre lang hatten die Architekten Peter St. John und Adam Caruso an den Plänen für die Umwandlung des in die Jahre gekommenen Museums gearbeitet. Teile des Gebäudes, die seit den 1920er-Jahren verschlossen waren, wurden wieder geöffnet und die Ausstellungsräume heller und luftiger gestaltet.

Von dem kuppelförmigen Rundbau mit Glasdach in der Mitte verläuft nun eine Wendeltreppe bis zum Djanlogy Café und Rex Whistler Restaurant im Untergeschoss. Die Werke britischer Kunst sind nun chronologisch angeordnet, anstatt thematisch. Dem Bildhauer Henry Moore sind zwei Räume vorbehalten.

In der angeschlossenen **Clore Gallery** werden Gemälde, Aquarelle und Zeichnungen des Landschaftsmalers J. W. Turner (1775–1851) ausgestellt. Zudem sieht man Werke von Turners Rivalen John Constable (1776–1837) sowie Aquarelle und Zeichungen des Künstlers und Poeten William Blake (1757–1827).

1988 entstand die Tate Liverpool und 1993 eine weitere Filiale in Cornwall, Tate St. Ives. Auch diese konnte sich schnell einen guten Ruf erarbeiten. In den 1990er-Jahren beschloss man, Teile der Sammlung in ein neues Museum auszulagern, heute bekannt als **Tate Modern** (s. Kap. 39).

In der Tate Gallery verblieb die britische Kunst. Neben der Turnersammlung gibt es hier u. a. Werke von Hogarth, Gainsborough, Rosetti sowie Skulpturen von Barbara Hepworth zu sehen.

Der Turner Prize

1984 wurde von den »Patrons of New Art«, die neue Kunst für die Galerie einkauften, der »Turner Prize« – in Anlehnung an den Maler J. W. Turner – ins Leben gerufen. Der Preis wird an einen herausragenden Künstler (unter 50 Jahre) vergeben, der im vorherigen Jahr durch eine innovative Ausstellung oder ein besonderes Werk von sich Reden gemacht hat. Vier Künstler kommen in die Vorauswahl und stellen dann ihre Werke entweder in der **Tate Britain** oder in einer der assoziierten Galerien aus. Danach wird der Gewinner bekannt gegeben. Das Preisgeld stammt von Sponsoren. Die ausgewählten Künstler zeichnen sich meist durch unorthodoxe Werke aus, die oft in den Medien kritisiert werden. Fast immer werden Installationen von Konzeptkünstlern ausgewählt. In der Vergangenheit wurde der Preis z. B. von Damien Hirst und Tracey Emin, den Bildhauern Anish Kapoor und Anthony Gormley gewonnen und von Grayson Perry, der sich selbst als Kunstwerk in Szene setzt. 2013 gewann die Französin Laure Prouvost den Preis für ihr Werk »Wantee«. Das Werk der Konzeptkünstlerin, die seit 17 Jahren in London lebt, bestand aus einer Film-Installation, die die fiktive Lebensgeschichte ihres Großvaters erzählt, der ein Freund von Kurt Schwitters ist und Konzeptkünstler werden möchte.

INFO

Hinkommen: U-Bahn Pimlico, Victoria Line. Zwischen dem **Tate Britain** und dem **Tate Modern** gibt es außerdem eine regelmäßige Bootsverbindung mit dem **Tate Boot**, Abfahrt alle 40 Min., www.thamesclippers.com. Kosten £ 6,80 von Tate zu Tate. Mit dem Ticket »River Roamer« (£ 13,60) kann man auch andere Themseboote benutzen (s. a. Ausflüge). [C4]

Information:
Tate Britain, Millbank, SW1P 4RG, Tel.: 78878888, www.tate.org.uk. Eintritt frei (außer Sonderausstellungen). Geöffnet tgl. 10–18 Uhr, jeden ersten Freitag im Monat bis 22 Uhr.

Essen & Trinken: Das **Djanogly Café**, Tel.: 78878825, im Museum ist tgl. von 10–18 Uhr geöffnet.
Rex Whistler Restaurant, Tel.: 78878825. Lunch tgl. 12–15 Uhr, Afternoon Tea Fr–Sa 15.30–17, So 16–17 Uhr. Das Restaurant serviert moderne britische Küche.

39 Moderne Kunst im Industriebau – Tate Modern

Beeindruckend I: die ehemalige Turbinenhalle

In den späten 1990er-Jahren suchte die **Tate Gallery** nach einem neuen Ausstellungsraum für ihre internationale Sammlung, die inzwischen den Rahmen der älteren Galerie in Millbank sprengte (s. Kap. 38). Am Südufer der Themse stand der verlassene Backsteinbau des alten Ölkraftwerks Bankside Power Station, das im Jahr 1947 von dem Architekten George Gilbert Scott gebaut worden war, der auch die Battersea Power Station entworfen hat (s. Kap. 58). Beide Kraftwerke wurden bereits in den 1980er-Jahren geschlossen. Seitdem diskutierte man, wie man die unter Denkmalschutz stehenden Gebäude zu neuem Leben erwecken könnte. 1992 begann man mit dem Umbau des Kraftwerks in eine mehrstöckige Galerie, die im Jahr 2000 eingeweiht wurde. Die ehemalige Turbinenhalle im Atrium des **Tate Modern** ist eine außergewöhnliche Ausstellungsfläche und kann selbst monumentalsten Kunstwerken Raum bieten. Rundherum verlaufen die verschiedenen Galerien. Die Sammlung ist nach Kunststilen geordnet. Es gibt Abteilungen für Impressionisten mit Cézanne und Matisse, für Dadaisten und Surrealisten wie Kurt Schwitters und Dali, Vertreter der Pop Art wie Jackson Pollock und Andy Warhol und Konzeptkunst, unter anderem von Joseph Beuys. Eine große Sammlung gibt es von Mark Rothko, einige Werke auch von Picasso sowie von Yves Klein u. v. m. Ein neuer Anbau für die stetig wachsende Sammlung feierte zur Olympiade 2012 seine Eröffnung.

Die Dauerausstellungen befinden sich auf der 3. und 5. Ebene. Sonderausstellungen von großen Kunstwerken finden auf der Ebene 4 statt. Den besten Eindruck von der Turbinenhalle gewinnt man von Ebene 1, in die man durch den Westeingang über eine Rampe gelangt. Die Galerie gibt oft Werke in Auftrag, die sich für diesen hohen Raum eignen. So gab es bisher z. B. eine Installation einer langen Rutschbahn von Carsten Höller, die Installation »Sunflower Seeds« des chinesischen Künstlers Ai Weiwei zu sehen und »For the Love of

Beeindruckend II: Blick aus der Tate Modern Richtung St. Paul's über die Millennium Bridge

God« von Damien Hirst. Im Februar 2013 gab die Gruppe Kraftwerk hier eine erfolgreiche Reihe von Konzerten. Mit dem Lift oder über die Treppen gelangt man von hier auf die Ebenen 3 und 5.

Vom Nordeingang auf Ebene 2 gelangt man zum South Bank-Ufer mit der **Millennium Bridge**. Sie ist die einzige Themsebrücke nur für Fußgänger und wurde für die Millenniumsfeierlichkeiten 2000 von den Architekten Anthony Caro, Sir Norman Foster und Ove Arup entworfen. Von der Brücke hat man einen guten Blick auf die City von London, mit **St. Paul's** im Hintergrund. Entlang des Ufers befinden sich in beide Richtungen viele Möglichkeiten für eine Rast. Über die Millennium Bridge kommt ein stetiger Fluss von Fußgängern, besonders im Sommer ist es hier sehr belebt.

INFO

Hinkommen: U-Bahn Southwark oder London Bridge, Jubilee Line. U-Bahn Mansion House, District oder Circle Line – diese Station liegt am nördlichen Themseufer und von hier gelangt man über die **Millennium Bridge** zum Museum. [D3]

Information:
Tate Modern, Bankside, SE1 9TG, Tel.: 78878888, www.tate.org.uk. Eintritt frei, außer bei Sonderausstellungen. Geöffnet So–Do 10–18, Fr & Sa 10–22 Uhr.

Erfrischung: In der Tate Modern selbst gibt es ein Restaurant mit Aussicht auf der Ebene 7, das **Tate Modern Restaurant**. Geöffnet Lunch Mo–Fr 12–15.15, Sa & So 11.30–15.15 Afternoon Tea, sowie das **Café 2** auf Ebene 2, auch mit Aussicht. Geöffnet So–Do 10–17.30, Fr 10–21.30, Sa 10–19.30 Uhr.
Am Themseufer befindet sich ganz in der Nähe der historische **Anchor Pub**, 34 Part Street, Bank End, SE1 9EF, Tel.: 74071577. Geöffnet Mo–Mi 11–23, Do–Sa 11–24, So 12–23 Uhr.

40 Filmarchiv und Treffpunkt – das British Film Institute (BFI)

Hier gibt's die größte Kinoleinwand Großbritanniens: das BFI IMAX-Kino

Filmfreaks kommen in London mehrfach auf ihre Kosten: **Das BFI Southbank**, unterhalb der Waterloo Bridge (s. Kap. 3), zeigt Retrospektiven ausgewählter Regisseure und thematische Filmschauen. Das **BFI IMAX-Kino**, beim Waterloo Bahnhof, hat die größte Kinoleinwand in ganz Großbritannien. Hier werden nicht nur 3-D Filme gezeigt, sondern auch Konzerte live übertragen. Im **London Film Museum** finden thematische Ausstellungen statt, die z. B. »Star Wars« oder »James Bond« zum Thema haben. Daneben ermöglicht das Cinema Museum einen nostalgischen Rückblick auf die frühen Tage des Kinos.

Das »BFI«, British Film Institute, ist die Regulierungsbehörde für die britische Filmindustrie und hütet eines der größten Filmarchive der Welt. Es vergibt Fördermittel für britische Filmprojekte und veranstaltet zudem alljährlich zwei internationale Festivals, das **London Film Festival** sowie das **BFI Flare: London LGBT** (Lesbian, Gay, Bisexual, Transgender) Festival. In der Reuben Library kann man das Filmarchiv durchstöbern, außerdem finden Workshops und Diskussionsveranstaltungen statt.

Die Filmindustrie ist für Großbritannien eine bedeutende Einnahmequelle. Im Jahr 2012 trug sie mit rund £ 4 Mrd. zum Bruttosozialprodukt bei und der Marktanteil lag weltweit bei ca. 15,3 %. Britische Filmemacher kooperieren oft mit Hollywood und auch britische Schauspieler sind dort gefragt. Charlie Chaplin, Alfred Hitchcock und Ridley Scott schrieben Filmgeschichte. In jüngerer Zeit wurden Filme von Danny Boyle (»Slumdog Millionaire«, 2009), Tom Hooper (»The King's Speech«, 2011) und Steve McQueen (»12 Years A Slave«, 2013) mit Oscars gekürt. Das britische Gegenstück zum Oscar sind die British Academy Film Awards (BAFTA), die jeweils kurz vor der Oscar-Verleihung vergeben werden.

Am BFI ist neben Film einiges geboten: der Bücherflohmarkt

In den Filmstudios rund um London werden viele internationale Filme produziert. Aus den Ealing Studios (seit 1902), in denen auch die Metropolitan Film School of London ihren Sitz hat, stammen beispielsweise Komödien von Richard Curtis, wie »Notting Hill«. In den Pinewood Studios wurde schon der erste James Bond-Film gedreht. Auch »Quantum of Solace« (2008) und »Skyfall« (2012) entstanden hier. In den 1960er- und 1970er-Jahren feierten die Hammer Studios mit Horror-B-Movies wie »Dracula« und anderen Schauergeschichten große Erfolge.

Seit neuestem liegt man auch bei der digitalen Filmtechnik vorn. Cinematografie, visuelle Effekte, Schnitt, Tonschnitt und Tonmix des Films »Gravity« (2013), der 2014 die Oscar-Trophäen abräumte, entstanden in der Londoner Firma Framestore.

Cinema Museum

Das Cinema Museum ist das Lebenswerk des Filmfans und Sammlers Ronald Grant. Zusammen mit Martin Humphries gründete der gelernte Filmvorführer 1986 das Museum. Bereits als Teenager hortete Grant alle möglichen Memorabilien rund um den Film. Nach der Schließung einer Kino-Kette in Aberdeen rettete er Werbefotos, Poster und Filmspulen und sogar große Teile der Inneneinrichtung und bewahrte damit ein Stück Filmgeschichte. Besucher wandern durch mehrere Räume mit Archiven zu Filmen und Filmstars, die bis zu den Anfängen des Films zurückreichen. Neben Original-Filmscripts, Werbefilmen, Fan-Magazinen und Musiknoten für Orchesterbegleitung, gibt es faszinierende Details wie alte Schilder und sogar Duftsprays, mit denen zwischendurch die Luft aufgefrischt wurde. Das Museum hat ein kleines Minikino, in dem mit den alten Projektoren seltene Filme gezeigt werden.

INFO

Hinkommen: U-Bahn Waterloo. [D3]
Information: BFI Southbank/Reuben Library (Di–Sa 10.30–19 Uhr), Belvedere Road, SE1 8XT, www.bfi.org.uk.
BFI IMAX (Odeon Cinemas) Charlie Chaplin Walk, SE1 8XR, Tel.: 0330-3337878, www.odeon.co.uk.
London Film Museum, 45 Wellington Street, WC2E 7BN, www.londonfilm museum.com, Tel.: 36173010. Geöffnet Mo–Sa 10–18, So 11–18 Uhr, Eintritt frei.
The Cinema Museum, The Master's House, 2 Dugard Way (off Renfrew Road), SE11 4TH, Tel.: 78402200, www.cinemamuseum.org.uk. Besichtigung nur im Rahmen einer Führung nach Voranmeldung. Eintritt Erwachsene £ 10, ermäßigt und Kinder £ 7.

41 Alltagskunst im Design Museum

Design spielt eine wichtige Rolle im Leben der Briten. Man legt Wert auf Stil, sei dieser nun antik oder hypermodern. Design umfasst alle Lebensbereiche – vom Wohnumfeld bis zu Kleidung und Frisur. Einer der herausragendsten zeitgenössischen britischen Designer ist **Terence Conran** (geb. 1931), der Gründer des **Design Museums**.

Conran war fasziniert von der Bauhausbewegung und arbeitete nach der Maxime, dass gutes Design für alle da sein sollte und nicht nur für eine kleine Elite. Er war einer der Pioniere in Großbritannien, der originell gestaltete Gegenstände einer Masse von Menschen für den täglichen Gebrauch zugänglich machte – und Design damit auch kommerzialisierte. Nach seinem Studium fand er zum ersten Mal ein Publikum beim »Festival of Britain« 1951. 1956 gründete er seine erste eigene Firma in einer Werkstatt in Bethnal Green, die vor allem Möbel und Einrichtungsgegenstände herstellte.

Während der sogenannten »Swinging Sixties« arbeitete er mit anderen Kreativen der Zeit zusammen. So stattete er beispielsweise die Boutiquen von Mary Quant, der Erfinderin des Minirocks, aus und im Gegenzug trugen die Verkäuferinnen in seinen Shops Outfits von Mary Quant. 1964 öffnete Conran das erste Geschäft der späteren Kette **Habitat** im Stadtteil Chelsea. Dem lag ein ähnliches Konzept zugrunde wie das von IKEA. Hier gab es, was man im englischen Jargon »flat-pack furniture« nennt, also Möbel, die man selbst zusammenbauen muss. Die Habitat-Kreationen waren jedoch immer einen Schritt gewagter und ausgefallener.

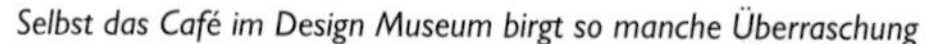
Selbst das Café im Design Museum birgt so manche Überraschung

Bereits 1981 eröffnete Conran das Design-Ausstellungszentrum »Boilerhouse« im **Victoria and Albert Museum**. 1989 wurde das heutige Museum eingeweiht. Die Londoner Docks und Werften waren damals meist noch in einem sehr maroden Nachkriegszustand und Conran war aktiv am Wiederaufbau des Shad Thames-Gebietes in Bermondsey (s. Kap. 76) beteiligt. Heute sind die Lofts in den alten Lagerhäusern sehr begehrt und so gut wie unbezahlbar.

Das **Design Museum** an der Butler's Wharf sticht mit seiner weißen, kubischen Form aus den roten Backsteinbauten heraus. Die Wechselausstellungen des Museums zeigen brandneues Design ebenso wie Retrospektiven aus der eigenen Sammlung. Diese beinhaltet Originale, die ganze Trends kreiert haben. Von der Entwicklung von Lampen, Wasserkesseln, Filzstiften und Straßenschildern bis hin zu digitaler Technik soll gezeigt werden, wie industrielles Design unser alltägliches Leben beeinflusst. Faszinierend ist oft der Einblick in die Entstehungsgeschichte und den Designprozess – von der ursprünglichen Zeichnung über den Prototypen bis hin zur Ausführung. Oft starteten Produkte auf dem Reißbrett in einer völlig anderen Form in ihr späteres Leben. Im **Museumshop** erhält man ausführliche Literatur zum Thema und witzige Designobjekte. Das Museumscafé hat eine schöne Außenterrasse mit Blick auf die Themse. 2015 wird das Design Museum in das **Commonwealth Institute** in Kensington umziehen, das zu diesem Zweck momentan umgebaut wird.

In einem Shop von Conran geht es immer »stylish« zu

Terence Conran, der 2011 seinen 80. Geburtstag feierte, eröffnete auch zahlreiche Restaurants in der ganzen Welt, so beispielsweise das »Bibendum« im Michelin Building in Chelsea (s. Kap. 13). Nach dem Niedergang der Habitat-Kette, die nach dem Verkauf leider heruntergewirtschaftet wurde, hat der Designer nun eine Zusammenarbeit mit der Kaufhauskette »Marks & Spencer« gestartet, für die er eine Möbel- und Einrichtungsreihe entwirft, die sich an Normalverbraucher »mit Stil« richtet. Daneben werden im Conran Shop ausgefallenere und teurere Designstücke verkauft. Conran leitet außerdem die Architektur- und Designfirma »Conran and Partners«. Auch Conrans Kinder sind als Designer und Restaurateure tätig.

INFO

Hinkommen: U-Bahn: Tower Hill, District und Circle Line. [E3]
Information: Design Museum, 28 Shad Thames, SE1 2YD, Tel.: 74036933, www.designmuseum.org. Geöffnet tgl. 10–17.45 Uhr. Eintritt Erwachsene £ 12,40, ermäßigt £ 9,30 Kinder (6–15 Jahre) £ 6,20. www.conran.com, www.conranshop.co.uk., Commonwealth Institute Kensington, http://newdesignmuseum.tumblr.com

42 Londoner Modedesign – auf dem Laufsteg und im Museum

London ist wie New York, Paris und Mailand eine Modestadt. Zweimal jährlich während der **London Fashion Week**, im Februar und im September, zeigen heimische und internationale Designer hier ihre Kollektionen. Gespannt erwartet die Modewelt jedes Jahr die Shows auf den Laufstegen im Somerset House, denn die Londoner Design-Kollektionen gelten als besonders kreativ und einzigartig. In der Modeindustrie geht es jedoch nicht nur um Kreativität: Jedes Jahr trägt der Industriezweig ca. 29 Mrd. £ zum Bruttosozialprodukt bei und wird von einer eigenen Behörde, dem British Fashion Council, verwaltet. Zahlreiche Initiativen und Förderprogramme erleichtern Anfängern den Einstieg – kein Wunder, dass die Jobs in der Branche sehr begehrt sind.

Das Modemuseum ist mehr als nur ein Farbklecks

London hat mehrere Modeschulen, die gefragte Nachwuchsdesigner hervorbringen. Zu den bekanntesten Institutionen gehören das **Central Saint Martins College of Arts and Design** (CSM) und das **London College of Fashion** (LCF). Beide sind Fakultäten der Kunstakademie University of the Arts London. Insbesondere das CSM brachte viele international erfolgreiche Designer wie Hussein Chalayan, John Galliano und Alexander McQueen hervor. Zu den Absolventen gehören auch Stella McCartney, Christopher Kane, Jonathan Saunders, Mary Katranzou, Jenny Packham und Matthew Williamson, deren Kollektionen momentan besonders gefragt sind.

Seit neuestem hat auch der Condé Nast Verlag (Vogue) eine Modeakademie in Soho eröffnet, die denjenigen, die den strengen Aufnahmetest bestehen, eine Karriere in der elitären Modewelt garantiert.

Zu den international erfolgreichen Grandes Dames der Londoner Modewelt gehört neben Vivienne Westwood (s. Kap. 13) auch **Zandra Rhodes**. In Bermondsey, unweit des Design Museums, zwischen Warenhäusern und Lofts befindet sich das von Rhodes ins Leben gerufene Mode- und Textilmuseum. Das

Gebäude, das von dem Ende 2011 verstorbenen und mehrfach preisgekrönten mexikanischen Architekten Ricardo Legorreta entworfen wurde, ist kaum zu übersehen. Es wurde in den Lieblingsfarben der Designerin Orange und Pink gestaltet und sticht wie ein Farbkleks aus den umliegenden Backsteinbauten und neueren Wohnblocks heraus.

Los geht's: »London Fashion Week«

Zandra Rhodes wurde 1940 geboren und studierte am Royal College of Art. Ihre Karriere begann sie als Textildesignerin, allerdings waren ihre Entwürfe zu extravagant für die meisten Modehäuser, sodass sie schließlich begann, diese in einer eigenen Kollektion zu verarbeiten. Außerdem entwarf sie Modeschmuck. In den 1960er-Jahren eröffnete sie ihren ersten Shop in Fulham und gelangte in die Schlagzeilen. Bis heute setzt sich die Designerin gerne selbst in Szene, ihr Markenzeichen ist ihr pinkfarbener Bob-Haarschnitt. Ende der 1970er-Jahre entwarf sie wie ihre Kollegin Vivienne Westwood »Punkmode«. Ihre durch Sicherheitsnadeln zusammengehaltenen schwarzen Jerseys wurden zum Modeartikel für diejenigen, die zwar keine Punks waren, aber gerne so aussehen wollten. Inzwischen zeigt Rhodes ihre Kollektionen weltweit und entwirft Premieren-Garderobe für Film- und Musikstars, ebenso wie Ausstattungen für Opernproduktionen.

Das einst von ihr gegründete Mode- und Textilmuseum wird heute vom **Newham College of Further Education** verwaltet. Es zeigt viele thematische Ausstellungen, beispielsweise über ausgewählte britische Mode- und Textildesigner, Hintergründe zur Entwicklung neuer Materialien in der Textilbranche oder auch ganz ungewöhnliche Themen wie die Entwicklung von Unterwäschestilen durch die Jahrzehnte. Hier ist auch die Modeakademie des College untergebracht, die Studenten im Bereich des Schneiderhandwerks fördert. Es werden die unterschiedlichsten Kurse angeboten, vom Maschinensticken bis zum computerisierten Textildesign.

Zudem vergrößert das Museum ständig seine Sammlung an Mode aus den verschiedenen Jahrzehnten (ab 1947). Modeinteressierte finden außerdem interessante Ausstellungen im Victoria & Albert Museum in Kensington (s. Kap. 46).

INFO

Hinkommen: U-Bahn London Bridge, Jubilee Line oder Northern Line. [E3]
Information: www.britishfashioncouncil.co.uk
The Fashion and Textile Museum FTM, 83 Bermondsey Street, SE1 3XF, Tel.: 74078664, www.ftmlondon.org. Geöffnet Di–Sa 11–18, Do bis 20 Uhr. Eintritt Erwachsene £ 8,80, ermäßigt £ 6,60, Studenten £ 5,50. Kinder unter 12 Jahre frei.
CSM, Granary Building, 1 Granary Square, N1C 4AA, www.arts.ac.uk/csm.
LCF, 20 John Prince's St, W1G 0BJ, www.arts.ac.uk/fashion.
Condé Nast College, 16–17 Greek Street, W1D 4DR, www.condenastcollege.co.uk.
Erfrischung:
Museumscafé teapod@FTM, geöffnet Mo–Fr 8–17.30 Uhr, Sa & So 10–17 Uhr.

43 Impressionistische Eindrücke – Courtauld Institute of Art

Das Courtauld Institute ist untergebracht im Nordflügel des Somerset House

Genau genommen ist das **Courtauld Institute of Art** Teil der Universität von London. Es hat jedoch den Status eines unabhängigen College und wurde 1931 gegründet. Die drei Gründerväter Viscount Lee of Fareham (Politiker), Samuel Courtauld (Erbe eines Textilfabrikanten) und Sir Robert Witt (Anwalt) waren alle begeisterte Kunstsammler. Sie entwickelten das Konzept einer Akademie, die Studenten auf die Arbeit in Institutionen der Bildenden Kunst vorbereitete. Heute sitzt das Institut im Nordflügel des **Somerset House**, einem monumentalen klassizistischen Bau aus dem Jahr 1771, gebaut von William Chambers, an der Straße The Strand.

Einst stand hier der Palast der Earls of Somerset direkt am Ufer der Themse. Er war einer von vielen Palästen, die im 16. Jh. von den Bürgern gebaut wurden, die regelmäßig am Hofe verkehrten. Im Mittelalter befanden sich grüne Wiesen und Parkanlagen zwischen dem Palast und dem Fluss. Davor legten Boote an, die den Transport nach Westminster vereinfachten. Später reichten die Gebäude bis zum Fluss, und man stieg direkt von den Treppen ins Boot ein.

In dem großen Innenhof des heutigen Gebäudes sprudelt im Sommer ein **Springbrunnen mit 55 Fontänen**, die Abkühlung bieten. Im Winter wird eine Eisbahn zum Schlittschuhlaufen aufgebaut. Unregelmäßig finden kulturelle Veranstaltungen statt, wie Open-Air-Kino. Im Februar und September wird das Somerset House zum Gastgeber der **London Fashion Week** (s. Kap. 42).

Das College im Nordflügel hat sich zu einer führenden Institution für das Studium der Kunstgeschichte und -restaurierung entwickelt, viele bekannte britische Kunstkritiker und Museumsdirektoren haben hier studiert. Es finden auch Vorlesungen und Studienkurse für die Öffentlichkeit statt.

Klein, aber fein, allein die Räumlichkeiten sind einen Besuch wert

In der kleinen, aber feinen angeschlossenen Galerie, die von den Verantwortlichen nicht ganz unbescheiden »home to one of the finest small art museums in the world« genannt wird, kann man Werke aus der Sammlung der Gründer des Instituts besichtigen. 2011 erst wurden die Ausstellungsräume im ersten Stock renoviert und die Kunstwerke neu gehängt.

Doch nicht erst seitdem ist das Museum ein absoluter **Geheimtipp** für Liebhaber von Werken des Impressionismus und Postimpressionismus, die vom Sammler Courtauld zusammengetragen wurden. Monet, Manet, Renoir, Cézanne und Degas sind alle mit einschlägigen Werken vertreten. Auch Van Goghs »Selbstportrait mit verbundenem Ohr und Pfeife« ist zu sehen. Ebenfalls gibt es Werke aus der florentinischen Renaissance, dem Barock, darunter einige bedeutende Werke von Rubens und Brueghel, Portraitmalereien aus dem 18. Jh. sowie Malerei des 20. Jh. mit Werken von Matisse, Derain, Kokoschka und Kandinsky. Auf Anfrage besichtigen kann man eine wertvolle Sammlung von Zeichnungen und Aquarellen von Dürer, Michelangelo, Rembrandt und Turner.

Ansonsten sind diese Werke nur in thematischen Ausstellungen zu sehen. Wer freitags kommt, kann an einer der geführten Touren teilnehmen. Mittags gibt es oft Informationsveranstaltungen zur Galerie und den Sammlungen. Jeden Montag von 10–14 Uhr ist der Eintritt frei.

INFO

Hinkommen: U-Bahn Temple, Circle und District Line. [D3]
Information:
The Courtauld Institute of Art, Somerset House, Strand, WC2R 0RN, Tel.: 78482526, www.courtauld.ac.uk. Die Courtauld Gallery ist tgl. 10-18 Uhr geöffnet. Eintritt Erwachsene £ 6, ermäßigt £ 5, Mo jeweils £ 3.

Essen & Trinken: Tom's Kitchen, Tel.: 78454646, www.somersethouse.org.uk, www.tomaikens.co.uk. Geöffnet Lunch Mo-Fr 12-15, Dinner Mo-Sa 18-22, Brunch Sa & So 10-16 Uhr. Brasserie des Chefkochs Tom Aikens, »modern British« mit französischem Einschlag. Auf **Tom's Terrace** von Mo-So mittags bis spätabends gibt es Genuss auf der Dachterrasse.

44 Shakespeare’s Globe – Theater zu Zeiten der Tudors

Im **Globe Theatre** kann man Theater wie zu Shakespeare’s Zeiten erleben. Auch an einer Führung durch den historisch rekonstruierten Bau sollte man teilnehmen. Seit Januar 2014 werden im angegliederten Sam Wanamaker Playhouse auch modernere Produktionen gezeigt.

Zu Zeiten der Tudors im 16. Jh. gab es verschiedene Gründe, warum ein Gentleman – oder eine Lady – die kurze Reise über die London Bridge nach **Southwark** unternahm. Zum Ersten gab es dort das derbe Amüsement in den Bordellen und Kneipen, wie Hahnenkämpfe, Fechtpartien, die gehaltvolle Küche der Pubs – und der Alkohol floss in Strömen. Zum Zweiten war das Südufer der Themse in der elisabethanischen Zeit (1558–1603) auch die Hochburg der Theaterhäuser. Diese Art der Volksunterhaltung fand großen Anklang. Sie hatte jedoch wenig mit einem heutigen Theaterbesuch zu tun.

Die ersten Theater entstanden auf freiem Feld in der Gegend rund um das heutige Shoreditch, gleich außerhalb des mittelalterlichen Stadtkerns in der City. **The Theatre** von 1586 und **The Curtain Theatre** von 1587 waren Freilufttheater aus Holz, denn für solide Gebäude fehlte das Geld. 1597 wurden jedoch alle Theateraktivitäten am Nordufer der Themse verboten. Die Stadtverwaltung wollte die »Keimzellen des Lasters« nicht mehr in der Nähe der Innenstadt sehen. Daher zogen die Theaterleute auf die Südseite des Flusses nach Southwark um, die dem Bischof von Winchester unterstand.

The Rose war eines der ersten Theater in Southwark, das 1587 von Philip Henslowe finanziert wurde. Christopher Marlowe und William Shakespeare führten beide ihre Stücke hier auf. Bald danach entstand **The Swan** von 1595.

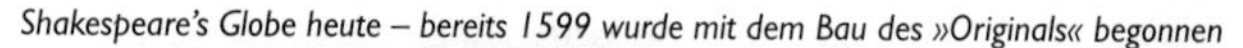
Shakespeare’s Globe heute – bereits 1599 wurde mit dem Bau des »Originals« begonnen

Shakespeare war Teilhaber der Theaterkompagnie »Lord Chamberlain's Men«, an der auch die Söhne von James Burbage, Richard und Cuthbert, beteiligt waren. Shakespeare und Richard Burbage standen beide selbst auf der Bühne und spielten viele Hauptrollen. Die Kompagnie selbst baute das Globe Theatre: In einer Nacht- und Nebelaktion wurden das Gebälk des The Theatre von Shoreditch als Grundstock für das neue Theater nach Southwark transportiert.

Das Design orientierte sich an einem römischen Amphitheater, von dem die Zuschauer den bestmöglichen Blick auf die Bühne hatten. In den billigen Rängen im Innenraum musste man damals stehen, dafür kostete der Eintritt nur einen Penny. Wer genug Kleingeld hatte, konnte in den oberen Rängen auf dem Balkon einen Sitzplatz ergattern. Insgesamt boten die Theater ca. 1.500–3.000 Menschen Platz. Genutzt wurde nur Tageslicht, die Vorstellungen fanden am Nachmittag oder frühen Abend statt. Auch heute dauert daher die Saison im nachgebauten Theater nur von Mai–September. Während der Vorstellungen ging es lautstark zu, denn das Publikum kommentierte das Geschehen auf der Bühne. Es wurde auch gegessen und getrunken.

Obwohl Frauen als Zuschauer zugelassen waren, durften sie nicht auf der Bühne auftreten. Alle Frauenrollen wurden daher von Männern gespielt. Die asketischen Puritaner, die 1642 während des Bürgerkrieges an die Macht kamen, verboten dann jegliche Form von Theateraktivitäten. So wurde 1644 das **Globe Theater** demoliert, bis 1648 hatte man auch alle anderen Bühnen und Theatergebäude zerstört. Erst nach der Wiederherstellung der Monarchie durch Charles II. wurden wieder Theater zugelassen. Während einer Veranstaltung im Jahr 1613 war das ursprüngliche Globe Theatre niedergebrannt, da sich das reetgedeckte Dach entzündete. Glücklicherweise konnten die Überreste dieses Theaters bei der Rekonstruktion genutzt werden.

Der Anstoß für das Neubauprojekt kam vom US-Schauspieler Sam Wanamaker, der 1972 dafür eine Stiftung ins Leben rief. Sponsoren und private Spender brachten die nötigen Millionen für das Bauprojekt auf, das 1993 vollendet wurde. Neben Shakespeare-Produktionen im Globe bietet das neue **Sam Wanamaker Playhouse** die intime Atmosphäre eines jakobitischen Theaters aus dem 17. Jh. Im Gegensatz zum Globe ist das Theater überdacht und wird durch Kerzen beleuchtet. Von den hölzernen Rängen blickt man hier unmittelbar auf das Geschehen auf der in den Zuschauerraum integrierten Bühne.

INFO

Hinkommen: U-Bahn Blackfriars, District and Circle Line oder London Bridge, Northern und Jubilee Line. [D3]
Information:
Shakespeare's Globe,
21 New Globe Walk, Bankside, SE1 9DT, Tel.: 74019919, www.shakespearesglobe.com. Geöffnet Mo-So, 9-17.30 Uhr, Führungen durch die Ausstellung gibt es ab 9.30 Uhr alle 15-30 Min. (im Winter Mo-Fr 9-12.30, Sa 9-12 Uhr). Eintritt Erwachsene £ 13,50, ermäßigt £ 12, Studenten £ 11 Kinder (5-15 Jahre) £ 8. Für Theatervorstellungen muss man lange im Voraus reservieren.
Essen & Trinken: Swan at the Globe, 21 New Globe Walk, SE1 9DT, Tel.: 79289444, www.loveswan.co.uk. Bar geöffnet 8-23.30 Uhr, Fr & Sa bis 0.30 Uhr. Restaurant: Mo-Fr 12-14.30, 18-22, Sa 11-15.30 & 18-22, So 11-18 Uhr. Moderne britische Bistroküche, Hauptgerichte ab £ 13,50.

45 Whitechapel Gallery – Kunst, Kultur und kulinarische Genüsse

Hierher kommen künstlerisch Interessierte aus nah und fern

Die **Whitechapel Gallery** im East End ist ein Magnet für die junge Künstlerszene in London. Hier kommen Kunststudenten und Filmemacher ebenso wie Anwohner der Gegend zusammen, um Ausstellungen anzusehen oder an Events oder Workshops teilzunehmen. Das Restaurant **Whitechapel Dining Room**, unter der Führung von Starköchin Angela Hartnett, verspricht zudem besondere kulinarische Genüsse.

Die kleine Galerie in dem Gebäude von Charles Townsend hat eine Jugendstil-Fassade mit einem bogenförmigen Eingang. Innen betritt man einen Altbau mit mehreren Stockwerken, die man über knarzige Treppen erreicht. Der Unterschied zu den weiträumigen, sterilen Sälen moderner Museen könnte nicht größer sein. Die unterschiedlichsten Kunstwerke sind auf kleinstem Raum untergebracht und Besucher drängen sich durch die Ausstellungsräume. Dem Kunstgenuss tut dies jedoch keinen Abbruch, im Gegenteil, es herrscht eine sehr freundliche, gesellige Atmosphäre.

Die Whitechapel Gallery wurde im Jahr 1901 aus Geldern des privaten Spenders und Wohltäters Samuel Barnett (s. Kap. 16) finanziert. Dem damaligen Sendungsauftrag, den ärmeren Bevölkerungsgruppen des East Ends Kultur und Bildung zu bringen, ist man weitgehend treu geblieben. Das Museum kostet keinen Eintritt, sondern wird aus öffentlichen Geldern finanziert. Ein breites Spektrum an moderner Kunst wird so der Öffentlichkeit zugänglich gemacht. Die Mischung aus moderner Kunst und Retrospektiven versucht, lokale Künstler mit einzubeziehen und so die Bindung an das Viertel beizubehalten. Seit der ersten Ausstellung, in der man unter anderem Werke des Sozialkritikers William Hogarth (1697–1764, s. Kap. 24) zeigte, thematisiert die Galerie aktuelle Belange des East Ends.

Es gibt viel zu sehen und zu erleben in den Räumen der Whitechapel Gallery

Ende der 1950er- und zu Beginn der 1960er-Jahre brachte die Galerie als erste Kunsthalle der britischen Bevölkerung die »Pop Art« näher, 1961 fand hier die britische Premiere von Mark Rothko statt. Während des kulturellen Umbruchs in den 1960er-Jahren war die Galerie ein Treffpunkt der Avantgarde und eine Plattform für aufstrebende Künstler. 1982 zeigte man zum ersten Mal eine Frida Kahlo-Ausstellung in Großbritannien und 1993 wurden die Werke des Briten Lucien Freud vorgestellt. In neuerer Zeit gab man der »Street Art« eine Plattform.

In Zusammenarbeit mit der Universität von London finden Kurse für Studenten statt, Ausstellungen von studentischen Werken sowie Workshops für Familien und Kinder. Außerdem ist hier ein umfangreiches Kunstarchiv untergebracht. 2009 wurde das Gebäude restauriert, ausgebaut und die Räume einer angrenzenden Bücherei integriert. Im Keller lockt die Café-Bar des Whitechapel Dining Room, sodass man sich hier nun gut und gerne mehrere Stunden aufhalten kann.

INFO

Hinkommen: U-Bahn Aldgate East, District Line oder Hammersmith & City Line; U-Bahn Liverpool Street, Hammersmith & City Line, Circle Line oder Metropolitan Line. [E2]
Information: Whitechapel Gallery, 77-82 Whitechapel High Street, E1 7QX, Tel.: 75227888, www.whitechapelgallery.org. Geöffnet Di-So 11-18 Uhr, Do bis 21 Uhr, Eintritt frei.

Erfrischung:
Whitechapel Gallery Dining Room, Tel.: 75227896. Das Menu aus der Feder der Chefköchinnen Angela Hartnett und Emma Duggan bietet schmackhafte, italienisch inspirierte Gerichte, von Pasta bis Fisch und ausgefallene Süßspeisen. Gerichte von £ 6-11. Frühstück Di-Fr 8.30-11.30, Sa & So ganztags, Lunch 12-16, Dinner Do, Fr, Sa 17.30-22 Uhr.

46 Klassische Musik und Weltklasse-Museen in South Kensington

Die Royal Albert Hall ähnelt dem Rundbau des Kolosseums in Rom

Der deutsche Gemahl von Königin Victoria, Prinz Albert, hatte die Idee zu einem Kulturzentrum in London, in dem dem Volk Kunst und Wissenschaft nahegebracht werden sollte. Nach der »Great Exhibition« im Jahr 1851 im Hyde Park nutzte man daher die erwirtschafteten Gelder zum Bau des South Kensington Museums an der Stelle des heutigen V&A – **Victoria and Albert Museum** (46b). Die Ausstellung bestand aus wissenschaftlichen Exponaten und Kunsthandwerk. Heute besitzt das Museum eine der größten Sammlungen an internationalem Kunsthandwerk und Mode in der ganzen Welt. 1893 wurde der wissenschaftliche Teil des Museums ausgelagert, daraus entstand 1914 das benachbarte **Sciene Museum**, das heute sehr interaktiv gestaltet ist. 1881 gesellte sich noch das heutige Natural History Museum dazu (damals ein Ableger des British Museum, s. Kap. 10), mit Dinosaurierskeletten und seltenen Insekten. In den drei Museen, die aufgrund des freien Eintritts immer noch der Vision von Prinz Albert folgen, könnte man problemlos mehrere Tage verbringen.

Blick ins Auditorium

Die BBC Proms – Sir Henry Wood Promenade Concerts

1941 gab es die ersten Proms (Promenadenkonzerte) in der Royal Albert Hall – mit dem Ziel, auch einfachen Bürgern klassische Musik zugänglich zu machen. Die ersten Konzerte mit dem BBC Orchestra fanden unter der Leitung von Robert Newman in der Queen's Hall statt, die jedoch durch Luftangriffe 1941 zerstört wurde. Den Anstrengungen des Musikers, Komponisten und Dirigenten Sir Henry Wood ist es zu verdanken, dass die Konzerte danach wieder aufgenommen und die Reihe am Leben erhalten wurde. Das Anliegen war und ist, ein sehr breites Spektrum von Musik zu bieten. So gibt es Klavier- oder Violinkonzerte, Darbietungen von Opernarien, Musicalnummern, Filmmusik etc. Inzwischen treten jedes Jahr andere internationale Solisten oder Sänger auf, die jeweils vom »BBC Symphony Orchestra« begleitet werden. Die Proms beginnen Mitte Juli und enden mit der bekannten »Last Night of the Proms« im September. Hier bringen Zuhörer Fahnen und Luftballons mit und begleiten die Veranstaltung auch durch Mitsingen. Es werden natürlich britische Favoriten wie Elgars »Land of Hope and Glory« gespielt. Wer keine Karten bekommt, kann das Event auch Open Air im Hyde Park mitverfolgen, wo die »Last Night of the Proms« auf großen Leinwänden übertragen wird. Während aller Veranstaltungen ist die Atmosphäre sehr entspannt, und man muss sich auf keinen Fall ins Abendkleid oder den Smoking zwängen. 2013 wurde die »Last Night of the Proms« zum ersten Mal von einer Frau dirigiert – der Amerikanerin Marin Alsop.

Erst nach Alberts Tod im Jahr 1861 begann man mit dem Bau der **Royal Albert Hall**, fertiggestellt 1871. Das Gebäude des Architekten Henry Cole lehnt sich an die klassische italienische Architektur an, die dem Rundbau des Kolosseums in Rom ähnelt. Es hat eine markante Glaskuppel, die von Eisenstreben gestützt wird. Erbaut wurde es aus dem zu viktorianischen Zeiten so beliebten roten Backstein. Auf der Außenseite erstrecken sich Terrakottadekorationen, die Szenen aus Kunst und Wissenschaft darstellen. Innen befindet sich ein rundes Auditorium, das 56 m breit und 67 m lang ist. Albert hatte eine wesentlich größere Halle geplant, die 30.000 Besuchern Platz bieten sollte. Nach seinem Tod aber waren die nötigen Gelder nicht mehr vorhanden. Königin Victoria gab stattdessen große Summen aus für die Errichtung des **Albert Memorials**, als Erinnerung an ihren verstorbenen Gatten.

Direkt nach ihrem Bau wurde die Halle regelmäßig für die unterschiedlichsten Ausstellungen, Konzerte und andere Veranstaltungen genutzt. Die 7.000 Besucher fassende Halle ist noch heute eine der beliebtesten Veranstaltungsorte in London. Viele bekannte Bands geben hier Konzerte, eine Tradition, die in den 1960er-Jahren bereits durch Bob Dylan und die Beatles begonnen wurde.

INFO

Hinkommen: U-Bahn South Kensington, District, Circle oder Piccadilly Line. High Street Kensington, District oder Circle Line. [B3-4]
Information: Royal Albert Hall, Kensington Gore, SW7 2AP, Tel.: 0845-4015034, www.royalalberthall.com. **BBC Proms**, Tel.: 0845-4015045, www.bbc.co.uk/proms. Es gibt ca. 1.400 Stehplätze in der Haupthalle, für £ 5 pro Person, die noch am selben Tag gebucht werden können. Die populären Veranstaltungen oder Konzerte mit internationalen Stars bucht man jedoch **am besten im Vorverkauf** ab Mai.
Erfrischung: Es gibt sechs Café-Restaurants, die während der Veranstaltungen geöffnet sind.

47 Ein Londoner Unikum – die Pearly Kings & Queens und das Costermongers Harvest Festival

Pearly Kings und **Pearly Queens** bezeichnen sich als »alternative königliche Paare Londons«, die sich aus der Arbeiterklasse rekrutieren. Die »Pearlies« tragen schwarze Anzüge bzw. Kostüme, die mit weißen Perlmuttknöpfen reich verziert sind. Das Ganze hat einen karitativen Hintergrund und geht auf Henry Croft (1875–1930) zurück. Henry Croft wuchs im Waisenhaus auf und arbeitete später als Straßenfeger auf dem Somers Town Market bei St. Pancras. Die dortigen Gemüsehändler, **Costermongers**, verzierten ihre Kleidung mit schimmernden Knöpfen, um Kunden auf sich aufmerksam zu machen. Dabei hatten die Markthändler ganz bestimmte Hierarchien, man bildete eine Gemeinschaft und half sich gegenseitig aus, wenn jemand krank oder arbeitslos war. Die ganze Familie wurde hier einbezogen. Der »Costermonger King« war der Vorstand der Gemeinschaft. Jede Costermonger-Familie hatte außerdem ihre eigene »Uniform« mit ganz bestimmten Mustern.

Pearly Kings und Pearly Queens in ihrem Element

Croft war bestrebt, benachteiligten Mitbürgern zu helfen und Waisen und Armen ein besseres Leben zu ermöglichen. Er sammelte Perlmuttknöpfe auf, die sich von der Kleidung der Costermonger abgelöst hatten und am Boden lagen. Damit verzierte er nach und nach seine Kleider, bis diese völlig mit Perlmuttknöpfen bedeckt waren. In dieser Aufmachung ging er auf Spendensammlung und gab die Einkünfte weiter an Waisenhäuser und andere Bedürftige in den ärmeren Vierteln. Schnell wurde man auf ihn aufmerksam und viele Institutionen wollten seine Dienste in Anspruch nehmen.

Henry Croft nahm die Costermonger-Familien mit ins Boot, da er mehr Arbeit hatte, als er selbst bewältigen konnte. Dies führte zur Bildung verschiedener karitativer Einrichtungen unter der Leitung der ersten »Pearly Dynastien«, deren Familien bei der Spendensammlung halfen. Zu Crofts Beerdigung im Jahr 1930 fanden sich 400 Pearlies in voller Kluft ein, dies brachte die Organisation in die Medien. Heute steht eine Statue von Henry Croft in der Krypta der Kirche **St. Martin-in-the-Fields**.

Gruppenbild mit Damen am »Australia Day«

Der Titel der King und Queen wurde und wird auf die nachfolgenden Generationen vererbt. Söhne und Töchter tragen den Titel Prinz und Prinzessin. Henry Crofts Großnichte trägt heute den von Ihm weitervererbten Titel der »Somers Town Pearly Queen«. Heute haben die meisten Boroughs in London ihre eigene Pearly Family. Insgesamt gibt es davon etwa 30, die insgesamt drei verschiedenen Pearly Societies angehören. Alle Pearlies entwickeln ihr eigenes Design, und die Motive haben immer eine Bedeutung: Ein Anker bedeutet Hoffnung, ein Hufeisen Glück, ein Rad den Lebenskreislauf etc. Der Tradition nach muss der Pearly sein Kostüm selbst entwerfen und die Knöpfe höchstpersönlich annähen. Man spricht vom »Smother Suit« wenn das Kostüm gänzlich bedeckt ist – dies kann dann bis zu 30 kg wiegen. Beim »Skeleton Suit« sind nur Teile des Stoffs bedeckt.

Die Pearlies nehmen das ganze Jahr über an Veranstaltungen teil und sammeln Spenden. Traditionell sind die Pearly Societies mit einer bestimmten Kirche verbunden, die auch in die karitative Arbeit eingebunden ist. Die Pearly Society arbeitet beispielsweise zusammen mit der St. Paul's Church in Covent Garden, und jeden Sonntag finden Kollekten auch im **Prince of Wales Pub** in Covent Garden statt. Mit den Geldern werden die unterschiedlichsten Wohltätigkeitsorganisationen unterstützt.

Das größte Event ist das alljährliche **Harvest Festival** im September/Oktober im Hof der **Londoner Guildhall**, das eine sehr eigene Atmosphäre hat. Neben Maibaumtänzen und Umzügen gehört das sogenannte »Cockney Knees-Up« zum Programm. Hier werden traditionelle Ostlondoner Trinklieder gesungen, bei denen jeder mitmacht und man die Polonaise tanzt. Das Ganze erinnert an den deutschen Karneval. Informationen über das Harvest Festival und andere Veranstaltungen, wo man die Pearlies bewundern kann, findet man auf der Webseite der Society (s. auch S. 240).

INFO

Information: The Pearly Society, Tel.: 87788670, www.pearlysociety.co.uk.
Essen & Trinken:
Prince of Wales Pub, 150-151 Drury Lane, Covent Garden, Tel.: 78365183, U-Bahn Covent Garden. [C3]
Geöffnet Mo-Do 11-23, Fr 10-23.30, Sa 11-23.30, So 12-23.30 Uhr.

48 Nostalgische Jugendkultur – das Ace Café

Nicht zu verfehlen zu fast jeder Tages- und Nachtzeit: das »Ace Café«

Das **Ace Café** befindet sich an der North Circular Road, einer Umgehungsstraße im Norden Londons. Es entstand 1938 ursprünglich als Raststätte auf der Schnellstraße, die zu den Autobahnen nach Norden und Westen führt. In den 1950er-Jahren entdeckten die Rocker »Teddy Boys« das Café für sich, da es rund um die Uhr geöffnet war und genug Platz für große Gruppen von Motorradfahrern bot. Treffpunkt war weniger das Innere des Cafés als vielmehr der Parkplatz, auf dem die Elvis-Look-a-Likes sich mit ihren Motorrädern präsentierten.

In den 1960er-Jahren gesellte sich die »Mod«-Szene (Modernisten) hinzu, deren Mode mit den von Mary Quant inspirierten Miniröcken, kurzen Haarschnitten, Drainpipe-Hosen und Fred Perry-Hemden im Wesentlichen den Stil der Londoner »Swinging Sixties« symbolisierte. Das Fortbewegungsmittel der Wahl für die Mods waren Roller, wie Vespas oder Lambrettas, die mit Spiegeln und Lampen aufgemotzt wurden. Das Auto der Wahl war der Mini. Am Wochenende brachen die rivalisierenden Gruppen der Rocker und Mods im Convoy zu den Urlaubsorten an der Südküste auf, unter anderem nach Brighton oder Margate. Dort kam es dann öfter zu Zusammenstößen und teilweise recht brutalen Schlägereien. 1969 schloss das Café seine Türen.

Ende der 1970er- und Anfang der 1980er-Jahre gab es ein Mod-Revival in der Musikszene mit 2-Tone-Ska-Bands wie »Madness« oder »The Specials«. Mitte der 1980er-Jahre erfuhr auch der Northern Soul, eine britische Form des amerikanischen Soul und R&B, eine Neuauflage.

Der Film »Quadrophenia« von 1979, der die Zusammenstöße der Mods und Rocker zum Thema hat, wurde zum Kultfilm des Mod-Revival. Der Musiker Paul Weller (»The Jam«, »The Style Council«) gilt als wichtige Figur des Mod-Revivals und wird im allgemeinen Sprachgebrauch auch als »Modfather«, also Vater der Revival-Bewegung bezeichnet. In den 1990er-Jahren nahmen Bands wie »Oasis« und »Blur« die Einflüsse der Mod-Kultur mit ihrem Brit-Pop wieder auf. Heute gibt es in London eine sehr **solide Mod-Szene**, mit Clubnächten in vielen Musikclubs, in denen Northern Soul, Acid Jazz und Klassiker der 1960er-Jahre gespielt werden. Aufgrund der Nachfrage gibt es zudem unzählige Läden, in denen man sich nostalgisch einkleiden kann.

Große Auswahl an Speisen und Getränken, auch für Nicht-Mods

Mit dem Wiederaufleben der nostalgischen Jugendkulturen wurde auch das Ace Café 1997 wiedereröffnet. Es finden nun regelmäßig Veranstaltungen für Rocker und Mods statt. Hier treffen sich Motorradclubs mit alten und jungen Rockern zur »Biker Reunion«. Einmal im Monat gibt es außerdem einen Mod-Event, die **Mod'n Mini Night**, bei dem Mini- und Roller-Fahrer anwesend sind.

Tipp

Wer beim Thema Nostalgie bleiben will, gelangt von hier aus mit der U-Bahn nach Notting Hill, wo im **Museum of Brands, Packaging and Advertising** Werbung, Verpackungen und andere interessante Gegenstände aus verschiedenen Jahrzehnten ausgestellt sind.
Infos: U-Bahn Notting Hill Gate, District, Circle oder Central Line. 2 Colville Mews, Lonsdale Road/ Portobello Road, W11 2AR, Tel.: 79080880, www.museumofbrands.com. Geöffnet Di–Sa 10–18, So 11–17 Uhr. Eintritt Erwachsene £ 6,50, ermäßigt £ 4, Kinder (7–16) £ 2,25.

INFO

Hinkommen: U-Bahn Stonebridge Park, Bakerloo Line oder London Overground.
Information: Ace Café, Ace Corner, North Circular Road, Stonebridge, NW10 7UD, Tel.: 89611000, www.ace-cafe-london.com. Geöffnet Mo–Sa 7–23 Uhr, So und feiertags 7–22.30 Uhr. Bei Veranstaltungen 7–2 Uhr. »Mod'n Mini Night«: jeden ersten Donnerstag im Monat, 19–23 Uhr.
Mod-Info:
www.modculture.co.uk.
Soul-Clubnächte:
The 100 Club, www.the100club.co.uk.
The Buffalo Bar, www.buffalobar.co.uk.
Mod-Mode: Sherry's of London, 24 Ganton Street, nahe Carnaby Street 1, Tel.: 77345868, www.sherrys.co.uk.
Pretty Green, 56–57 Carnaby St, W1F 9QF, Tel.: 72873122, www.prettygreen.com. Geöffnet Mi–Mi, Fr & Sa 10–19, Do 10–20, So 12–18 Uhr. Dies ist das Modelabel des ehemalige Oasis-Sänger Liam Gallagher. Hier werden unter anderem die langen, grünen Parkas verkauft, die durch Quadrophenia zum Wahrzeichen der Mod-Kluft wurden.
Real Stars are Rare, www.realstararerare.com. Auch der Musiker Paul Weller hat gerade sein eigenes Online-Label gestartet.

Architektur

Beeindruckend: das London der Wolkenkratzer und Neubauten

49 Lambeth Palace – mittelalterliche Burg und Sitz des Erzbischofs

Lambeth Palace, am Südufer der Themse, ist eines der wenigen Gebäude aus dem Mittelalter, das die Jahrhunderte überdauert hat. Der Palast ist seit dem 13. Jh. der Sitz des **Erzbischofs von Canterbury**. Bis Mitte des 16. Jh. befand sich am gegenüberliegenden Ufer der **Westminster Palace**, Sitz des Königs und des Parlaments. Obwohl es keine direkte Verbindung durch eine Brücke gab – die Westminster Bridge entstand erst 1739–1750 und die Lambeth Bridge 1932 – konnten sich das Staatsoberhaupt und der zweitwichtigste Mann im Land, der Erzbischof, per Boot relativ schnell erreichen. Bis zum 16. Jh. war die anglikanische Kirche römisch-katholisch und unterstand dem Papst in Rom. Erst als Henry VIII. sich von der katholischen Kirche lossagte, da diese ihm die Scheidung von seiner Frau Catherine d'Aragón nicht gestattete, wurde der englische Monarch zum Oberhaupt der anglikanischen Kirche und der Erzbischof die zweithöchste religiöse Instanz, die vom jeweils regierenden Monarchen ernannt wird.

Während des Bauernaufstandes 1381 richtete sich die Wut des Volkes gegen die Obrigkeit. Unter Wat Tyler (1431–1481) marschierte man sogar nach London und ermordete den Erzbischof sowie den Lordkanzler. Henry VIII. hingegen war selbst der größte Feind des Bischofs, er ließ Cardinal Wolsey (1471–1530) und Thomas Moore (1478–1535) hinrichten, da sie sich seinen Anordnungen widersetzten.

Lambeth Palace hat etliche Jahrhunderte überdauert und kann heute besichtigt werden

Das Torhaus und den Eingang des Lambeth Palace bildet der **Morton's Tower** aus rotem Backstein, er stammt aus der Tudorzeit, um 1490. Hier befindet sich unter anderem ein Zentrum für die Restaurierung von alten Büchern und es werden ca. 230.000 alte Manuskripte aufbewahrt. Vom überdachten Atrium aus dem Jahr 2000 gelangt man in die Privatkapelle des Erzbischofs aus dem 13. Jh. Der älteste noch erhaltene Teil des heutigen Palastes ist die **Kapelle in der Krypta**, das Gewölbe stammt aus dem Jahr 1220. Westlich von hier, im Lollard's Tower aus dem Jahr 1440, befand sich im Untergeschoss im 17. Jh. ein Gefängnis. Der **Guard Room**, die große Empfangshalle aus dem 14.–16. Jh. wurde von Cromwells Truppen zerstört und 1663 wieder restauriert. Damals wurde die Decke mit einem gotischen Hammerbalken-Gewölbe verziert.

Von besonderem historischen Interesse ist die **Bibliothek der Church of England**, die 1610 gegründet wurde. Hier wird das Archiv des Erzbischofs aufbewahrt sowie kirchliche Dokumente, die bis ins 9. Jh. zurückreichen, zudem Dokumente und Manuskripte, in denen ein Großteil der britischen Geschichte festgehalten ist. Für ein Studium der Bücher und Dokumente muss man sich lange im Voraus anmelden. Von Mai bis Juli finden jedoch Ausstellungen statt.

Sehr sehenswert ist auch das unweit von hier gelegene **Imperial War Museum**, das das Leben zur Zeit der beiden Weltkriege dokumentiert und auch einen Blick auf die Kriegsereignisse der neueren Geschichte wirft. Dokumente, Fotos und interaktive Installationen veranschaulichen den Bombenhagel im »Blitz«, das Schicksal von Kriegskindern sowie die generellen Schrecken des Krieges und des Holocausts. Außerdem finden sehr interessante Wechselausstellungen statt. Das Museum veranstaltet sogar sein eigenes Filmfestival für kritischen internationalen Film, das »IWM Festival«.

Kriegsgeschichte – erzählt mit Plakaten aus der damaligen Zeit

INFO

Hinkommen: U-Bahn Lambeth North, Bakerloo Line. [D4]
Information: Lambeth Palace, Lambeth Palace Road, SE1 7JU, Tel.: 0844-2485134, www.archbishopofcanterbury.org/pages/about-lambeth-palace.html. Besichtigung Do & Fr im Rahmen einer geführten Tour. Eintritt £ 10 pro Person sowie £ 2,50 Buchungsgebühr.
Lambeth Palace Library, Tel.: 78981030, www.lambethpalacelibrary.org.uk. Im Palastgarten befindet sich das Garden Museum, dessen Café tgl. von 10.30–17 Uhr geöffnet ist.
Imperial War Museum, Tel.: 7416-5000, www.iwm.org.uk. Geöffnet tgl. 10–18 Uhr, Eintritt frei. Das Museum ist bis Juli 2014 wegen Umbau geschlossen.

50 Das Banqueting House – italienische Renaissance in Westminster

Als der Whitehall Palace aus der Tudorzeit im Jahr 1698 in Flammen aufging, überlebte nur das **Banqueting House** das Feuer. Der Architekt **Inigo Jones** (1573–1652) hatte das palastartige Renaissance-Gebäude für den Stuart König James I. (1603–25) im Jahr 1622 erbaut. Inigo Jones zeichnete sich unter anderem auch durch den Bau des Covent Garden und des Queen's House in Greenwich aus (s. Kap. 95).

Das Banqueting House, ein palastartiges Renaissancegebäude

Whitehall Palace erstreckte sich zwischen den heutigen **Horse Guards** und dem St. James's Park bis zur Downing Street und dem **Cenotaph** (s. Kap. 2). Es war eine unstrukturierte Ansammlung von Bauten und stellte sich für den Betrachter eher konfus als majestätisch dar. Inigo Jones hatte weitreichende Pläne für einen eleganteren Palast, das Banqueting House war nur ein Teil der geplanten Anlage, aus finanziellen Gründen kam es allerdings nie zur Verwirklichung. Dennoch schrieb Jones Architekturgeschichte, denn das Haus war das erste Gebäude Londons im palladianischen Stil. Es übernahm die Funktion eines Ballsaales, in dem große Staatsempfänge und Bankette stattfanden.

Auch das »einfache Volk« erhielt Audienzen, beispielsweise zur Almosengabe während des »Royal Maundy«-Gottesdienstes am Gründonnerstag oder zur Handauflegung des Königs bei Kranken und Gebrechlichen. Bis zum Beginn des 18. Jh. hielt sich nämlich der Glaube, dass die Hand des Königs das sogenannte »King's Evil«, eine durch Tuberkulose ausgelöste Hautkrankheit, heilen könnte.

Unter **James I.** und seinem Sohn **Charles I.** (1625–1649) wurden die sogenannten »Masques« populär, höfische Maskenspiele und Allegorien, bei denen Personen am Hof als Schauspieler auftraten und selbst der König oft in die Rolle der »Ehre«, »Wahrheit« und »Gerechtigkeit« schlüpfte. Die Kulissen hierfür wurden vielfach von Inigo Jones gestaltet, während der Dramatiker Ben Johnson (1573–1637) das Rahmenprogramm für das Theater schrieb.

Charles I. beauftragte nach dem Tod seines Vaters im Jahr 1630 den flämischen Maler **Peter Paul Rubens** (1577–1640) mit der Erstellung von verschiedenen Deckengemälden für das Banqueting House, die ihn und seinen

Vater verherrlichten, denn der absolutistische Charles glaubte an sein gottgegebenes Recht als Herrscher. Die von ihm in Auftrag gegebenen Gemälde wurden in Rubens' Werkstatt fertiggestellt und dann Stück für Stück nach London transportiert. Sie zeigen unter anderem die Inthronisierung von Charles durch die Göttin Minerva und seinen Vater mit Krone, Zepter und dem Fuß auf der Weltkugel.

Das Deckengemälde von Peter Paul Rubens allein lohnt schon den Besuch im Banqueting House

Wenige Jahre zuvor hatte Charles I. das Parlament aufgelöst, um absolutistisch zu regieren. Aus dieser sogenannten »Terrorherrschaft« entstand eine Revolte, die im neunjährigen Bürgerkrieg gipfelte. 1649 wurde Charles I. von den Republikanern unter **Oliver Cromwell** wegen Hochverrats hingerichtet. Zu diesem Zweck hatte man eines der mittleren Fenster aus dem großen Saal entfernt und der König trat von hier direkt auf das Schafott, wo ihm der Kopf abgeschlagen wurde.

Das Banqueting House wurde dann zum Audienzsaal für den Lord Protector Cromwell und seine parlamentarische Regierung. Die Royalisten erhoben Charles I. jedoch später in den Stand eines Märtyrers und nach der Restauration wurde ihm eine Statue auf dem Trafalgar Square gewidmet.

Henry's Weinkeller

Neben dem Banqueting House, in einem Gewölbe unterhalb des MOD (Ministry of Defence, Verteidigungsministerium), verbirgt sich ein ganz besonderes Kleinod. Hier blieb der **Weinkeller des alten Whitehall Palace** (s. Kap. 2) erhalten, der zu Anfang des 16. Jh. von Cardinal Wolsey eingerichtet und von Henry VIII. erweitert wurde. Kostbare französische Weine und Champagner, die am Hof verköstigt wurden, waren hier eingelagert. Gruppenbesichtigungen (ab 10 Pers.) des Kellers können nach Voranmeldung beim Ministerium organisiert werden. MOD, Whitehall, SW1A 2HB, Tel.: 0870-6074455.

INFO

Hinkommen: U-Bahn Charing Cross, Northern Line, Bakerloo Line. Westminster, Jubilee, District und Circle Line. [C3]
Information: Banqueting House, Whitehall, SW1A 2ER, Tel.: 31666154/5, www.hrp.org.uk/banquetinghouse. Geöffnet Mo–So 10–17 Uhr, geschlossen So und feiertags. Eintritt Erwachsene £ 6, ermäßigt £ 5, Kinder bis 16 Jahre frei. Bei Veranstaltungen kann der Saal kurzfristig geschlossen werden, daher sollte man vorher auf die Webseite schauen oder anrufen.

51 Meisterkirchen des Barock – Sir Christopher Wren

Sir Christopher Wren (1632–1723) gehört zu den herausragendsten Architekten Großbritanniens und des englischen Barocks. Nach dem Großen Brand von 1666 wurde er mit der Planung des Wiederaufbaus der Londoner City beauftragt und drückte der Stadt seinen Stempel auf. Durch das Feuer waren unzählige Kirchen zerstört worden. Insgesamt 51 Gotteshäuser wurden von ihm neu aufgebaut, heute sind davon noch 23 vorhanden.

Wrens Vater war Dekan der königlichen Kapelle im Schloss von Windsor. Wren war jedoch eher wissenschaftlich interessiert, bereits in frühester Jugend zeigte er Interesse an Design und Mechanik. Nach einem Studium der Mathematik und Astronomie wurde er Professor für Astronomie an den Universitäten in London und Oxford und war unter anderem befreundet mit Isaac Newton. Er war Mitbegründer der Royal Society, einer staatlich geförderten Wissenschaftsakademie, die noch heute besteht.

St. Brides – die Brautkirche

Wren arbeitete bei der Verwirklichung der Baupläne für London eng mit dem Königshaus zusammen, denn Charles II. förderte Kunst und Wissenschaften.

Ursprünglich hatte Wren sehr ambitionierte Pläne für die Umgestaltung der City. Er war insbesondere von der französischen Architektur inspiriert worden und schlug eine großflächige Umgestaltung nach europäischem Beispiel vor. Dies fand jedoch bei den Geldgebern keinen Anklang, da es ihnen zu teuer erschien. Man blieb bei dem mittelalterlichen Straßenraster.

Wren konzentrierte seine Anstrengungen daher auf einzelne Bauwerke wie die **St. Paul's Cathedral** (s. Kap. 52) und das **Monument** (s. Kap. 27). Seine Kirchen sind heute noch das sichtbarste Erbe seiner Architektur, denn im Zweiten Weltkrieg wurden große Teile der alten City dem Erdboden gleichgemacht. Einige der Kirchen wurden komplett zerstört, einige wieder aufgebaut, zwei sind als Ruinen verblieben. Zwei wurden abgetragen und in den USA wieder aufgebaut. Andere wiederum wurden umgebaut oder in andere Gebäude integriert. Nur zwölf Kirchen befinden sich noch weitgehend im Originalzustand.

Bei einem Spaziergang durch die Londoner City stößt man unweigerlich immer wieder auf seine Kirchen, die aus dem Häuserwust herausragen. Bemerkenswert ist beispielsweise **St. Brides**, die Brautkirche, deren Turmaufbau die Inspiration für die traditionelle Hochzeitstorte gewesen sein soll. Die Hörweite der Glocken der Kirche **St. Mary le Bow** bestimmt den Radius, innerhalb dessen echte Londoner, »Cockneys«, geboren werden (s. Kap. 5). Im verwunschenen Park der Kirchenruine **St. Dunstan-in-the-East** kann man gut eine Pause einlegen.

St. Dunstan-in-the-East: hier lässt es sich gut ausruhen

Wrens Kirchen

Noch im Originalzustand
- St. Benet, Paul's Wharf, Queen Victoria Street
- St. Clement Danes, Eastcheap/ Clement's Lane/King William Street
- St. James Garlickhythe, Upper Thames Street
- St. Margaret Lothbury, Lothbury
- St. Margaret Pattens, Rood Lane, Eastcheap
- St. Martin Ludgate, Ludgate Hill
- St. Mary Abchurch, Abchurch Lane
- St. Mary Aldermary, Queen Victoria Street
- St. Michael, Cornhill, St. Michael's Alley, Cornhill
- St. Peter upon Cornhill, Cornhill/ Gracechurch Street
- St. Stephen Walbrook, Walbrook
- St. Magnus-the-Martyr, Lower Thames Street
- St. Paul's Cathedral

Wieder aufgebaut
- St. Andrew-by-the-Wardrobe, St. Andrew's Hill
- St. Andrew Holborn, Holborn
- St. Anne and St. Agnes, Gresham Street
- St. Bride's Church, Bride Lane
- St. Lawrence Jewry, Gresham Street
- St. Mary-le-Bow, Bow Lane
- St. Michael Paternoster Royal, College Hill
- St. Nicholas Cole Abbey, Queen Victoria Street
- St. Vedast, Foster Lane

Ruinen
- Christ Church Greyfriars, Newgate Street
- St. Dunstan-in-the-East, Mincing Lane

INFO

Hinkommen: Ein Rundgang beginnt beispielsweise bei St. Bride's, U-Bahn Blackfriars. Route siehe Kap. 52. [D3]

Weiterführende Literatur:
Lisa Jardine. On a Grander Scale. The Outstanding Life of Sir Christopher Wren. Harper Collins, 2003. (nur auf Englisch).

52 Markantes Symbol in der City – die St. Paul's Cathedral

Tipp

Rundgang zu Wrens Kirchen: Beginnend bei der U-Bahnstation Blackfriars, dann nördlich über die New Bridge Street und westlich in die Bride Lane. Von dort nach Osten über Ludgate Hill, zu St. Martin Ludgate, dann östlich zu St. Paul's. Von hier südlich zur Queen Victoria Street und St. Andrew-by-the-Wardrobe sowie St. Benet. Dann nach Norden zu St. Mary-le-Bow, nach Osten über Cheapside und Cornhill zu St. Michael, dann südlich über die Gracechurch Street zu St. Margaret Pattens. Von hier südöstlich über die Great Tower Street zu St. Dunstan-in-the-East. Hier kann man im Park eine Rast einlegen.

St. Paul's Cathedral, erbaut von Sir Christopher Wren, ist sicher die bekannteste Kirche Englands und eines der markanten Symbole der Stadt. Sie überlebte als eines der wenigen Gebäude den »Blitz«, den Luftangriff der Deutschen im Zweiten Weltkrieg. Der Bau im Stil des englischen Barock ist Sitz des Bischofs von London. Trotz hochtrabender Bauprojekte in der City ist die wunderschöne Kuppel der Kathedrale immer noch weithin sichtbar. Als Vorlage diente der Petersdom in Rom und mit einem Umfang von 53,4 m ist sie die zweitgrößte Kuppel dieser Art weltweit.

An der Stelle der St. Paul's Cathedral errichteten die Angelsachsen bereits im Jahr 604 eine Kapelle. Um 1087 begannen die Normannen mit dem Bau der Old St. Paul's Cathedral. Erst 200 Jahre später fertiggestellt, blieb sie das Zentrum des religiösen Lebens bis zur Zerstörung beim Großen Brand 1666. Auf dem Kirchenvor-

Bei St. Paul's ist nicht nur die Kuppel beindruckend, sondern auch das Portal

platz fanden Märkte und allerlei Treiben statt, allerdings verfiel das Gebäude unter Cromwell und den Puritanern.

Die Kuppel von St. Paul's – ein beliebtes Fotomotiv

Wrens erster Entwurf stammt aus dem Jahr 1672 und kann in der Krypta besichtigt werden. Es waren mehrere Entwürfe nötig, bis man sich auf eine »abgespeckte« Version einigen konnte. So wird die Westfassade flankiert von zwei Glockentürmen und die Kuppel selbst besteht als Ziegelkuppel aus mehreren Schichten, die das Gewicht des Holzrahmens für die Außenkuppel tragen. Oben aufgesetzt ist die Laterne. Im Innern befindet sich eine Balustrade, die aufgrund ihrer Akustik auch **Whispering Gallery**, »Flüstergalerie«, genannt wird. Wer die 257 Stufen erklimmt, die hier heraufführen, hat einen guten Blick in die Kuppel. Wenn einem danach die Ohren klingeln, liegt das nicht am Aufstieg, sondern an der Tatsache, dass man dort sogar den kleinsten Laut deutlich hört. Nach insgesamt 376 Stufen gelangt man zur **Stone Gallery**, der »Steingalerie«. Sie führt rund um die Außenseite der Kuppel und ermöglicht einen fantastischen Ausblick auf die Stadt, ebenso wie die noch weiter oben gelegene **Golden Gallery** mit insgesamt 528 Stufen.

Der grandiose Innenraum wird seit 300 Jahren für festliche Gelegenheiten und Gedenkfeiern genutzt. Unter anderem wurden hier die Beerdigungszeremonien für **Admiral Nelson** und **Winston Churchill** abgehalten. 1981 heiratete Prince Charles hier seine erste Ehefrau Lady Diana Spencer. Im Südflügel steht ein Admiral Nelson-Denkmal und im Nordflügel ein Wellington-Denkmal, in Erinnerung an den Admiral, der Napoleon in der Schlacht bei Waterloo 1805 besiegte. Er wurde hier auch beerdigt und sein Grab kann in der Krypta zusammen mit dem von Nelson besichtigt werden. Der Architekt Christopher Wren selbst starb im Jahr 1723 und wurde ebenfalls hier beigesetzt. Sein Grab trägt die Inschrift: »Wenn Du ein Denkmal suchst, blicke um Dich.«

INFO

Hinkommen: U-Bahn St. Paul's, Central Line. [D3]
Information: St. Paul's Cathedral, Ludgate Hill, EC4M 8AD, Tel.: 72364128, www.stpauls.co.uk. Geöffnet: Mo–Sa 8.30–16 Uhr (So Gottesdienste, keine Besichtigung). Online-Eintrittspreise Erwachsene £ 14,50, ermäßigt £ 13, Kinder 6–17 Jahre £ 6. Im Eintrittspreis sind Führungen und ein Audioguide mit eingeschlossen.
Essen & Trinken: The Café at St. Paul's, geöffnet Mo–Sa 9–17, So 10–16 Uhr. **The Restaurant at St. Paul's,** Tel.: 72481574, www.restaurantatstpauls.co.uk. Geöffnet für Lunch Mo–So 12–15 Uhr, Afternoon Tea: Mo–Sa 15–16.30 Uhr. Moderne britische Küche.

53 Die Queen Anne-Kirchen von James Gibbs und Nicholas Hawksmoor

Nachdem der Architekt Christopher Wren die im Großen Brand 1666 niedergebrannten 51 Gotteshäuser wiederhergestellt hatte (s. Kap. 51), beschloss die Regierung im Jahr 1711, weitere 50 Kirchen im Stadtgebiet zu bauen. Unter den Architekten Nicholas Hawksmoor, John James, Thomas Archer und James Gibbs entstand etwa die Hälfte der geplanten Bauwerke. Diese sind auch als **Queen Anne-Kirchen** bekannt (Queen Anne regierte von 1702–1714).

St. Mary le Strand – Insel der Ruhe in verkehrsreicher Umgebung

Nicholas Hawksmoor (1661–1736) errichtete insgesamt sechs Kirchen, darunter auch St. Anne's Limehouse (s. Kap. 6) und Christ Church in Spitalfields. Er begann seine Karriere als Wrens Assistent und arbeitet mit ihm an vielen Projekten, bevor er nach Wrens Tod in dessen Fußstapfen trat.

Der Architekt **James Gibbs** (1682–1754) wurde in Schottland geboren, studierte in Rom und bereiste intensiv Europa. Von dort brachte er vor allem Einflüsse aus der italienischen Architektur mit nach London. Hier galt er zunächst als Außenseiter. Gibbs, der Tory und Katholik war, sympathisierte mit der Jakobiterbewegung, die den schottischen Stuart-Monarchen wieder auf den britischen Thron verhelfen wollte. Dies machte ihn in den einflussreichen Kreisen der liberalen Whigs, die unter George I. 1714 an die Macht kamen, nicht gerade beliebt. Gibbs fand jedoch Gönner unter reichen Tory-Familien, was ihm einige Bauaufträge sicherte. Er studierte den Baustil von Christopher Wren, und im Gegenzug erkannte dieser Gibbs Talent an und unterstützte seine Entwürfe. Später flossen viele Stilelemente Wrens auch in Gibbs Arbeiten ein.

Von Gibbs stammt beispielsweise die Kirche **St. Mary le Strand** im Stadtteil Westminster, die 1717 fertiggestellt und 1724 geweiht wurde. Gibbs plante eine quadratische Kirche, die statt eines Kirchturms von einer Säule nach antikem römischen Vorbild mit einer Statue von Queen Anne überragt werden sollte. Der Entwurf zeigte Ähnlichkeiten mit Raphaels Palazzo Branconio in Rom.

Stattdessen wurde nur ein graziler Turm genehmigt, sodass Gibbs sich im Innenraum mit aufwendigen barocken Verzierungen schadhaft hielt. Der Rundbogen, der die Kanzel umgibt, basiert auf der Innengestaltung der Santa Maria del Carmine in Florenz. Heute liegt die Kirche auf einer Verkehrsinsel des geschäftigen Strand Boulevards. Bereits zur damaligen Zeit war dies ein verkehrsreicher Ort: Um den Lärm fernzuhalten, wurden keine Fenster im Erdgeschoss eingebaut.

Auffallend am belebten Trafalgar Square – St. Martin-in-the-Fields

1720 erhielt Gibbs den Auftrag für die Neugestaltung der Kirche **St. Martin-in-the-Fields**, bevor der Trafalgar Square entstand. Wieder wurde der erste Plan, der einen Rundbau vorsah, verworfen. Auch der neue Entwurf mit korinthischen Säulen am Eingangsportal, an die sich der Kirchturm direkt anschließt, wurde kontrovers diskutiert. Dieser Baustil wurde jedoch später, vor allem in Nordamerika, oft kopiert.

Gibbs war außerdem Mitglied im Vorstand des Krankenhauses **St. Bartholomew's** (s. Kap. 25). Die Neugestaltung des Krankenhauses, mit einer Anordnung von vier Bauten um einen Innenhof, nahm er unentgeltlich vor.

INFO

Information:

St. Martin-in-the-Fields (53a), Trafalgar Square, U-Bahn Charing Cross, Bakerloo Line, Northern Line. In der Krypta der Kirche gibt es ein **Café** mit gutem Essen, außerdem finden Mo, Di & Fr um 13 Uhr Mittagskonzerte statt, Eintritt frei. Mi gibt es ab 19 Uhr Jazzkonzerte. [C3]

Café in the Crypt, Trafalgar Square, www.smitf.org. Geöffnet Mo & Di 8–20, Mi 8–22.30, Do–Sa 8–21, So 11–18 Uhr. Mi ab 19 Uhr Eintritt nur noch für Besucher der Jazzkonzerte.

St. Mary le Strand (53b), Tel.: 78363126. Geöffnet Di–Do 11–16, So 10–13 Uhr. U-Bahn Temple, Circle und District Line. Sonntags: U-Bahn Embankment oder Charing Cross, Bakerloo Line oder Northern Line. [D3]

54 Die schönsten Bauten aus der Epoche des Regency – John Nash

Der Waliser **John Nash** (1752–1835) war der herausragende Architekt der **Regency-Periode** während des britischen Klassizismus. Die Bezeichnung der Stilrichtung bezieht sich auf den Zeitraum, in dem der Prinzregent George IV. anstelle seines Vater George III. von 1811 bis 1820 die Regierungsgeschäfte übernahm. Dieser litt aufgrund der Stoffwechselkrankheit Porphyrie unter geistiger Umnachtung und war regierungsunfähig.

Nash gehörte zu den politisch liberalen Whigs und war befreundet mit dem damaligen Premierminister Charles James Fox. Auf diesem Weg lernte er George IV. kennen, der ihn mehr oder weniger zum offiziellen Hofarchitekten machte. Nash verwirklichte viele ambitionierte Bauprojekte von George IV. und gab der Innenstadt ein neues, klassizistisches Gesicht.

Auch die bekannte Regent Street stammt vom Zeichenbrett des John Nash

Leider gerieten seine späteren Projekte, insbesondere der Umbau des Buckingham Palace (s. Kap. 55) unter George IV., zum Streitpunkt mit der Regierung, da die Kosten ausuferten. Nach dem Tod von George IV. im Jahr 1830 endete daher auch Nashs Karriere. Er zog sich auf die Isle of Wight zurück, wo er im Alter von 83 Jahren verstarb.

Nashs Regency-Stil zeichnete sich aus durch elegant angeordnete Reihenhaus-Terrassen. Wie aus dem Ei gepellte, weißgetünchte Bauten mit mehreren Stockwerken reihen sich aneinander, verziert mit klassizistischen Säulen und Statuen. Details, wie beispielsweise gusseiserne Balkongitter und Türen, sind traditionell schwarz lackiert.

Heute gehören diese Häuser zu den begehrtesten und teuersten Immobilien Londons. Einen guten Eindruck vom Leben zur Zeit des Regency vermitteln die Romanverfilmungen von **Jane Austen**.

Um einen Eindruck von Nashs Architektur zu erhalten, beginnt man einen Rundgang am besten am **Trafalgar Square** (s. Kap 34). Für dieses letzte seiner Werke entwarf Nash zwar die Pläne, erlebte jedoch die Vollendung nicht mehr. Von hier gelangt man durch den Admiralty Arch zum zum von Nash angelegten **St. James's Park** (s. Kap. 64). Entlang der Edelchaussee The Mall, der Prachtstraße aus dem Jahr 1910, die zum **Buckingham**

Palast (1825–1830) mit den Royal Mews (1822–1824) führt, passiert man zwei von Nashs Gebäuden: die **Carlton House Terrace** (1827–1833) (s. a. »ICA«, Kap. 36) und das **Clarence House** (1825–1827), Residenz von Prince Charles und der Duchess of Cornwall, Camilla. Das Gebäude entstand ursprünglich für William IV., den Vater von Königin Viktoria. Im Sommer kann man hier einige Räume besichtigen.

Nördlich des St. James's Park und der Pall Mall verläuft durch den Stadtteil Marylebone die **Regent Street** (1809–1826) über die Straße Portland Place bis zum **Regent's Park** (1809–1832, s. Kap. 67). Die lange Prachtstraße sollte für feierliche Umzüge dienen. Dies war das erste vom Prinzregenten an Nash in Auftrag gegebene Projekt und ist daher auch nach dem Regenten benannt. Auch die Pläne für den **Regent's Canal** (1811–1820, s. Kap. 68) gehen auf Nash zurück.

Auch in der Nachbarschaft des Regent's Park trifft man auf Nashs Spuren.Am Portland Place steht die Kirche **All Souls Langham Place** (1822–1825) mit ungewöhnlichem Rundbau und schlankem, spitz zulaufenden Kirchturm. Von dort blickt man auf den **Park Crescent** (1819–1821), ein Paradebeispiel einer Rundterrasse. Im Osten des Parks verläuft die **Cumberland Terrace** (1826), bei der griechische Statuen die Giebel schmücken.

Nash hatte viele Mitarbeiter, die seine Schüler und später teils selbst renommierte Architekten wurden, wie James Pennethorne und Decimus Burton, John und George Repton und Augustus Pugin, der später für die **Houses of Parliament** (s. Kap. 20) verantwortlich zeichnete.

Royal Academy of Arts

In der Regent Street befindet sich im Burlington House die Kunstschule **Royal Academy of Arts**, die bereits unter George III. 1768 entstanden war. Hier finden Wechselaustellungen statt. Besonders berühmt ist die Sommerausstellung von Juni-August, die bereits 1769 zum ersten Mal stattfand. Hier wird einer großen Bandbreite von Künstlern die Möglichkeit gegeben, ihre Werke der Öffentlichkeit zu präsentieren. Der Eintritt ist frei. Es stellen nicht nur die Absolventen der Akademie aus, sondern es werden auch 1.000 Werke ausgewählt, die von Künstlern eingesandt wurden. Für die besten Werke werden Preise vergeben.
Royal Academy of Arts, Burlington House, W1J 0BD, Tel.: 020-73008000, www.royalacademy.org.uk. Geöffnet Do-Sa 10-18, Fr 10-22 Uhr; Ferienzeiten auch feiertags 10-18 Uhr. Eintritt je nach Austellung Erwachsene £ 10-14, ermäßigt £ 9-13, Kinder (12-18 Jahre) £ 6.

INFO

Hinkommen: U-Bahn St. James's Park, District und Circle Line.
Regent's Park: U-Bahn Baker Street oder Regent's Park, Bakerloo Line. [C2] (54)
Clarence House: www.royalcollection.org.uk. Geöffnet 1.-31. August 2014, Mo-Fr 10-16, Sa & So 10-17.30 Uhr. Eintritt Erwachsene £ 9,50, ermäßigt £ 9,50, Kinder (bis 17 Jahre) £ 5,50.
Essen & Trinken:
Golden Hind,
73 Marylebone Lane, W1U 2PN, Tel.: 74863644, U-Bahn Bond Street. Geöffnet Mo-Fr 12-15, Mo-Sa 18-22 Uhr. Historisches Fish & Chips-Restaurant unter griechischer Leitung, mit britischen und griechischen Spezialitäten.

55 Königspalast mit Tradition – Buckingham Palace und Royal Mews

Wenn die Queen zu Hause ist, wird die Standarte im Buckingham Palace gehisst

George VI. ging als verschwenderischer König in die Geschichte ein. Er ließ viele umfassende Bauprojekte von seinem Hofarchitekten John Nash (s. Kap. 54) verwirklichen. Eine seiner größten Extravaganzen war der **Buckingham Palace**. Als die Kosten für den Bau sich verdreifacht hatten, wurde Nash nach Georges Tod als Architekt aus dem Projekt entlassen.

Seit 1702 stand die Residenz des Duke of Buckingham auf dem Gelände, seine Familie war von jeher eng mit dem Königshaus verbunden. 1762 kaufte George III. das Haus für seine Frau Charlotte von Mecklenburg-Strelitz. Die königliche Familie residierte jedoch auch weiterhin im **St. James's Palace** an der Mall. Dieser war ursprünglich von Henry VIII. errichtet worden, aber erst Charles II. machte ihn 1698 zum Hauptwohnsitz. Heute wird er weiterhin von Mitgliedern der königlichen Familie genutzt. Nachdem George IV. die Thronfolge angetreten hatte, beschloss er 1826, Buckingham House zum Palast umzubauen. Auch die Stallungen, Royal Mews, wurden vom Trafalgar Square hierher verlegt.

Aufgrund der ausufernden Kosten für Nashs Umbaupläne beauftragte Georges Bruder und Nachfolger William IV. den Architekten Edward Blore mit der Endgestaltung. Das Ergebnis war ein wenig spektakuläres Gebäude, das heute vor allem deshalb Besucher anzieht, weil sie einmal einen Blick auf die königliche Familie erhaschen oder die Wachablösung der Garde beobachten wollen. Auf dem Balkon an der Fassade des Palastes zeigen sich die Queen und ihre Familie aber nur bei besonderen Anlässen. Die Queen winkt dabei den Menschenmassen zu, die sich vor dem schmiedeeisernen Tor versammelt haben. Obwohl die »Royal Family«, also die königliche Familie, in Großbritannien großen Respekt genießt, richten sich solche PR-Auftritte vor allem an die vielen Touristen, für die ein Besuch beim königlichen Palast eben dazugehört. Im Sprachgebrauch der Briten heißt der Palast einfach nur »Bucks House«.

Erst **Königin Victoria** zog 1837 dauerhaft in den Palast ein und ließ nach ihrer Heirat mit Prinz Albert von Sachsen-Coburg und Gotha den unbequemen Palast für die rasch wachsende Familie angemessen umbauen. Seitdem ist er der **Hauptwohnsitz der königlichen Familie**. Nur in den Sommermonaten, wenn die Familie in den schottischen Sitz Balmoral umzieht, können Besucher die 19 Staatsräume besichtigen (einen Bruchteil der insgesamt 775 Räume), in denen Queen Elizabeth II. Politiker, Botschafter und andere wichtige Persönlichkeiten empfängt. Einmal pro Woche ist übrigens der Premierminister bei ihr zu Gast und informiert die Queen über den Gang der Staatsgeschäfte. Wenn die Queen anwesend ist, wird die königliche Standarte gehisst und es stehen vier Guards vor dem Tor. Ist sie abwesend, weht stattdessen die britische Flagge und es stehen nur zwei Guards vor dem Eingang.

Besucher betreten den Palast durch den Botschaftereingang, durch eine von Nash entworfene Säulenhalle. In den Staatsräumen befinden sich wertvolle Kunstwerke aus der Sammlung der Queen. Der Ballsaal ist der größte Raum im Palast, hier werden beispielsweise die Ehrentitel verliehen. Der Rundgang endet im Garten, wo die Queen im Sommer ihre Gartenpartys veranstaltet.

Begegnung in den »Royal Mews«, den königlichen Stallungen

Auf der Buckingham Palace Road befinden sich auch die Stallungen, **Royal Mews**. Die Queen gilt als Pferdeliebhaberin und besitzt selbst einige Rennpferde, die bei Pferderennen wie dem Epsom Derby oder Royal Ascot teilnehmen und nicht selten gewinnen. Besonders sehenswert sind auch die historischen Pferdekutschen, genauso wie die Limousinen, die bei offiziellen Anlässen benutzt werden.

INFO

Hinkommen: U-Bahn Victoria Station, Victoria, District und Circle Line. Green Park, Victoria, Jubilee and Piccadilly Line. Hyde Park Corner, Piccadilly Line. [C3]
Information: Buckingham Palace, Tel.: 77667300, www.royalcollection.org.uk. Geöffnet 2014 2.-31. Aug. tgl. 9.30-19 Uhr, 1.-28. Sept. 9.30-18 Uhr. Eintritt State Rooms Erwachsene £ 19,75, ermäßigt £ 18, Kinder 5-16 Jahre £ 11,25. Sammelticket 2014 State Rooms, Royal Mews und Queen's Gallery Erwachsene £ 34,50, ermäßigt £ 31,50, Kinder bis 17 Jahre £ 19,50.
Changing the Guard: Jeden Tag um 11.30 Uhr findet vor dem Palast die Wachablösung der königlichen Leibgarde statt. Infos: www.changing-the-guard.com

56 St. Pancras und King's Cross – Bahnhöfe mit Flair

Im Norden des Zentrums von London befinden sich zwei große Bahnhöfe der Stadt, **St. Pancras** und **King's Cross**. Beide waren zur viktorianischen Zeit wichtige Lebensadern zu den Industriestädten im Norden Englands. Im 20. Jh. verfiel das Industriegelände rund um die Bahnhöfe und erst im 21. Jh. wurde der Gegend neues Leben eingehaucht. 2007 erhielt die historische Fassade von St. Pancras ein neues Innenleben: Die Trasse für den Eurostar und andere Hochgeschwindigkeitszüge wurde hierhin verlegt. Momentan wird auch das Gebiet um King's Cross einer kompletten Umgestaltung unterzogen.

Wer mit dem Eurostar nach London kommt, erhält gleich am St. Pancras Bahnhof, der auch als »Kathedrale« bezeichnet wird, den ersten Eindruck von viktorianischer Architektur. Der Bahnhof entstand auf Initiative der »Midlands Rail Company« im Jahr 1868. Die Verbindungen nach Nord- und Mittelengland in Städte wie Leeds und Birmingham waren von großer Bedeutung, da dort die Kohle gefördert wurde, die die Dampfmaschinen der Industrieanlagen in ganz Großbritannien antrieb. Zudem wurde mit Fertigwaren gehandelt, die von Hafenstädten wie Liverpool oder Manufakturen in Leeds und Birmingham per Kanalboot zu den Bahnlinien gelangten.

Das neue Bahnhofsgebäude von **St. Pancras** stand in Konkurrenz zu Bahngesellschaften, die in anderen Teilen Londons Bahnlinien in die verschiedenen Himmelsrichtungen betrieben. So wurden für die Dampfzüge, das schnellste Fortbewegungsmittel der damaligen Zeit, hohe Hallen entworfen. Für Paddington beispielsweise hatte die »Great Western Railway Company« eine Glas- und Stahlkonstruktion vom viktorianischen Stararchitekten Isambard Kingdom Brunel entwerfen lassen. Der Bahnhof **King's Cross**, heute unterirdisch mit St. Pancras durch einen U-Bahn-Tunnel verbunden, gehörte zur Great Northern Railway und war von Lewis Cubitt entworfen worden.

St. Pancras sollte das schönste Bahnhofsgebäude Londons werden

Man verpflichtete den Ingenieur William Henry Barlow, der für St. Pancras die Halle mit den bis dahin größten Einfeldträgern konstruierte. Um Reisenden die An- und Abreise zu vereinfachen, wurde das **Midland Grand Hotel** 1873 in den Bahnhof eingegliedert. Die massive rote Backsteinfassade mit neugotischem Uhrturm und Fensterbögen von George Gilbert Scott sen. wurde zur Attraktion und das Hotel bot den ultimativen Luxus. Allerdings entsprach es schon bald nicht mehr modernen Anforderungen. Die schöne Innenausstattung konnte nicht darüber hinwegtäuschen, dass die Sanitäranlagen unzureichend waren: Es gab keine Badezimmer und ein Großteil der Angestellten wurde einzig dafür abgestellt, Gäste mit Wasserkaraffen zu versorgen und Nachttöpfe auszuleeren. Im Jahr 1935 wurde das Hotel daher geschlossen. Mit dem Niedergang der Kohleindustrie geriet auch der Bahnhof aufs Abstellgleis und sollte in den 1960er-Jahren abgerissen werden. Der damalige Poet und Hofdichter **Sir John Betjeman** setzte sich vehement dafür ein, dass das Gebäude unter Denkmalschutz gestellt wurde. Ihm ist heute auf der oberen Ebene, über der Arkade, ein Denkmal gewidmet.

Das »St. Pancras Renaissance Hotel« öffnete im Frühjahr 2011. Hier wurde das alte Design wiederbelebt, dafür kosten die Zimmer zwischen £ 375 und £ 3.000. Die angeschlossene **Gilbert Scott Brasserie** setzt den nostalgischen Stil fort und ist einen Besuch wert. Der helle und freundliche Bahnhof ist mit vielen Restaurants, Cafés und Geschäften ausgestattet. Es finden sogar regelmäßig Konzerte in der Halle statt.

Der benachbarte **King's Cross Bahnhof** hat eine offene, einladende Atmosphäre. Rund um die Gleise wird noch gebaut, dies sollte Besucher aber nicht davon abhalten, einen Abstecher zum **Granary Square** zu machen. Hierhin gelangt man vom Westausgang über den King's Boulevard (entlang eines bunt bemalten Bauzauns). Der Platz wird im Norden vom Central Saint Martins College of Arts and Design (s. Kap. 42) begrenzt. Davor gibt es Wasserspiele und Treppen, auf denen sich die Kunststudenten ausruhen. Im Süden verläuft der **Regent's Canal** (s. Kap. 68) mit bunten Booten.

Wer noch Zeit mitbringt, kann der benachbarten **British Library** einen Besuch abstatten. Die Nationalbibliothek wurde 1997 vom British Museum in das neue Gebäude in St. Pancras verlegt. Neben Wechselausstellungen, kann man hier unter anderem in der **Sir John Ritblat Gallery** eine Dauerausstellung mit Originalmanuskripten, beispielsweise der Magna Carta, aber auch von britischen Literaten wie Shakespeare und Jane Austen, besichtigen.

INFO

Hinkommen: U-Bahn St Pancras/King's Cross, Northern Line, Victoria Line. [C1]
Information: www.stpancras.com, www.kingscross.co.uk.
Essen & Trinken:
Gilbert Scott Brasserie, Tel.: 7278-3888, www.thegilbertscott.co.uk. Geöffnet tgl. 12–15 und 17.30–23, So 12–22 Uhr. Unter Leitung von Chefkoch Marcus Waring. Moderne britische Küche, Hauptgericht mit Beilagen £ 20–£ 30.
The Bar, Snacks ab £ 5. Geöffnet tgl. ab 12 Uhr.
British Library, 96 Euston Road, NW1 2DB, www.bl.uk, Tel.: 0843-2081144. Geöffnet Mo–Do 9.30–20, Fr 9.30–18, Sa 9.30–17, So und feiertags 11–17 Uhr (nur Ausstellungen).

57 The Barbican – kompromisslose Architektur der 1970er-Jahre

»The Barbican« war Mitte der 1970er-Jahre ein bahnbrechendes architektonisches Projekt

Das **Barbican** bietet ein vielseitiges Programm an klassischer Musik und Popkonzerten, Filmen, Sprech- und Tanztheater, Workshops und anderen Events. 2012 feiert man das 25-jährige Bestehen.

Im Stadtviertel Barbican stand einst das gleichnamige Torhaus der Londoner Stadtmauer. Außerhalb der Mauer gelangte man zu elisabethanischen Zeiten in das etwas heruntergekommene Viertel **Cripplegate**, in dem kriminelle Elemente wohnten – aber auch Künstler. Shakespeare und Ben Johnson lebten zeitweilig hier. Aufgrund der schlechten Lebensverhältnisse wütete die Pest besonders schlimm und im Jahr 1665 fielen ihr 8.000 Menschen zum Opfer. Im Zweiten Weltkrieg wurde das gesamte Gebiet der City von Bomben stark zerstört, die Einwohnerzahl reduzierte sich drastisch.

1971 bis 1976 entstand ein für die damalige Zeit bahnbrechendes Projekt mit neuen Wohnblocks und Hochhäusern, einem Kulturzentrum und anderen Einrichtungen. Bereits 1959 hatten die Architekten Chamberlin, Powell und Bon ihr Konzept für das neue Viertel vorgelegt. Mit den Bauarbeiten wurde jedoch erst 1971 begonnen. Die brutalistische Architektur der 1960er und 1970er-Jahre, die heute nur noch wenige Freunde findet, war damals ein Ausdruck der Experimentierfreudigkeit mit neuen Ideen und Lebenskonzepten.

Das Viertel wird von drei Hochhaustürmen, den **Barbican Towers**, dominiert, vor denen sich eine Reihe von L-förmigen Wohnblocks erstrecken. Das Kulturzentrum ist untergebracht in einem halbrunden Bau mit einem rechteckigen Vorbau. Davor erstrecken sich eine **Caféterrasse** und ein Teich. An den Stellen, an denen die Wohnblocks über den Teich gebaut wurden, wurde der Unterbau durch Säulen ersetzt, sodass ein freier Durchblick entstand. Es gibt ein Gewirr von Verbindungswegen, vor allem auch auf der oberen Ebene. Die Geschäfte, die einst die unteren Ebenen belebten, stehen momentan leer.

Die Apartments im Barbican sind heute noch begehrt, da sie mitten in der City liegen, in der sich sonst nur Millionäre Immobilien leisten können. Von dem Komplex aus eröffnen sich immer wieder Ausblicke auf die neuen Hochhaustürme der City (s. Kap. 61), wie beispielsweise den **Heron Tower**, in dem moderne Luxusapartments entstanden sind.

Die Barbican Towers selbst sind 123 m hoch, mit Penthäusern in den oberen Stockwerken. Insgesamt leben ca. 4.000 Menschen in dem Beton-Komplex und die Architektur steht unter Denkmalschutz. Das **Museum of London** (s. Kap. 24) befindet sich am Westrand des Barbicans.

Für das Kulturzentrum Barbican Centre hatten die Architekten einige sehr ausgefallene Vorschläge: Sie planten ein Kino, in dem die Leinwand an der Decke angebracht war und das Publikum auf dem Rücken lag. Hiervon wurde allerdings Abstand genommen. Es entstand jedoch die **größte Konzerthalle in Europa** mit 1.949 Sitzen, einem Theater mit 1.166 Sitzen und einem Kino mit 286 Sitzen. Außerdem gibt es eine Kunstgalerie sowie weitere Ausstellungen im Foyer und in den öffentlichen Räumen, eine Bibliothek und drei Restaurants sowie die Außenterrasse.

Das erst 1982 fertiggestellte Kulturzentrum hat mittlerweile Weltruhm erlangt und ist Sitz des **Londoner Symphonieorchesters**. Man kooperiert unter anderem mit internationalen Orchestern wie dem Royal Concertgebouw Orchestra of Amsterdam, den New Yorker Philharmonikern und dem Leipziger Gewandhaus-Orchester. Das Theater war zudem bis ins Jahr 2000 die Londoner Residenz für die **Royal Shakespeare Company** aus Stratford-upon-Avon.

Obwohl das Zentrum unbestritten eine der bedeutendsten kulturellen Einrichtung in London ist, beklagen sich Besucher immer wieder über die konfuse Architektur im Inneren. Um die Orientierung einfacher zu machen, zeigen Pfeile auf dem Boden in Richtung der jeweiligen Veranstaltungsräume, da sich schon manch einer verlaufen hat.

INFO

Hinkommen: U-Bahn Barbican, Hammersmith, Circle und Metropolitan Line. Moorgate, Northern Line. [D2]
Information: Barbican Centre, Silk Street, EC2Y 8DS, Tel.: 76388891, www.barbican.org.uk. Geöffnet Mo-Sa 9-23, So und feiertags 10-23 Uhr.
Essen & Trinken: Barbican Lounge, Level 1, Tel.: 73826180. Geöffnet Mo-Fr 12-20.30, Sa 17-20.30, So 12-19.30 Uhr. Hier gibt es Snacks und Tapas.
Martini Bar, geöffnet 17.30-21.30 Uhr an Veranstaltungstagen. Beim Cocktail kann man hier die jeweilige Foyerausstellung bewundern.
Barbican Foodhall, Buffet, Level G. Geöffnet Mo-Sa 9-20, So 11-20 Uhr.

58 Art déco in London – Sir Giles Gilbert Scotts Battersea Power Station

Zwischen 1925 und 1939 griffen auch Londoner Architekten und Innendesigner die Stilelemente des **Art déco** (arts décoratifs) auf, das sich von Paris aus auf der ganzen Welt verbreitete. In London entstanden viele namhafte Luxushotels, wie das Park Lane, Savoy Hotel und Claridges. Zu den bemerkenswerten Firmengebäuden aus dieser Zeit gehören das BBC Broadcasting House (s. Kap. 59) und das Daily Epress Building (133 Fleet Street), Kaufhäuser wie Marks & Spencer (Oxford Street) und das Odeon Kino am Leicester Square. Leider riss der Zweite Weltkrieg große Lücken in die Bausubstanz und viele Gebäude wurden zerstört.

Zwei der bekanntesten Art déco-Bauten, die den Krieg überlebten, sind die **Tate Modern** (s. Kap. 39) und die **Battersea Power Station**. Die beiden ehemaligen Kraftwerke wurden von Giles Gilbert Scott (1880–1960) gestaltet. Er entwarf übrigens auch die markanten roten Telefonhäuschen, die heute allerdings Seltenheitswert haben. Scott kam aus einer Architektenfamilie – sein Vater George entwarf bereits den Bau des Midland Grand Hotel in St. Pancras (s. Kap. 56).

Ob als Filmkulisse oder als Plattencover – die Battersea Power Station macht ordentlich etwas her

Auch die Battersea Power Station hat einen hohen Wiedererkennungswert: Der rote Backsteinbau mit den vier weißen Schornsteinen zierte 1977 das LP-Cover des Pink Floyd Albums »Animals«. Es diente vielfach als Filmkulisse, zuletzt für »Batman – The Dark Knight« (2008). Bis in die 1980er-Jahre wurde das Kraftwerk noch zur Stromerzeugung genutzt, dann wurde es unter Denkmalschutz gestellt. Danach stand es über 30 Jahre lang leer, denn niemand konnte die nötigen finanziellen Mittel aufbringen, die die Umgestaltung des Baus erforderten.

Bisher stand der Bau weithin sichtbar allein auf weiter Flur im Westen von Vauxhall, im Stadtteil Nine Elms. Nun wird das Gebiet südlich der Vauxhall Bridge mit den Bezirken Nine Elms und Battersea umfassend umgewandelt, denn beispielsweise 2017 wird die US-amerikanische Botschaft von Mayfair in ein brandneues Hauptquartier in Nine Elms umziehen.

Dies nahm eine Investmentfirma aus Malaysia zum Anlass für ein ambitioniertes Projekt: Rund um die ausgehöhlte Fassade der Battersea Power Station sollen 3.500 Wohnungen in halbrunden Neubaukomplexen aus Glas und Stahl entstehen. Im eigentlichen denkmalgeschützten Bau, von dem nur die äußere Hülle erhalten bleibt, sollen Büros, Geschäfte und trendige Restaurants angesiedelt werden.

Essen und Trinken in Art decó-Atmosphäre

Oxo-Tower: Auch dieser Turm an der Themse in Southwark gehörte einst zu einem Kraftwerk. 1928 wurde das Gebäude von Albert Moore umgebaut und der Brühwürfelhersteller Oxo zog ein. Die Buchstaben OXO sind immer noch vertikal am Turm angebracht. Im 8. Stock kann man fein dinieren und die Aussicht genießen.
Oxo Tower Brasserie, Oxo Tower Wharf, Bargehouse Street, South Bank, SE1 9PH, Tel.: 78033888, www.harveynichols.com/restaurants/oxo-tower-london. Geöffnet Mo–Sa 12–23, So 12–22 Uhr. Mediterran inspirierte Küche, 3-Gänge Menu £ 29,90.
Michelin House: Der Reifenhersteller ließ dieses Haus 1911 erbauen, das immer noch beeindruckend ist. Heute sind der Design-Shop von Terence Conran und sein Restaurant Bibendum und die Oyster Bar hier untergebracht (s. Kap. 41). 81 Fulham Road, SW3 6RD, Tel.: 75815817, Oyster Bar, Tel: 75891480. Französisch und italienisch inspirierte Küche mit viel Fisch. Lunch-Menu 3-Gänge, £ 31.
Park Hotel: Beim Art decó Afternoon Tea im Palm Court des Hotels leben vergangene Zeiten wieder auf. **The Palm Court**, Picadilly, W1J 7BX, Tel.: 74996321, www.palmcourtlondon.co.uk. Für £ 41 pro Person kann man sich hier an exquisiten Finger Sandwiches und Backwaren sattessen.
Bloomsbury Shore Street: Hier befand sich einst eine legendäre Tankstelle. Teile des Originalgebäudes wurden in den heutigen Neubau integriert, unten sitzt eine Burger-Bar. **Byro**, 6 Shore Street, WC1E 7DQ, www.byronhamburgers.com. Luxus-Burger ab £ 6,75.

INFO

Hinkommen: U-Bahn Pimlico/Vauxhall, Victoria Line. [C5]
Information: www.batterseapowerstation.co.uk, www.nineelmslondon.com.

Art déco-Touren: www.londonarchitecturewalks.com, ww.cityhighlights.co.uk, www.londoncountrytours.co.uk/londonartdeco.htm.

59 Medienarchitektur in London – BT Tower und BBC Broadcasting House

Im Stadtteil Fitzrovia kann man sich auf die Spuren der britischen Mediengeschichte begeben. Am besten beginnt man bei der U-Bahn Station Goodge Street aus dem Jahr 1907, die etwa auf halber Höhe der Tottenham Court Road liegt. Sie ist eine von acht U-Bahn Stationen Londons, unter der sich noch ein Luftschutzkeller aus dem Zweiten Weltkrieg befindet. Von hier aus verkündete **General Eisenhower** 1944 die Invasion der Alliierten in Frankreich. Das Innere der Station wirkt altmodisch, es gibt sogar eine Wendeltreppe.

Von hier in Richtung Norden gelangt man zum British Telecom Tower, genannt **BT Tower**. Er entstand als Funk- und Fernsehturm in den 1960er-Jahren. Der 191 m hohe Turm des Architekten Eric Bedford war bis 1981 das höchste Gebäude Londons. Er ist mit getönten Glasplatten verkleidet. Oben gab es früher ein Drehrestaurant, das durch einen Anschlag der IRA 1971 zerstört wurde. Im Jahr 1980 wurde der Turm gänzlich für die Öffentlichkeit geschlossen. Die ehemaligen Richtfunkantennen sind nun seit der Umstellung auf Glasfaserkabel fast vollständig demontiert. Der Turm strahlt Fernseh- und Radioprogramme aus und überträgt Telefonate und Daten. Abends sieht man auf Höhe des 36. und 37. Stockwerks ein Lichtspiel aus 177 farbigen Streifen.

Im Broadcasting House der BBC werden Nachrichten gemacht

Die Anfänge der BBC

Kriegsreporter bei der BBC: George Orwell

Die **BBC**, »British Broadcasting Corporation«, wurde durch einen königlichen Erlass gegründet und ging 1936 auf Sendung. Der Ausbruch des Zweiten Weltkriegs stellte große Anforderungen, machte die BBC jedoch auch zu einem international anerkannten Sender. Der **BBC World Service** wurde in acht Sprachen ausgestrahlt und erreichte nicht nur die Soldaten an der Front, sondern auch die Zivilisten in den von den Nazis besetzten Ländern. Vielfach hörten die Menschen heimlich zu, bei verdunkelten Fenstern, denn die Informationen in den eigenen Medien waren wenig verlässlich. Die BBC hatte es sich zum Auftrag gemacht, über die Ereignisse des Krieges so wahrheitsgemäß wie möglich zu berichten und setzte Reporter direkt am Kriegsschauplatz ein. Der Schriftsteller George Orwell, der von 1941 bis 1943 für den BBC Eastern Service arbeitete, prägte den Satz: »I heard it on the BBC, I know it must be true.« (»Ich habe es bei der BBC gehört, dann muss es stimmen«). Angeblich schaltete sogar Hitlers Oberkommando die BBC ein, wenn es genau wissen wollte, was passierte. Dies führte dann schließlich dazu, dass die BBC-Reporter anfingen, wichtige Daten und Plätze bewusst zurückzuhalten, um dem Feind nicht in die Hände zu spielen. So wurde beispielsweise der Wetterbericht gestrichen – ein Thema, das den Briten sonst sehr am Herzen liegt –, denn dieser hätte der deutschen Luftwaffe zur Angriffsplanung ihrer Flugbomber gedient. Mehr über die Arbeit der BBC erfährt man bei einem Besuch der Radio- und Fernsehstudios am Portland Place und in der Wood Lane, White City, im Nordwesten Londons.

Von hier in Richtung Südwesten gelangt man über die St. Foley Street zum **Broadcasting House der BBC**, Sitz des staatlichen Rundfunksenders. Das Haus mit den klaren Linien entstand im Jahr 1932 im Art déco-Stil. Seine ovale Form ähnelt einem Schiffsbug. Über dem Eingang thronen Statuen des Bildhauers Eric Gill, die die Figuren Prospero und Ariel aus Shakespeares Stück »Der Sturm« verkörpern.

Hinter der Fassade verbirgt sich ein riesiges Areal mit 80.000 m² Büro- und Studiofläche, das 2011 ausgebaut wurde. Hier sitzen die BBC-Radio- und Nachrichtenstationen sowie der BBC World Service mit 36 Radiostudios, sechs Fernsehstudios und 60 Schneide- und Produktionsräumen – inzwischen natürlich alles auf digitaler Basis.

INFO

Information:
BBC Broadcasting House,
Portland Place, W1A 1AA, www.bbc.co.uk/broadcastinghouse. Führungen jeden Tag. Voranmeldung unter Tel.: 0370-9011227 oder online unter www.bbc.co.uk/showsandtours/tickets. Eintritt: Erwachsene £ 13,75, ermäßigt £ 11,50, Kinder (Mindestalter 9 Jahre) £ 9,25. [C2]

BBC Television Centre, Wood Lane, W12 7RJ, U-Bahn White City, Central Line. Führungen Mo, Di, Mi 10.30, 12.30, 15, Sa & So ganztags. Eintritt Erwachsene £ 9, ermäßigt £ 8.25, Kinder (9–15 Jahre) £ 6, Mindestalter 9 Jahre. Anmeldung s. links. Hier kann man sich auch als Studiogast bewerben: www.bbc.co.uk/showsandtours/beonashow

60 More London und London Bridge Quarter

Von der Tower Bridge in Richtung Westen blicken Besucher heute auf ein sehr modernes Panorama. Am südlichen Themseufer steht die futuristische **City Hall**, das Rathaus der Stadt, in dem der amtierende Bürgermeister Boris Johnson mit der Stadtverwaltung sitzt. Aufgrund der halbrunden Form wurde der City Hall der Spitzname »Darth Vader's Helmet« verpasst. Das 45 m hohe Gebäude stammt vom Architekturbüro Foster und Partners und hat doppelte Glasfassaden, die eine natürliche Belüftung zulassen. Man nutzt Solarenergie und die Form verhindert Hitzeverlust. Abwärme, die durch Computer und Beleuchtung entsteht, wird recycelt.

Grandioser Ausblick: die City Hall mit »The Shard« im Hintergrund

Auch das umliegende Gebiet wurde unter dem Motto »More London« komplett umgestaltet und von der Bevölkerung gut angenommen. Im benachbarten Amphitheater **The Scoop** finden im Sommer Open-Air-Veranstaltungen statt. Dahinter gelangt man vorbei an Wasserfontänen durch eine Gasse auf den More London Place an der Tooley Street, der von Cafés gesäumt ist. Im Hintergrund erhebt sich das höchste Hochhaus der Stadt, genannt **»The Shard«** (310 m), da es einer Glasscherbe ähnelt. Der Shard, entworfen von Renzo Piano, ist weithin zu sehen und zu einem neuen Wahrzeichen von Südlondon geworden. Innen befinden sich neben Büroräumen und Luxusappartments das Hotel Shangri-La sowie eine öffentliche Aussichtsgalerie.

Am Fuß des Shard entsteht rund um den Bahnhof London Bridge das neue **London Bridge Quarter**. Der Bahnhof wird bis zum Jahr 2018 komplett umgestaltet. Unterirdisch entstehen neue Gleise für ultra-lange Züge – auf einem Areal so groß wie das Wembley-Fußballstadion.

»More London« – der Name ist Programm

Der momentane Bauboom, bei dem mit Vorliebe in die Höhe gebaut wird, findet nicht überall Anklang. Es gibt eine starke Lobby – unter anderem die Organisation English Heritage und der Prince of Wales – die sich für den Erhalt der historischen Skyline von London einsetzt. Selbst die UNESCO überlegt, ob der Tower of London von der Liste des Weltkulturerbes genommen werden soll, weil seine Silhouette in Zukunft von allen Seiten durch Hochhäuser überschattet sein wird.

Noch bis in die 1950er-Jahre galten strikte Höhenbegrenzungen für Neubauten in London. Unter Premierministerin Thatcher führte die Deregulierung der Institutionen (der sogenannte »Big Bang«) zu enormer Expansion und Spekulation. Das große Geld verlangte nach einer angemessenen Repräsentanz. Die **Canary Wharf** (s. Kap. 7) in den Docklands war Vorreiter für millionschwere neue Bauprojekte, die durch die andauernde Finanzkrise des letzten Jahrzehnts in Verruf geraten sind. Heute werden die Großbaustellen zum großen Teil durch arabische Ölmillionen finanziert. Beim neuen Häuserwald muss zwar darauf geachtet werden, dass sogenannte »Viewing Corridors« gewahrt bleiben. Der Blick auf bestimmte Sehenswürdigkeiten von bestimmten Straßenachsen, wie beispielsweise auf die St. Paul's Cathedral, darf nicht verstellt werden. Viele historische Gebäude wirken jedoch jetzt schon eingezwängt auf ihren schattigen Plätzen unter den Glasriesen.

Architektur am Reißbrett

Im Ausstellungsraum von **New London Architecture** kann man sich an einem anschaulichen Modell der Stadt (Maßstab 1:1500) über geplante Bauprojekte informieren. Außerdem werden dort Architektur-Führungen angeboten.
NLA – The Building Centre, 26 Shore Street, WC1 7BT, Tel.: 020-76364044, www.newlondonarchitecture.org. Geöffnet Mo–Fr. 9.30–18. Sa 10–17 Uhr. U-Bahn Goodge Street. Eintritt frei. Führungen jeden 2. Samstag im Monat, 13.45–16 Uhr ab dem NLA, Eintritt £ 12 pro Person.

INFO

Hinkommen: U-Bahn London Bridge, Northern Line. [E3]
Information: City Hall, Greater London Authority, The Queen's Walk, SE1 2AA, Tel.: 79834000, www.london.gov.uk/city-hall. Hier findet man viele Infos über die Stadt, und es finden Ausstellungen statt.

The Shard, Tel.: 0844-4997111, www.theviewfromtheshard.com. Geöffnet Do–Sa 10–22, So–Mi 10–19 Uhr. Vorausbuchung notwendig. Eintritt Erwachsene £ 24,95, Kinder 4–15 Jahre £ 18,95.

61 Hochgebaut – Wolkenkratzer in der Londoner City

Die Skyline der City of London (s. Kap. 5) verändert sich momentan in rasendem Tempo. Bürogebäude aus den 1970er- und 1980er-Jahren sind neuen Hochhäusern der dritten Generation gewichen, die Hongkong und Dubai imitieren. Vom südlichen Themseufer sieht man das neue Panorama in voller Pracht – bei einem Rundgang kann man die Riesen von unten betrachten.

Von der U-Bahn-Station Liverpool Street gelangt man über die Bishopsgate zur Leadenhall Street. Die Nr. 12 war eines der ersten Hochhäuser der City, aus dem Jahr 1986. Das **Lloyd's Building** (95,1 m) des Architekten Richard Rogers ist inzwischen überschattet von höheren Türmen. Treppen, Lifte und Wasserrohre des fantasievollen Gebäudes befinden sich an der Außenseite. Der Architekt entwarf übrigens – zusammen mit Renzo Piano – auch das Centre Pompidou in Paris. Lohnenswert ist ein Abstecher zum benachbarten **Leadenhall Market**. Die Arkaden wurden 1881 von Sir Horace Jones entworfen. Hier gibt es Geschäfte und zahlreiche Cafés zum Einkehren.

»Walkie Talkie« – davor schmolzen schon Autositze

In der Nr. 122 Leadenhall Street erhebt sich der **Cheesegrater** (225 m), ebenfalls ein Werk von Rogers. Der Spitzname stammt von der keilförmigen Struktur, die einer Käsereibe ähnelt. Das Gebäude hat ein 30 m hohes Atrium, das ab Ende 2014 frei zugänglich sein soll.

In der Nr. 30, St. Mary Axe, steht die berühmte **The Gherkin** (Gewürzgurke, 180 m), ehemals Sitz der Swiss Re. The Gherkin wurde von Sir Norman Foster entworfen, auf dessen Bauten man in London überall trifft. Der originelle Rundturm wirkt durch seine mehrfarbige Glasstruktur sehr freundlich und das Gebäude gewann 2004 den RIBA Stirling Preis für Architektur.

Auf der Bishopsgate (im südlichen Abschnitt heißt sie Gracechurch Street) befinden sich gleich mehrere neue Hochhäuser bzw. Großbaustellen für geplante Projekte. Der **Heron Tower** (230 m, 2011) von Kohn Pedersen Fox nimmt die Nr. 110 Bishopsgate ein. Besucher der **Drift Bar** im ersten Stock können das Aquarium in der Lobby mit einem Fassungsvermögen von 70.000 Litern und 1.200 Fischen bestaunen. Beliebt ist auch das Restaurant **Sushisamba** im 38./39. Stock mit Aussichtsterrasse.

»The Gherkin« – einer der bekanntesten »Hingucker« in London

Nr. 22–24 der Straße ist für den **Pinnacle** reserviert – das Projekt geriet jedoch aus Geldmangel mehrfach ins Stocken und wird nun erst 2017 fertiggestellt. In der Leadenhall Street Nr. 40 ist ein 7–34 m hoher terassenförmiger riesiger Gebäudekomplex geplant. Er wurde bereits in der Planungsphase mit dem Beinamen **Gotham City** versehen – in Anlehnung an die verrufene Heimatstadt des Comic-Helden Batman.

Auch das **Walkie Talkie**, Nr. 20 Fenchurch Street, machte erstmal negative Schlagzeilen: Die Verglasung des von dem uruguayischen Architekten Rafael Viñoly entworfenen Turms war nicht spiegelfrei. Im Sommer 2013 schmolz ein Brennstrahl, der von dort reflektiert wurde, Auto- und Fahrradsitze, sowie Fußmatten in den Straßen der Umgebung. Momentan arbeitet man an einer Lösung des Problems. Das fertige Gebäude wird im 35.–37. Stock den **Sky Garden** aufweisen, einen Dachgarten mit Restaurant und Café sowie eine Aussichtsplattform.

Weitere Gebäude in Planung sind beispielsweise **The Can of Ham** (90 m), 60–70 St. Mary Axe, und **The Scalpel** (190 m), 52 Lime Street.

INFO

Hinkommen: U-Bahn Liverpool Street, Central Line or Circle Line. [E3]
Essen und Trinken:
Leadenhall Market, Unit-1a, Gracechurch Street, EC3V 1LR, www.cityoflondon.gov.uk. Geschäfte geöffnet Mo-Fr 10-18 Uhr.
Heron Tower, 110 Bishopsgate, EC2, www.herontower.com.
The Drift Bar, www.thedriftbar.co.uk, Tel.: 0845-4680103. Geöffnet Mo-Mi 7.30-23, Do & Fr 7.30-1, Sa 10-24, So 10-19 Uhr, moderne britische Bistroküche.
Sushisamba, Tel.: 020-36407330. Geöffnet So-Do 11.30-24, Fr & Sa 11.30-2 Uhr. Reservierung erforderlich. Fusion-Küche mit japanischem, brasilianischem und peruanischem Einschlag. Das tollste ist jedoch der Blick von der Terrasse. Hauptgerichte £ 8-£ 34.

62 Nicht unumstritten – das MI6 Building des britischen Geheimdienstes

Als der Architekt das Gebäude des Geheimdienstes MI6 baute, wusste er nicht, wer hier einziehen würde

In dem Gebäude in **Vauxhall Cross** ist der internationale britische Geheimdienst seit 1994 ansässig, es dominiert diesen Teil des Themseufers. Die Architektur des Hauses ist umstritten, denn das weitläufige Gebäude mit den gestuften Türmen erscheint etwas zu opulent für eine Organisation, die eigentlich hinter verschlossenen Türen operiert und deren Existenz über lange Jahre von der britischen Regierung sogar geleugnet wurde. Von denen, die in dem Gebäude arbeiten, wird es humorvoll als »Legoland« bezeichnet, da es aus verschiedenen Baublöcken zusammengesetzt ist. Bei der Gestaltung hatte der Architekt Terry Farrell im Jahr 1988 allerdings noch keine Ahnung, wer später hier einziehen würde. Das Areal und das Gebäude waren von der Regierung gekauft und bar bezahlt worden.

Das Glas in den Außenbereichen ist angeblich kugelsicher. Ein weiteres Gerücht besagt, dass von dem Gebäude ein geheimer Verbindungstunnel unter der Themse nach Whitehall zu den Regierungsgebäuden verläuft. Im Jahr 2000 verübte die IRA einen Anschlag auf das Gebäude, bei dem allerdings nur die Fassade beschädigt wurde.

Im täglichen Sprachgebrauch hat sich für den Geheimdienst die Bezeichnung **MI6** (»Military Intelligence, Section 6«) durchgesetzt. Korrekterweise müsste es allerdings **SIS** heißen: »Secret Intelligence Service«. Der Geheimdienst für das Innere, **MI5** (»Military Intelligence, Section 5«), ist auf der nördlichen Flussseite, nahe der Tate Britain Gallery (s. Kap. 38) ansässig. Das GCHQ, »Government Communication Headquarters«, in Cheltenham ging aus der

»Government Code and Cypher School« in Bletchley Park hervor. Das ist die Organisation, die im Zweiten Weltkrieg als Codebreaker fungierte, also Nachrichten und Signale der Nazis entschlüsselte. Alle drei Organisationen befanden sich früher unter derselben Leitung.

Die Ursprünge des MI6 gehen zurück auf die Zeit vor dem Ersten Weltkrieg, als die Imperialmacht in der wachsenden deutschen Kriegsmarine eine Bedrohung für die eigene Vormachtsstellung auf den Weltmeeren sah. Mansfield Smith-Cummings (Codename »C«) wurde im Jahr 1909 der erste Leiter der »Foreign Section of the Secret Service Bureau«, und die ersten Beobachter wurden vor Ort eingeschleust. Von nun an war der Service nie mehr arbeitslos: Nach dem Ersten Weltkrieg richteten sich die Aktionen gegen die Bolschewiken in Russland. Im Zweiten Weltkrieg musste man die Bedrohung durch die Nazis abwehren und dann folgten die langen Jahre des Kalten Krieges. Jahrzehntelang beschäftigten sich MI5 und MI6 mit der Spionageabwehr gegen Agenten der kommunistischen Regime und mit Gegenspionage, dies bot den Hintergrund für ein ganzes Genre in Literatur und Film – den Spionage-Thriller.

Durch die Geschichte hindurch hat es immer wieder Diplomaten gegeben, die eingesetzt wurden, um Bedrohungen von außen abzuwenden und den Plänen von verfeindeten Nationen auf die Schliche zu kommen. Einige Historiker behaupten jedoch, dass die Briten das Berufsbild des modernen Spions erfunden hätten. Die Struktur der Organisation diente als Vorbild nicht nur für die **CIA**, sondern auch für den israelischen **Mossad** und sogar für den verfeindeten **KGB**.

Nur sehr wenige Informationen über die eigentliche Arbeit des MI6 dringen nach außen. Aus diesem Grund ist das meiste, was man über die Organisation hört und liest, das Resultat von Spekulationen, Gerüchten oder Mythen. Der bekannteste fiktive Spion von MI6 ist wohl **James Bond** aus den Romanen von Ian Fleming und das Gebäude taucht in vielen Bond-Filmen auf, beispielsweise in »Skyfall« von 2012. In dem Film wird es beschossen, und die Geheimorganisation muss in eine ausgedehnte U-Bahn Station umziehen. Der Chef oder die Chefin der Organisation hat bei Fleming den Codenamen »M«.

Bevor die Organisation in das neue Gebäude nach Vauxhall zog, bewohnte sie verschiedene andere Adressen in London: 1909 hatte man nur ein kleines Büro in der Victoria Street 64 in Westminster. Während des Zweiten Weltkriegs zog man in die Broadway Buildings nahe St. James's Park. Es gibt das Gerücht, dass im St. James's Park viele geheime Treffen abgehalten wurden, bei denen Dokumente auf Parkbänken die Eigentümer wechselten. Aufpassen sollte man mit Videoaufnahmen in oder um das Gebäude des MI6 in Vauxhall, denn hierfür muss man vorher beim »Lambeth Council Film Unit« eine offizielle Genehmigung einholen.

INFO

Hinkommen: U-Bahn Vauxhall, Victoria Line. [C4]
Literatur-Tipp:
Keith Jeffery. MI 6: A history of SIS 1909-1949. Bloomsbury 2010.
John Le Carré. Tinker, Tailor, Soldier, Spy. 1974. Deutscher Titel: »Dame, König, As, Spion«. Das Buch wurde ausgezeichnet (neu)verfilmt 2011 von Thomas Alfredson – mit Gary Oldman, Colin Firth und John Hurt in den Hauptrollen.

63 Thames Barrier – die schönste Hochwasserbarriere der Welt

Die **Thames Barrier** ist die zweitgrößte bewegliche Hochwasserschutzanlage der Welt. Das architektonisch beeindruckende Bauwerk wird oft als modernes Weltwunder bezeichnet.

Wer der Themse von Greenwich in Richtung Süden folgt, gelangt zu der Anlage. Die Barrieren wurden 1984 eröffnet und bestehen aus zehn Toren, die zusammen einen Sperrgürtel von 520 m Länge bilden. Zwischen Betonplattformen, die tief in den Flussboden versenkt sind, befinden sich Schließmechanismen aus Stahl, die von der Form her einer Schaukel ähneln. Auf den Betonpfeilern stehen Metallaufbauten, die an moderne Skulpturen erinnern.

Thames Barrier – großartiger Anblick bei Sonnenuntergang ...

Die Barrieren können auf verschiedene Höhen angehoben oder heruntergelassen werden. Verschlossen werden sie, wenn der Wasserpegel der Themse 4,87 m übersteigt. Wenn die Barrieren nicht gebraucht werden, werden sie versenkt und füllen sich mit Wasser, denn die »Schaukeln« sind innen hohl. Ist die Anlage abgesenkt, können die meisten Schiffe die Zwischenräume zwischen den Betonpfeilern problemlos passieren. Seit der Haupthafen Londons in den Süden nach Tilbury verlegt wurde, müssen die größten Containerschiffe jedoch gar nicht mehr die Themse bis hierhin hinauffahren. Die Thamse Barrier erfüllt eine wichtige Funktion, denn London liegt auf einer absinkenden Landscholle.

Jedes Jahrhundert sinkt der Untergrund um etwa 75 cm. Daher liegt die Stadt heute etwa 3,5 m tiefer als zur Zeit des Großen Brands von 1666. Seit dem Schmelzen der Eiszeitgletscher vor ca. 11.000 Jahren sinkt außerdem der Süden Englands als Landmasse, während Schottland im Norden stetig ansteigt. Zusammen mit der allgemeinen Erderwärmung hat sich hierdurch auch der Wasserstand der Themse erhöht.

Die ersten Befestigungen an der Themse entstanden während des Ausbaus der Docks zu viktorianischen Zeiten und sind den heutigen Hochwasserständen nicht mehr gewachsen. Da die Themse eine direkte Verbindung zur Nordsee hat, ist sie außerdem von Gezeiten betroffen, die bis zur London Bridge wahrnehmbar sind. Eine große Sturmflut könnte daher im heutigen London großen

... und am Tag zeigen sich deutlich die gewaltigen Ausmaße der Anlage zur Verhinderung von Flutwellen

Schaden anrichten. So mussten 1953 bei einer Sturmflut in der Nordsee insgesamt 300 Menschen in den Küstenregionen ihr Leben lassen.

Den besten Blick auf die Barrieren erhält man natürlich von der Themse selbst. Auch in **Silverton** am Nordufer (Newham) und in **Charlton** am Südufer (Greenwich), gibt es Stellen, die einen guten Blick ermöglichen. In Charlton befindet sich ein **Informationszentrum**, in dem an Modellen veranschaulicht wird, wie die Barrieren genau funktionieren. Anhand von Videos wird der Bau der Barrieren dokumentiert, die übrigens jeden Monat getestet werden. Falls man zur richtigen Zeit hier ist, kann man sie in Aktion sehen. In Silverton wurde in Ufernähe der **Thames Barrier Park** eingerichtet, in dem man einiges über den Umweltschutz und das Leben im Küstengebiet der Themse erfahren kann. Wer die Besichtigung mit einer Fahrt auf der Themse verbinden will, kann eine der Bootstouren buchen, die von Greenwich nach Süden fahren.

INFO

Information:
Thames Barrier Visitor Centre,
1 Unity Way, Woolwich, SE18 5NJ, Tel.: 83054188, www.environment-agency.gov.uk. Geöffnet So–Do 10.30–17 Uhr. Eintritt Erwachsene £ 3,75, ermäßigt £ 3,25, Kinder 5–16 Jahre £ 2,25.
Hinkommen: Jubilee Line bis North Greenwich und dann Bus 161 oder 472.

Thames Barrier Park,
North Woolwich Road, E16 2HP, Tel.: 74763741, www.thamesbarrierpark.org.uk.
Hinkommen: Docklands Light Railway bis Pontoon Dock und Bus 474. Geöffnet Sommer tgl. 7–20 Uhr, Winter bis 16.30 Uhr.

Plätze und Parks

Unterwegs auf dem Regent's Canal

64 Vom St. James's Park zum Green Park

London besitzt erstaunlich viele Grünflächen in der Innenstadt, die besonders im Sommer eine willkommene Erholung von der oft stickigen Luft bieten. Von Westminster bis zum Kensington Palace kann man sich einen nahezu nahtlosen grünen Pfad durch die Großstadt bahnen. Zu den Royal Parks, die Teil der königlichen Ländereien sind, gehören der **St. James's Park**, der **Green Park**, der Hyde Park (s. Kap. 65), die Kensington Gardens (s. Kap. 66) sowie der nördlich gelegene Regent's Park (s. Kap. 67). Fast alle dienten als Jagdrevier für Henry VIII. – der offensichtlich einen Drang an die frische Luft hatte. Einige der Ländereien wurden von ihm gekauft, wie beispielsweise das Marschland an der Stelle des heutigen St. James's Park, andere übertrug er der Krone, nachdem er die Abteien und Klöster im Namen der Reformation enteignet und aufgelöst hatte.

Unter Henry VIII. befanden sich die Grünflächen noch in wildem Zustand und waren von Rotwildherden bevölkert. Der Fluss Tyburn, der sich durch die Landschaft zog, wurde bald zum Kanal umgebaut. Den **St. James's Palace** ließ Henry auf der Westseite als Zweithaus errichten. Seine Tochter Elizabeth I. nutzte den Park und den dortigen Kanal für prunkvolle Feste und Bootstouren. Charles II., verlegte seinen Wohnort in den St. James's Palace und ließ gleichzeitig den Park neu gestalten. Spazierwege, Rasen und Alleen wurden angelegt, damit er mit seinem Hof dort lustwandeln konnte. Ganz in der Nähe, in der Hausnummer 79 der Pall Mall, brachte er außerdem seine langjährige Maitresse Nell Gwynne unter. Durch den Hintereingang konnte er ungesehen ein- und ausgehen. Im 18. Jh. verkam der Park zu einer Art Sperrbezirk, in dem Edelleute sich mit Lebedamen in die Büsche schlugen und wo Diebesbanden hausten.

Der St. James's Park ist ein guter Ort zum Spazieren und Pausieren

Im Green Park gibt es einiges zu entdecken

Nach der eleganten Neugestaltung durch John Nash (s. Kap. 54) lag der Park auf einer zentralen Achse zwischen den Zentren der Macht, er war flankiert vom **Buckingham Palace** im Westen, St. James's Palace und Clarence House im Norden und Westminster im Süden. Der Kanal wurde von Nash in einen romantischen See umgewandelt und ein Übergang zu den Horse Guards aus dem 18. Jh. geschaffen. Zum offiziellen Geburtstag der Queen, jeweils am zweiten Samstag im Juni, marschieren hier die Garderegimenter aus ganz Großbritannien zur Parade **Trooping the Colour** auf. Dies ist eine der populärsten Veranstaltungen der Monarchie und ein wichtiges Medienereignis (s. S. 239). Von der Brücke über den See gelangt man auf die Südseite, zum **Birdcage Walk**.

Auf der anderen Seite, im **Guards Museum**, erfährt man mehr über den Alltag der königlichen Haustruppen, die Teil der britischen Armee sind. Wenn die Soldaten nicht gerade abgestellt sind, um in der traditionellen Uniform vor dem Buckingham Palace oder den Horse Guards zu exerzieren, leben sie den normalen Alltag eines Soldaten und dienen auch in Kriegsgebieten. Untergebracht sind die Soldaten in den **Wellington Barracks** aus dem Jahr 1833. In Richtung Westen gelangt man vorbei am **Queen Victoria Memorial** und dem Buckingham Palast zum Übergang in den Green Park, den man durch das Canada Gate betritt. Zusammen mit dem **Canada Memorial** weiter im Westen erinnert es daran, dass Kanada Teil des britischen Empire war und immer noch eine bedeutende Stellung im Commonwealth einnimmt. Lange vergessen ist, dass in der Gegend des Green Parks im 14. Jh. ein Hospital für Leprakranke stand.

1746 plante George II. ein Fest im Green Park mit einem großen Feuerwerksspektakel. Hierfür ließ er von seinem Hofkomponisten Georg Friedrich Händel die »Feuerwerksmusik« komponieren, die das angemessene Ambiente bieten sollte. Leider traf ein Querschläger das Lager der restlichen 10.000 Feuerwerkskörper, die in Flammen aufgingen.

Heute wird der ruhige Park gerne von Joggern und für Picknicks genutzt. Im Sommer sind an verschiedenen Stellen Liegestühle aufgestellt, die von Städtern wie Touristen gegen eine kleine Gebühr genutzt werden können.

INFO

Hinkommen: U-Bahn Westminster, Circle, District und Jubilee Line; St. James's Park, Circle und District Line. [C3]
Information: The Guards Museum, Wellington Barracks, Birdcage Walk, SW1E 6HQ, Tel.: 74143428, www.theguardsmuseum.com. Geöffnet tgl. 10–16 Uhr, Eintritt Erwachsene £ 5, ermäßigt £ 2,50, Kinder bis 16 Jahre frei.

65 Hyde Park und Lake Serpentine

Der **Hyde Park** ist einer der bekanntesten Parks Londons und erstreckt sich über zwei Kilometer. Vom Green Park kommt man auf der Südostseite zum **Hyde Park Corner** und passiert auf der vorgelagerten Verkehrsinsel den Triumphbogen Wellington Arch aus dem Jahr 1828. Einst bildete er den Nordeingang zum Buckingham Palace. Admiral Wellington lebte im **Apsley House** am Parkeingang. Beide Bauwerke stammen von dem Architekten Decimus Burton, einem Schüler von John Nash. Nördlich von hier steht seit dem Jahr 2009 das **July Memorial** zum Gedenken an die Opfer des Terroranschlags auf die Londoner U-Bahn am 7. Juli 2005, der 52 Menschenleben kostete.

1637 machte Charles I. das ehemalige Jagdgelände Henry VIII. für die Öffentlichkeit zugänglich. Er ließ auf der Ostseite ein sternförmiges Straßenraster anlegen, wo die feine Gesellschaft mit Kutschen entlangfuhr. Während des Bürgerkrieges wurde der Park kurzzeitig von den revolutionären Truppen besetzt, die sich hier in Gräben verschanzten. Später war er ein bevorzugter Platz zur Austragung von Duellen. Um 1730 ließ Queen Caroline, die Frau von George II., den Park neu gestalten und den großen **Serpentine Lake** anlegen. An seinem Ostende befindet sich eine Bootsanlegestelle, wo man Ruder- und Tretboote mieten kann. Es gibt auch ein Solarboot, dass mit Hilfe von Solarenergie über den See gleitet.

Ausgelassene Sommerstimmung im Hyde Park

Aufgrund seiner Größe bietet sich der Park für Massenveranstaltungen an. So wurde hier 1851 die »Great Exhibition« ausgetragen, auf der die bahnbrechenden Erfindungen aus der viktorianischen Zeit präsentiert wurden. Während der **Sommerolympiade 2012** fanden hier begleitende Veranstaltungen zur Eröffnungszeremonie und der Schlussveranstaltung statt. Einige der olympischen Wettkämpfe wie Reiten, Triathlon und Marathon wurden in den verschiedenen Parks ausgetragen. Jeden Sommer finden im Hyde Park die Musikveranstaltungen »Proms in the Park« während der letzten Nacht der **BBC Proms** (s. Kap. 46) statt, ebenso wie verschiedene andere Events.

Bekannt gut – Essen & Trinken in der Benugo Serpentine Bar

In Richtung Nordosten gelangt man zum Torbogen **Marble Arch.** Hier stand früher der Tyburn-Galgen (s. Kap. 26), an dem noch bis 1783 Hinrichtungen stattfanden. Manch einer sprach hier eine bewegende und vor allem lange Abschiedsrede, um das schreckliche Ende herauszuzögern.

Mitte des 19. Jh. wurde diese Ecke des Parks verstärkt für politische Versammlungen und Demonstrationen genutzt, beispielsweise von den Chartisten, einer frühen Arbeiterbewegung. Nach verschiedenen Auseinandersetzungen zwischen Demonstranten und der Polizei war es ab 1872 schließlich erlaubt, sich in dieser Ecke des Parks, der **Speaker's Corner**, zu versammeln und Reden zu halten. Noch immer stehen hier jeden Sonntagmorgen unermüdliche Redner, die ihre Meinung kundtun. Die Themen, die hier diskutiert werden, sind so vielfältig wie die Redner selbst.

Baden im Hyde Park

Die Badeanstalt auf der Südseite des Sees, das **Serpentine Lido**, entstand im Jahr 1930. Da der See durch eine unterirdische Quelle gespeist wird, ist das Wasser außergewöhnlich sauber. Allerdings sollte man keine Berührungsängste mit Enten und Schwänen haben, die hier in großer Anzahl leben.
Serpentine Lido, Hyde Park, W2 2UH, Tel.: 77063422, www.serpentinelido.com. Geöffnet 1. Juni–12. Sept. 10–18 Uhr (im Mai nur am Wochenende).
Eintritt Erwachsene £ 4,50, ermäßigt £ 3,50, Kinder (3–15 Jahre) £ 1,50.

INFO

Hinkommen: U-Bahn Hyde Park Corner, Piccadilly Line. [B3]
Information:
Apsley House, Hyde Park Corner, W1J 7NT, Tel.: 74995676, www.english-heritage.org.uk. Geöffnet April–Okt. Mi–So 11–17 Uhr, Eintritt Erwachsene £ 6,90, ermäßigt £ 6,20, Kinder £ 4,10. Im Wohnhaus von Wellington sind Kunstwerke von Velazquez bis Rubens untergebracht.
Bootsvermietung: The Boat House, Serpentine Road, W2 2UH, Tel.: 2621330, www.solarshuttle.co.uk. Geöffnet April–Okt. 10–20 Uhr, Frühling 10–16 Uhr. Preise 1 Std. Erwachsene £ 10, Kinder bis 15 Jahre £ 4.
Solar Shuttle, Tel.: 2621989, www.solarshuttle.co.uk. Geöffnet März–Sept. am Wochenende und feiertags, Juni, Juli, Aug. 12 Uhr bis Dämmerung.
Essen & Trinken: Benugo Serpentine Bar & Kitchen, Serpentine Road, Hyde Park, W2 2UH, Tel.: 77068114, www.benugo.com/restaurants/serpentine-bar-kitchen. Geöffnet Mo–Fr 8–19 Uhr, Sa & So 8–20 Uhr. Im Sommer Wartezeiten möglich, keine Reservierungen.
Veranstaltungen: www.bbc.co.uk/proms/features/proms-in-the-park

66 Palast der Prinzessinnen – Kensington Palace und Kensington Gardens

Seit 1728 gelten die **Kensington Gardens** im Westen des Hyde Parks als eigenständiger Park. Queen Caroline ließ den Fluss Westbourne, der heute unterirdisch verläuft, stauen und kreierte so den **Serpentine Lake**, der eine Grenze zwischen den beiden Parkanlagen bildet. Der nördliche Teil des Sees wird als Long Water bezeichnet. Hier steht eine Statue des Kinderbuchcharakters Peter Pan, die vom Autor J. M. Barrie selbst gestiftet wurde.

Gegen Ende des 17. Jh. erstand König William III. das damalige Nottingham House am Westende des Parks, denn die feuchten Räumlichkeiten im Whitehall Palace schadeten seiner Gesundheit. Von 1669–1718 wurden unter der Leitung von Christopher Wren (s. Kap. 51) Umbauarbeiten vorgenommen und das Haus in **Kensington Palace** umbenannt. Von Kensington musste der König bis nach Westminster einen langen Weg über einen dunklen und verlassenen Pfad zurücklegen. Da er befürchtete, überfallen zu werden, ließ er 300 Öllampen auf der Strecke installieren. Dieser Königsweg, im Französischen »Route de Roi«, wurde im allgemeinen Sprachgebrauch zur »Rotten Row«, der »verrotteten Straße«. Bis heute ist der Weg, der südlich des Serpentine Lake verläuft, unter diesem Namen bekannt.

Der Park war praktisch ein Privatgarten des Palastes und nur sonntags für das einfache Volk geöffnet – soweit Besucher in ordentlicher Kleidung erschienen. Noch heute ist es hier wesentlich ruhiger als im Hyde Park. Kensington Gardens wird bereits bei Dämmerung abgeschlossen, während der Hyde Park bis Mitternacht geöffnet ist.

Kensington Palace wurde in den nachfolgenden Jahrhunderten oft umgebaut, vor allem durch Queen Caroline. Queen Victoria, die hier keine besonders schöne Kindheit und Jugend verlebte, zog nach ihrer Krönung sofort in den Buckingham Palast (s. Kap. 55).

Spaß für klein und groß: die Diana Memorial Fountain

Serpentine und Serpentine Sackler Gallery

Am südlichen Ende der Kensington Gardens befindet sich ein ungewöhnlicher Ausstellungsraum für zeitgenössische Kunst, die **Serpentine Gallery**. In den 1960er-Jahren befand sich hier ein altmodisches Teehaus, und seit 1970 finden Wechselausstellungen namhafter Künstler statt. Jedes Jahr gibt es ein Architekturprojekt, bei dem ein Pavillon auf dem Parkgelände errichtet wird. In der Vergangenheit waren hier z. B. Werke von Zaha Hadid, Frank Gehry und Daniel Libeskind zu sehen.

In dem Gebäude finden zahlreiche Veranstaltungen und Workshops statt, es gibt auch einen sehr guten Kunstbuchladen. Mit der **Serpentine Sackler Gallery** auf der anderen Seite des Sees hat man einen weiteren Ausstellungsraum geschaffen. Der geschwunge Bau wurde von der Architektin Zaha Hadid entworfen.
Serpentine Gallery, W2 3XA, Tel.: 74026075, www.serpentinegalleries.org.
Geöffnet Di–So 10–18 Uhr, Eintritt frei.

Ab 1981 bewohnte Princess Diana mit ihren beiden Söhnen verschiedene Räume, und der Palast wird heute vor allem mit ihrer Person in Zusammenhang gebracht. Nach umfangreichen Umbauten ist der Kensington Palace wieder für Besichtigungen geöffnet. Unter anderem gibt es eine Dauerausstellung zu den sieben Prinzessinnen, die hier lebten – von Queen Victoria bis zu Diana.

Zum Gedenken an Diana entstand 2004 die **Diana Memorial Fountain**. Der runde Brunnen, unterhalb des Serpentine Lidos (s. Kap. 65), besteht aus 545 Einzelblöcken aus Cornwall-Granit und soll das Leben der verstorbenen Diana widerspiegeln. Das Wasser fließt in einem seichten Wasserfall von zwei Seiten um einen Platz in der Mitte und läuft dann in einem Becken zusammen. Das Ganze wird von Grundwasser gespeist. Über drei Brücken gelangen Besucher auf die Grünfläche im inneren Zirkel des Brunnens.

Nach der Eröffnung verletzten sich einige Besucher, die in dem Brunnen herumgewatet waren. Es wurde mittlerweile zwar eine rutschfestere Unterlage eingefügt, sicherer ist es jedoch, wenn man an heißen Tagen stattdessen nur die Füße badet und nicht ganz hineingeht.

INFO

Hinkommen: U-Bahn High Street Kensington, District und Circle Line. [A3]
Information:
Diana Memorial Fountain,
April–Aug. 10–20, Sept. 10–19, März und Okt. 10–18, Nov.–Feb. 10–16 Uhr.

Kensington Palace, Kensington Gardens, W8 4PX, Tel.: 0844-4827777, www.hrp.org.uk. Geöffnet März–Okt. tgl. 10–18 Uhr. Eintritt Erwachsene £ 16,50, ermäßigt £ 13,70, Kinder unter 16 Jahre frei.

67 Regent's Park und Spätbesuch im Zoo

Auch der **Regent's Park** geht auf Henry VIII. zurück. Da das Gelände sehr weit außerhalb der damaligen Stadt lag, dauerte es jedoch einige Jahrhunderte, bis ein Monarch ihm gebührende Aufmerksamkeit widmete. 1811 wandte George IV. sich an **John Nash** (s. Kap. 54), um ein neues exklusives Wohnviertel rund um einen neuangelegten Park zu schaffen. Im Park selbst sollten ca. 56 Villen entstehen sowie ein Sommerhaus für den König. Das Ausmaß der Pläne, die John Nash dem spendierfreudigen Monarchen vorlegte, grenzte an Größenwahn, und nicht alle Vorhaben wurden verwirklicht.

Hier geht's zum Lehrgarten für Schulkinder im Regent's Park

Es entstand ein kreisförmiges Parkgelände, um das sich der Outer Circle zieht, der von eleganten klassizistischen Häuserfassaden gesäumt ist. Die U-Bahn-Station Regent's Park führt zum **Park Crescent**, einer sichelförmigen Terrasse im Regency-Stil, von der man zum Outer Circle gelangt. Im Inneren des Parks verläuft eine weitere kreisförmig angelegte Straße, der Inner Circle. Auf dem Weg dorthin passiert man den **Wildlife Community Garden**, ein Lehrgarten für Schulkinder sowie die Tennisanlage mit dem Garden Café.

Im Park und auf den Wegen folgt alles einer strikten Linienführung und er wirkt sehr gepflegt – man fühlt sich an eine Gartenschau erinnert. Das Gelände wurde über die Jahrhunderte nur wenig verändert und erst 1835 der Öffentlichkeit zugänglich gemacht – auch dann nur für zwei Tage pro Woche.

Nur acht von Nashs geplanten 56 Villen im Park wurden gebaut. Davon steht noch die **St. John's Lodge** auf der Nordseite des Inner Circle – die heute im Besitz des Sultans von Brunei ist – und **The Holme** auf dessen Westseite, ebenfalls in Privatbesitz. Die freigebliebene Baufläche für die geplanten Villen wurde von der »Zoological Society« (»Zoologische Gesellschaft«) und der »Royal Botanic Society« (»Königliche Botanische Gesellschaft«) aufgekauft. Unter der Leitung des Nash-Schülers Decimus Burton entstanden Gebäude, eine Gartenanlage und ein See. Anfang des 20. Jh. wurden zusätzlich die **Queen Mary's Gardens** angelegt.

Im Nordwesten befindet sich das **Open Air Theatre**, wo in den Sommermonaten Freilufttheater stattfindet. Von Comedy über Shakespeare bis zu Filmabenden gibt es ein großes Programm, und ein Besuch lohnt sich. Westlich von hier erstreckt sich der See, an dem man – wie im Hyde Park – Boote mieten kann. Vom Inner Circle nach Osten gelangt man auf der Chester Road zur **Cumberland Terrace**, einer der grandiosesten Regency-Terrassen, benannt nach dem Bruder des Königs, dem Duke of Cumberland. Das Sommerhaus von George VI. sollte ursprünglich gegenüber stehen. Wenn man nach Oben schaut, fühlt man sich ins Alte Rom versetzt, denn die Giebel sind mit großen Statuen verziert und werden von klassizistischen Säulen getragen.

Römisch anmutende Statuen auf einem Gebäude der Cumberland Terrace

Nach Norden, entlang des schwarz- und goldlackierten schmiedeeisernen Parkzauns, gelangt man zum **Gloucester Gate**. Von hier aus in westlicher Richtung liegt der **London Zoo**, der Eingang befindet sich im Westen des Outer Circle. Der Zoo wurde im Jahr 1828 von der Zoologischen Gesellschaft zu Studienzwecken gegründet. In den letzten Jahren wurde gründlich renoviert, um die alternden Gehege auf den modernsten und tierfreundlichsten Stand zu bringen. Insekten, Reptilien und Fische eingeschlossen, bringt es der Zoo auf 755 verschiedene Tierarten. Es gibt auch ein Programm zur Erhaltung von Arten, die vom Aussterben bedroht sind – unter anderem lebt hier einer der seltenen Komodo-Warane.

Tipp

Spätbesuch im Zoo - Zoo Lates
Unter dem Motto »Zoo Lates« findet im Juni und Juli jeweils freitagabends von 18-22 Uhr eine Exklusivveranstaltung für Erwachsene im Zoo statt. Man kann den Zoo besichtigen, Cocktails trinken und es gibt eine »Silent Disco«, bei der die Tanzenden Kopfhörer tragen. Außerdem gibt es ein Barbecue.
Infos: www.zsl.org/zsl-london-zoo/whats-on

INFO

Hinkommen: U-Bahn Regent's Park, Bakerloo Line. Zoo: U-Bahn Camden Town, Northern Line. [B1]
Information: London Zoo, Outer Circle, NW1 4RY, Tel.: 0844-2251826, www.zsl.org. Geöffnet tgl. Nov-Feb. 10-16 Uhr, März-Okt. 10-17.30. Genaue Preisangaben gibt es auf der Webseite, Online-Tickets sind preiswerter (Angaben in Klammern): Erwachsene £ 23,63 (21,81), ermäßigt £ 21,27, Kinder £ 16,81 (15,90).
Open Air Theatre, Inner Circle, Tel.: 0844-8264242, http://openairtheatre.com. Veranstaltungen von Juni-Sept. Theaterkasse während der Saison geöffnet Mo-Sa 10-20 Uhr.
Essen & Trinken: The Garden Café, Queen Mary's Garden, www.benugo.com/public-spaces/regents-park. Geöffnet tgl. 9-20 Uhr. Ein weiteres Restaurant der beliebten Kette.

68 Bootsfahrt auf dem Regent's Canal – Little Venice bis Camden Lock

Bootsausflüge

London Waterbus Company, 58 Camden Lock Place, NW1 8AF, Tel.: 74822550, www.londonwaterbus.com. Fährt April–Sept. tgl. 10–17 Uhr jede Stunde. Kosten einfache Fahrt: Erwachsene £ 8, ermäßigt und Kinder £ 6,60. Hin- und Rückfahrt: Erwachsene £ 11,30, ermäßigt und Kinder £ 9,20.

Jason's Trip, Little Venice, Bloomfield Road, W9, www.jasons.co.uk. Abfahrt tgl. 10.30, 12.30, 14.30 Uhr. Kosten einfache Fahrt: Erwachsene £ 9, ermäßigt und Kinder (4–14 Jahre) £ 8. Hin- und Rückfahrt: Erwachsene £ 14, ermäßigt und Kinder (4–14 Jahre) £ 13.

Eine ideale Freizeitbeschäftigung für einen lauen Sommertag ist eine Bootsfahrt auf dem **Regent's Canal.** Ursprünglich wurde der Kanal, wie viele ähnliche Wasserwege in Großbritannien im 18. Jh., zum Transport von Waren gebaut. Im 19. Jh. sollte er die Themse und die Londoner Docks mit dem Grand Junction Canal verbinden, einem direkten Wasserweg in die Industriestadt Birmingham. John Nash wurde 1811 mit der Planung beauftragt. Sein Assistent James Morgan begann im Jahr 1812 mit dem Bau.

Der Kanal verläuft vom Limehouse Basin in den Docklands (s. Kap. 6), vorbei am Granary Square bei King's Cross (s. Kap. 56), bis zum hypermodernen, von Hochhäusern umgebenen Paddington Basin in Maida Vale. Nördlich davon verläuft der Arm des Regent's Canal entlang des Regent's Park bis zum **Camden Lock**.

Die Kanäle hatte allerdings nur eine kurze Lebensspanne, denn nach der rapiden Entwicklung der Dampfeisenbahn, die den Warenverkehr erheblich beschleunigte, kamen sie aus der Mode. Für die schmalen Kanäle hatte man die sogenannten **Narrow Boats** entwickelt. Sie waren lang und nicht besonders hoch, hatten ein kleines Führerhaus und eine große Ladefläche. Damals wurden sie noch mit Pferden auf beiden Seiten des Kanals entlang gezogen. Die Pfade an beiden Seiten des Kanals, die sogenannten »Towpaths«, wurden mittlerweile ausgebaut und dienen heute als Spazier- und Radwege. Inzwischen kann man auf der gesamten Länge des Regent's Canals entlang der Towpaths spazieren und Radfahren. Die hübschen historischen Boote wurden vielfach restauriert und motorisiert und dienen heute entweder als Haus- oder Ausflugsboote auf dem Kanalnetzwerk Großbritanniens. Ausflugsboote auf dem Kanal verkehren von Little Venice bis Camden Lock, bzw. umgekehrt (Fahrtzeit ca. 50 Min.).

Die Passage durch den Maida Hill Tunnel ist eines der Highlights einer Bootsfahrt auf dem Regent's Canal

Ankunft in Camden Lock – und eine schöne Gelegenheit für eine Pause

Nach Little Venice gelangt man von der U-Bahn Station Warwick Avenue. Dabei läuft man entlang des Towpaths bis zu einem Hafenbecken, wo die beiden Arme des Kanals zusammenlaufen. Das umliegende Gebiet **Maida Vale** war im 19. Jh. Heimat vieler Künstler und ist noch heute ein beliebter Wohnort für Pop- und Modestars. Am Kanalufer liegen immer viele bunt bemalte Narrow Boats. Hier sind auch zwei kleine Theater untergebracht: das **Canal Café Theatre** und das **Puppet Theatre Barge** (s. S. 237).

Eine Fahrt auf dem ruhigen Kanal eröffnet ganz neue Ausblicke auf die umliegende Londoner Stadtlandschaft. An vielen Stellen ist er von grüner Vegetation gesäumt. Besonders schön ist die Strecke, die durch den Regent's Park führt. Unterwegs passiert man den **Maida Hill Tunnel**. Wenn früher ein Narrow Boat durch den Tunnel fuhr, konnte es nicht von Pferden gezogen werden. Denn die Tunnel waren recht flach und eng, da die Boote ja auch nicht besonders hoch waren. Man behalf sich daher durch das sogenannte »legging«: Die Crew legte sich rücklings auf das Boot und stieß es mit den Füßen von der Wand des Tunnels ab. Auf diese Weise kam man logischerweise nur sehr langsam vorwärts, heute sind die Boote zum Glück motorisiert.

Camden Lock liegt im Herzen von Camden Town, inmitten der Camden Markets (s. Kap. 79). Das Dock ist gut erschlossen mit zahlreichen Cafés und Restaurants. Auf der Nordseite des Kanals kann man sich im Gewühl der Märkte verlieren. Wem es hier zu voll ist, der findet ein Stück weiter südlich entlang der High Street in der Inverness Road ruhigere Cafés und Restaurants sowie zahlreiche Marktstände. Von hier gelangt man über den Gloucester Park Crescent zur Regent Park Road, die sich entlang des grünen Hügels **Primrose Hill** erstreckt, von dem aus sich ein schöner Blick auf die Skyline von London eröffnet (s. Kap. 81). Das hübsche Wohnviertel mit vielen Gastropubs und Cafés ist der bevorzugte Platz der Anwohner für ein Sonntagsfrühstück nach einer langen Nacht in den Clubs.

INFO

Hinkommen:
Camden Lock: U-Bahn Camden Town, Northern Line. [C1] (68b)
Little Venice: U-Bahn Warwick Avenue, Bakerloo Line. [A2] (68a)
Essen & Trinken: Lemonia, 89 Regent's Park Road, NW1 8UY, Tel.: 75867454, www.lemonia.co.uk. Lunch Mo–Fr 12–15, So 12–15.30, Dinner Mo–Fr 18–23.30, Sa 18–23.30 Uhr. Beliebter Grieche mit den bekannten Klassikern.
Theater Little Venice:
Canal Café Theatre, Delamere Terrace, W2 6ND, Tel.: 72896054, www.canalcafetheatre.com. Tickets ab £ 8.

69 Open-Air-Veranstaltungen im Holland Park

Im Holland Park geht es gemächlicher zu als in anderen Parks von London

Der **Holland Park**, westlich der Kensington Gardens, wird von Touristen oft übersehen. Eingebettet zwischen einigen der beliebtesten und teuersten Wohnviertel Londons wie Kensington und Notting Hill im Norden, ist er eine der ruhigsten und verträumtesten Grünanlagen der Stadt. Er ist umgeben von Stadthäusern aus dem 19. Jh. und wird vorzugsweise von Kindern und Kindermädchen der eher begüterten Bewohner Londons frequentiert.

Der nördliche Teil des Parks ist ein Wald, dort gibt es unter anderem ein Gehege mit Schweinen, die zur umweltfreundlichen Unkrautbekämpfung und Instandhaltung des Waldgeländes beitragen sollen. Auch leben hier einige freilaufende Pfaue. Im Süden des Geländes gibt es einen sehr hübschen japanischen Garten mit Wasserfall und einem Teich mit Koi-Karpfen, der 1991 von einem Designer aus Kyoto angelegt wurde.

Ursprünglich war der Park Teil des **Cope Castle** aus dem Jahr 1605, des Herrenhauses von Sir Walter Cope, der unter König James I. den Posten des »Chancellor of the Exchequer« (Finanzminister) innehatte. Schließlich erbte die Familie Holland das Haus, und es wurde in **Holland House** umbenannt. Die Frau des Earls of Holland, Lady Holland, unterhielt hier literarische Salons: Lord Byron, Charles Dickens und Sir Walter Scott waren zu Gast. Später wurde das umliegende Parkland größtenteils für die Bebauung durch ein neues Wohnviertel verkauft und im Zweiten Weltkrieg das Herrenhaus zerstört. In einem Teil des renovierten Hauses ist heute eine Jugendherberge untergebracht (s. S. 234).

Auf der ehemaligen Terrasse wird im Sommer ein großes Zeltdach aufgespannt, was das Ganze in ein **Freilufttheater** mit 1.000 Sitzplätzen verwandelt. Hier finden Opernaufführungen der renommierten **Opera Holland Park** statt. Das Ensemble wird vom »City of London Sinfonia« (CLS) begleitet. Dem schicken Rahmen angemessen, kann man hier einen Tisch oder auch einen Picknickkorb mieten und den lauen Sommerabend im Park verbringen. In jeder Saison werden verschiedene Produktionen an wechselnden Abenden aufgeführt, sodass es sich lohnt, auch mehrmals vorbeizuschauen. Zum Repertoire 2014 gehören beispielsweise Rossinis »Il barbiere di Siviglia«, die »Norma« von Bellini, aber auch einige ausgefallenere Werke wie »Cilea« von Adriana Lecouvreur. Als Familienspektakel steht die Aufführung von Alice im Wunderland auf dem Programm.

Von Weitem grüßt Georg VI.

Design am laufenden Band

Südlich des Parks steht auf der Holland Park Road das **Leighton House**. Hier lebte und arbeitete der viktorianische Maler und Bildhauer Frederic Lord Leighton (1830–1896). Er verwandelte das Haus in ein Kunstwerk des Innendesigns. Die zentrale Halle des Hauses, »Arab Hall«, stammt aus dem Jahr 1877. Sie ist ausgekleidet mit arabischen Kacheln aus dem 16. und 17. Jh., die der Künstler von seinen Reisen aus Syrien mitbrachte und mutet orientalisch an. Leighton ließ das Thema auch in den anderen Räumen fortsetzen, wo sich Kunstkacheln des Keramikkünstlers William De Morgan im Stil der damaligen »Arts and Crafts«-Bewegung befinden. Im ersten Stock kann man das Atelier von Leighton besichtigen. Unregelmäßig finden auch Sonderausstellungen statt. Westlich von hier, in der Addison Road Nr. 8, steht ein weiteres Beispiel für die Kunst des »Arts and Crafts Movement«, das **Debenham House**. Das Haus, das 1906 ursprünglich für den Gründer der Kaufhauskette »Debenhams«, Sir Ernest Debenham, entstand, wurde oft als Film-Location verwendet. Es wurde von Halsey Ricardo entworfen und ebenfalls mit Kacheln von De Morgan verziert. Leider kann es nur von Außen besichtigt werden. Nur ein Stück weiter in Richtung Osten befindet sich das alte **Commonwealth Institute**. Hier zieht im Jahr 2015 das neue Design Museum ein (s. Kap. 41).
Leighton House, 12 Holland Park Road, W14 8LZ, Tel.: 76023316, www.rbkc.gov.uk/museums. Geöffnet Mi-Mo 10–17.30 Uhr, Di geschlossen. Eintritt Erwachsene £ 5, ermäßigt £ 3.

INFO

Hinkommen: U-Bahn High Street Kensington, District und Circle Line. [A3]
Information:
Holland Park, www.rbkc.gov.uk.
Opera Holland Park,
37 Pembroke Road, W8 6PW,
Tel.: 73613570, www.rbkc.gov.uk/operahollandpark

Essen & Trinken: Holland Park Café,
Ilchester Place, W8 6LU,
Tel.: 7602-6156,
www.hollandparkcafe.co.uk.
Geöffnet Mo–So 9.30–17 Uhr. Hier kann man die ruhige Atmosphäre des Parks bei einem leckeren Sandwich oder einem Stück Kuchen genießen.

70 Putney Bridge – Rudern auf der Themse

Putney liegt an der Themse im Süden Londons und erstreckt sich östlich und westlich der **Putney Bridge**. Es ist ein angenehmer Vorort, der von den Aktivitäten auf der Themse bestimmt wird. Hier ist Londons Rudersport beheimatet.

Zwischen Putney und Fulham am gegenüberliegenden Flussufer verkehrte bereits im 11 Jh. eine Fähre. Noch bis ins 18. Jh. blieb sie die einzige Möglichkeit, den Fluss an dieser Stelle zu überqueren. Premierminister Robert Walpole soll im Jahr 1720 den Anstoß zum Bau der Brücke gegeben haben: Der Fährmann am anderen Ufer trank in einer Kneipe und hörte seine Rufe nicht, deswegen musste Walpole einen langen Umweg machen. Die erste Holzbrücke entstand 1729. Erst 1879 plante man den Bau einer Steinbrücke, mit der Ausführung wurde Joseph Bazalgette betraut. Die Brücke wurde 1886 eröffnet.

Im 17. Jh. war Putney ein Ort im Grünen, an dem man dem Londoner Stadtmief entfliehen konnte. Der Philosoph John Locke schrieb 1679, dass hier eine ganze Reihe von Sportarten ausgeübt wurden: Pferderennen, Falknerei, Jagd und Bowling. Allerdings bot die Heide in Putney, die »Putney Heath«, auch den angemessenen Ort für Duelle und galt als Treffpunkt für die sogenannten »Highwaymen«, Straßenräuber, die damals mit Vorliebe die Kutschen begüterter Bürger überfielen. Gegen Ende des 19. Jh. ließen sich dennoch mehr und mehr wohlhabende Geschäftsleute und Bankiers hier nieder.

Rudern für alle

Infos: Oxford-Cambridge Boat Race, www.theboatrace.org.
Ruderclub: Putney Town Rowing Club, Kew Meadows Towpath, TW9 4EN, Tel.: 88788236, www.putneytownrc.co.uk. Tgl. ab 8 Uhr wird gerudert. Mitgliedschaft £ 20/Monat, £ 20 Aufnahmegebühr.

Putney ist besonders bekannt für den Rudersport. Hier sind rund um den Pier und entlang der Themse mehr als 20 Ruderclubs ansässig. Um hier selbst ans Ruder zu gehen muss man allerdings trainiert sein, bzw. Mitglied in einem Club werden, denn das Navigieren auf dem Fluss ist nicht ganz ungefährlich. Bereits 1845 war hier der Ausgangspunkt des **Oxford-Cambridge University Boat Race**. Entscheidend für die Ortswahl war die Tatsache, dass die Themse hier wesentlich sauberer war als in der Innenstadt. Außerdem gab es weniger Schiffsverkehr, da große Schiffe nicht unter der Brücke hindurchfahren konnten.

Bis heute findet das legendäre Rennen zwischen den Mannschaften der zwei Elite-Universitäten jeweils am letzten Samstag im März oder am ersten Samstag im April statt. Es verläuft vom **Putney Pier** bis zum westlich gelegenen **Mortlake**, die Strecke ist 6,8 km lang. Die erste Frau, die an dem Rennen 1981 teilnahm, war Sue Brown, von der Oxforder Mannschaft. Der Geschwindigkeitsrekord für die Strecke wird momentan von der Cambridger Mannschaft gehalten und liegt bei 16 Min. und 19 Sek. (1998).

2012 musste der Wettwerb auf halber Strecke unterbrochen werden. Ein Protest-Schwimmer hatte sich absichtlich ins Wasser begeben und den

Jetzt geht's zur Sache: die Navigation ist nicht ganz einfach

Ablauf gestört. Oxford brach im zweiten Durchgang ein Ruder und Cambrige gewann.

Besonders schön ist ein Spaziergang entlang des Themseufers in Richtung Nordwesten. An schönen Tagen kann man hier auch gut in einem der vielen Pubs mit Außenterrasse eine Pause machen.

Am südwestlichen Ortsrand, an der Queen's Ride Road, liegt der **Putney Common**. Hier ist seit 1842 der Roehampton Cricket Club ansässig. Die Ländereien gehören der Familie Spencer, der Familie von Prinzessin Diana.

Marc Bolan

Unweit von hier, wo die Queen's Ride Road die Bahnschienen überquert, Bahnschienen überquert, starb 1977 der Sänger der Rockgruppe T-Rex, Marc Bolan (geb. Marc Feld), nachdem seine Freundin, Gloria Jones, das Auto nach einer Party gegen einen Baum gefahren hatte. An der Stelle befindet sich heute der »Rock Shrine« von Marc Bolan, mit einer Büste und einem Gedenkstein. Noch heute legen Fans hier Blumen und Notizen nieder. Marc Bolan wurde im Golder's Green Crematorium bestattet (s. Kap. 16).

INFO

Hinkommen:

U-Bahn Putney Bridge, District Line. Diese Station befindet sich auf der Nordseite der Brücke. Beim Überqueren bekommt man gleich den besten Blick über die Themse. Von hier fährt auch der Bus Nr. 265 direkt zum Putney Common.

Essen & Trinken:

Bricklayer's Arms, 32 Waterman Street, SW15 1DD, Tel.: 87893932, www.bricklayers-arms.co.uk. Geöffnet tgl. 12–23 Uhr. Dieser älteste Real-Ale in Putney stammt aus dem 17. Jh., traditionelle Pub-Gerichte.

The Duke's Head, 8 Lower Richmond Road, SW15 1JN, Tel.: 8788-2552, www.dukesheadputney.com. Geöffnet Mo–Do 12–24, Fr & Sa 12–1, So 12–23 Uhr. Ein weiterer Gastropub, dessen Terrasse die Themse überblickt.

Bummeln, Einkaufen & Essen

Portobello Road – immer eine gute Adresse zum Bummeln

KIWI
LANDS
Driveway
maclar

71 Foodies – britische Starköche und ihre Etablissements

Bis in die 1990er-Jahre hatte die britsche Küche und Esskultur keinen guten Ruf. In altmodischen Cafés wurde eine Auswahl an lieblos gekochten Standards wie Pies, Pasties, Burger und Chips (Pommes) serviert, deren Nährwert vor allem in ihrem Kalorienreichtum bestand. Auch in Lebensmittelgeschäften tat man sich schwer, exotischere Zutaten zu finden.

Le Gavroche: eine der erste Adressen in London, wenn es um feines Essen geht

Seitdem ist jedoch eine neue Generation von Köchen und Essern herangewachsen. Britische Standards gibt es zwar weiterhin, heute werden diese jedoch verfeinert und mit mediterranen oder asiatischen Zutaten kombiniert. Diese Kochrichtung wird als **Modern British** bezeichnet, und neben Gastropubs gibt es viele Restaurants und Ketten, die von einer neuen Generation von Gastronomen geführt werden. Inzwischen findet man auch internationale Anerkennung: Allein in London gibt es 60 Restaurants mit Michelin-Sternen.

Auch der multikulturelle Einfluss macht sich bemerkbar – die verschiedenen Nationalitäten, die hier leben, haben ihre eigenen Gerichte mitgebracht. Fest im Speiseplan etabliert haben sich beispielsweise die Currys, die von bengalischen Einwanderen in ganz Großbritannien verbreitet wurden. Insbesondere in London findet man eine riesige Auswahl an internationalen Restaurants, von karibisch (s. Kap. 14) bis kosher (s. Kap. 16). Dies hat auch dazu geführt, dass man auf Stadtteilmärkten und in Lebensmittelläden exotische Lebensmittel aller Arten findet.

Die neuen Gourmets und ihre Chefs bezeichnet man als **Foodies**. Etablissements von Starköchen gibt es in London in Hülle und Fülle. Wer hier speisen möchte, muss allerdings oft lange im Voraus reservieren und viel bezahlen. Als Normalverbraucher findet man aber auch in fast jedem Gastropub, Bistro oder Café preiswerte und schmackhafte Gerichte. Für einen unkomplizierten Lunch sind z. B. auch die Wochen- und Straßenmärkte zu empfehlen. Hier haben sich zu den üblichen Ständen inzwischen zahlreiche Gourmet-Imbisse hinzugesellt, die vom Imbisswagen aus frisch zubereitetes, leckeres Streetfood servieren (z. B. www.kerbfood.com). Diese sogenannten »Pop-ups« werden von der Nachwuchsgeneration junger Köche betrieben, die noch kein Restaurant führen.

Dinieren in London – von fein bis experimentell

Benares [C3] (71c), 12a Berkeley Square House, Berkeley Square, W1J 6BS, Tel.: 76298886, www.benaresrestaurant.com. Ein Michelin-Stern. Geöffnet Mo–Sa und feiertags 12–14.30, 17.30–23 Uhr. Tasting Menu, 4-Gänge £ 82, 3-Gänge-Lunch £ 35. Der Starkoch Atul Kochhar war der erste Inder, der sich einen Michelin-Stern erkochte. Hier isst man sehr feine, indisch inspirierte Küche mit viel vegetarischen Gerichten.

Dabbous [C2] (71e), 39 Whitfield Street, W1T 2SF, Tel.: 73231544, www.dabbous.co.uk. Ein Michelin-Stern. Geöffnet Lunch Di–Fr & Sa 12–15, Dinner Mo–Fr 17–23.30, Sa 18.30–23.30 Uhr. Dinner 4-Gänge-Menü £ 48. Der junge Chef Oliver Dabbous hat französisch italienische Wurzeln und wuchs im Nahen Osten auf. Seine Küche ist von der Bewegung des Localism inspiriert, das heißt er benutzt regionale Zutaten von hoher Qualität und kreiert einfache Gerichte voller Geschmack. Er lernte unter anderem im Kopenhagener Restaurant Noma.

Dinner by Heston Blumenthal [B3] (71a), Mandarin Oriental Hyde Park, 66 Knightsbridge, SW1X 7LA, Tel.: 72013833, www.dinnerbyheston.com. Geöffnet Mo–So 12–14.30 und 18.30–22.30 Uhr. Zwei Michelin-Sterne. Lunchmenü 3-Gänge Mo–Fr £ 38. Heston Blumenthal ist einer der etablierten Stars der experimentellen Küche. Er hat viele neue Kochtechniken entwickelt. Sein bekanntestes Restaurant ist **The Fat Duck** in Berkshire, ausgezeichnet mit drei Michelin-Sternen. Im Mandarin, ausgezeichnet mit zwei Michelin-Sternen, werden historisch inspirierte Rezepte modern zubereitet.

Fifteen [D2] (71f), 15 Westland Place, N1 7LP, Tel.: 33751515, www.fifteen.net. Geöffnet für Frühstück Mo–Fr ab 7.30 Uhr, 10.45 Uhr letzte Bestellung, Sa & So ab 8 Uhr, 10.45 Uhr letzte Bestellung. Lunch Mo–So ab 12 Uhr, 15 Uhr letzte Bestellung, Dinner Mo–So, ab 18 Uhr, 22 Uhr letzte Bestellung, 2-Gänge-Menü £ 26. Jamie Oliver ist international bekannt und hat sich wie kein anderer dafür eingesetzt, dass sich die britische Nation besser ernährt. Im **Fifteen** Restaurant bekommen junge Menschen aus schwierigen sozialen Verhältnissen die Möglichkeit, kochen zu lernen. Die Küche des Restaurants unter der Leitung von Chefkoch Jon Rotheram ist Modern British mit italienischem Einschlag.

Le Gavroche [B3] (71b), 43 Upper Brook Street, W1K 7QR, Tel.: 74080881, www.le-gavroche.co.uk. Geöffnet Mo–Fr 12–14 und 18.30–23 Uhr, Sa 18.30–23 Uhr. U-Bahn Bond Street. Zwei Michelin-Sterne. Die Brüder Albert und Michel Roux brachten 1967 als Erste die französische Küche nach London und bekamen auch gleich einen Michelin-Stern für **Le Gavroche**. Heute führt Alberts Sohn Michel Roux (jr) das Restaurant. Es hält den Guinnessbuch-Rekord für die teuerste Mahlzeit aller Zeiten: 1997 gaben drei amerikanische Gäste zusammen 20.945 US-Dollar für ihr Mittagessen mit allen Extras aus.

Murano [C3] (71d), 20 Queen Street, W1J 5PP, Tel.: 74951127, www.muranolondon.com. Geöffnet Lunch Mo–Sa 12–15, Dinner 18.30–23 Uhr. 3-Gänge-Lunch £ 30, Dinner £ 64. Ein Michelin-Stern. Dieses Restaurant steht unter der Leitung von Angela Hartnett, die auch das Restaurant in der Whitechapel Gallery (s. Kap. 45) führt. In ungezwungener Atmosphäre kann man hier italienisch inspirierte Küche genießen.

Tipp:
Abends sind viele gute Restaurants ausgebucht und man muss lange im Voraus reservieren. Bessere Chancen hat man wochentags und zu Lunchzeiten, wenn zudem meist günstigere Menus angeboten werden. Einen Tisch kann man problemlos auf den Restaurant-Websites oder telefonisch reservieren.

72 Essen wie ein Cockney – Jellied Eels im East End

Die Vorstellung davon, was eine »Delikatesse« darstellt, hat sich über die Jahrhunderte sicher geändert. Der Preis für bestimmte Nahrungsmittel ist nicht zuletzt abhängig davon, ob sie eher selten oder schwer zu bekommen sind. Noch bis in viktorianische Zeiten waren beispielsweise Austern und Hummer so gewöhnlich, dass sie in London in jeder Taverne serviert wurden. Wer Romane von Charles Dickens gelesen hat, wird bemerkt haben, dass die Protagonisten fast jeden Tag ein Dutzend Austern verspeisen. Die Krustentiere wurden damals allerdings aus der Themsemündung gefischt, als der Fluss durch Industrieabwässer noch stark verschmutzt war. Auch Aale gehörten zum »Armenessen«, das in großen Mengen aus dem weit verzweigten Flussdelta der Themse in Essex und Kent gefischt wurde. Denn sie waren nahrhaft, kalorienreich und billig.

Während Austern und Hummer heute nur noch in teuren Restaurants zu finden sind, gilt der Aal weiterhin als ein Nahrungsmittel der Arbeiterklasse und ist vor allem in den ehemaligen Arbeitervierteln zu finden. Beim **Jellied Eel,** Aal in Gelee, werden die Aale gewürfelt und in Essig gekocht, wobei man Zitronensaft und Muskatnuss zum Würzen beigibt. Die Zubereitungsweise und der Geschmack sind einem Bismarckhering ähnlich.

Wenn die Mischung abkühlt, setzt sich die Brühe, und die natürliche Gelatine des Aals führt zur Verdickung. Teilweise wird auch Gelatine zugegeben. Das Gericht kann warm oder kalt gegessen werden.

Die ersten **Eel, Pie and Mash Houses** entstanden im East End im 18. Jh. Hier wurden verschiedene Fleisch- und Fischpasteten, aber auch preiswerte Krustentiere wie Muscheln und Austern serviert, meist mit Kartoffelpüree.

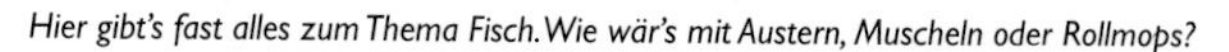

Hier gibt's fast alles zum Thema Fisch. Wie wär's mit Austern, Muscheln oder Rollmops?

Dies waren sättigende und nahrhafte Mahlzeiten. Bis zum Ende des Zweiten Weltkriegs gab es etwa 100 dieser Fischrestaurants in ganz London.

Nach und nach wurden sie von den heutigen **Fish and Chip Shops** verdrängt, wo der Fisch paniert, frittiert und mit fettigen Pommes serviert wird. Die letzten noch verbliebenen traditionellen Fischrestaurants wie **M. Manze** (aus dem Jahr 1902) in der Tower Bridge Road und **G. Kelly** in Bethnal Green sind inzwischen zu Institutionen geworden. Manze stellt unter anderem auch »Cockney-Buffets« für Motto-Partys zusammen. Beide sind Familienbetriebe, die bereits seit Anfang des 20. Jahrhunderts bestehen.

Eine weitere Institution des East End ist **Tubby Isaac's**, eine Imbissbude in der Nähe von Aldgate. Den Familienbetrieb gibt es bereits seit 1919. Er verkauft – neben bekannteren Meeresfrüchten wie beispielsweise Scampis – einheimische Seetiere, zu denen Herzmuscheln (cockles), Wellhornschnecken (whelks) und Sandschnecken (winkles) gehören, genauso wie Flusskrebse (crayfish). Natürlich steht auch der Aal in Gelee auf der Speisekarte.

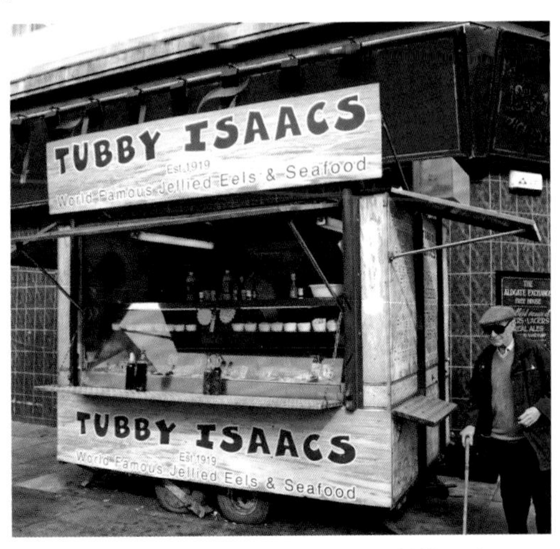

Dieser Imbissstand ist seit 1919 eine Institution

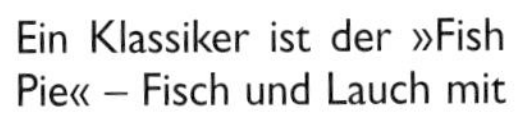

Ein Klassiker ist der »Fish Pie« – Fisch und Lauch mit Sahnesoße im Blätterteig. Dazu gibt es Kartoffelpüree und »Liquor«, eine Soße, die entweder aus Fischbrühe oder vegetarischen Zutaten hergestellt wird.

INFO

Essen & Trinken:

M. Manze,
87 Tower Bridge Road, Bermondsey, SE1 4TW, Tel.: 74072985, www.manze.co.uk. Geöffnet Mo 11–14, Di–Do 10.30–14, Fr 10–14.30, Sa 10–14.45 Uhr.
U-Bahn London Bridge, Northern und Jubilee Line.

G. Kelly Pie & Mash,
526 Roman Road, E3 5ES, Tel.: 89803165, www.gkellypieandmash.co.uk. Geöffnet Mo 11–15, Di & Mi 10–15, Do 10–15.30, Fr 10–19, Sa 10–17.30 Uhr. U-Bahn Mile End, Central Line.

Tubby Isaac's Jellied Eel Stall,
Aldgate High Street und Ecke Goulston Street (nahe Petticoat Lane Market), Tel.: 07846-848813, www.tubbyisaacs.co.uk. Geöffnet Mo–Mi 10–20, Do–So 10–22 Uhr. U-Bahn Aldgate, Metropolitan und Circle Line. [E3]

Poppies Fish and Chips, 6–8 Hanbury Street, E1 6QR, Tel.: 72470892, http://poppiesfishandchips.co.uk. Geöffnet Mo–Do 11–23, Fr & Sa 11–23.30, So 11–22.30 Uhr. Nostalgischer Fish and Chips-Shop mit 1950er-Atmosphäre. Neben Fisch gibt es auch Pies und Grillhuhn, frisch und appetitlich. Abends spielen oft Rockabilly- oder Jazzbands.

73 Stöbern auf dem Petticoat Lane Market

Zwei der bekanntesten Märkte im Londoner East End, **Petticoat Lane** und **Spitalfields**, liegen zwischen Bishopsgate (bei der alten Londoner Stadtmauer) und der Commercial Street sehr nahe beieinander. Die Märkte gehen mehr oder weniger ineinander über, sodass man hier nach Herzenslaune den ganzen Tag bummeln und stöbern kann. Beide Märkte sind die ganze Woche geöffnet. Der Petticoat Lane Market ist unter der Woche allerdings auf wenige Stände in der Wentworth Street reduziert, sodass man samstags und sonntags eher auf seine Kosten kommt. Man sollte den Rundgang allerdings schon früh beginnen, damit man genug Zeit hat. Ausgangspunkt ist die U-Bahn Station Aldgate und die Middlesex Street (Petticoat Lane).

Multkulturelles Miteinander auf der Petticoat Lane

In dem Viertel fand bereits ab 1750 ein Markt statt. Damals verkauften die hier ansässigen Hugenotten-Weber feine Stoffe und Spitze, die sie in den benachbarten Werkstätten gefertigt hatten. Insbesondere wurden auch Unterröcke, eben »Petticoats«, für Damen verkauft – bei der damaligen Kleidermode ein sehr wichtiges und aufwendiges Zubehör und Namensgeber der Petticoat Lane. Erst die sehr auf Sitte bedachten Viktorianer benannten die Straße in die heutige Middlesex Street um, da ihnen wahrscheinlich eine nach einem Unterkleid benannte Straße als zu anrüchig erschien.

Auch heute noch findet man das eine oder andere Teil an Damenunterwäsche wie Hüft- und Büstenhalter mit Wäscheklammern auf Kleiderbügeln auffällig zur Schau gestellt. Der zunächst etwas chaotisch anmutende Markt entwickelte sich schnell in ein lebendiges multikulturelles Miteinander, in dem sich Menschen aller Hautfarben und Kulturen vermischen. Das Zentrum der meisten Stände bildet ein Wühltisch – alles wird auf einen großen Haufen geworfen, oft noch originalverpackt. Daneben stehen Kleiderstangen mit den hübscheren Stücken: von Lederjacken über schicke Abendgarderobe bis zu bunten Sommerkleidern und bedruckten T-Shirts. Dahinter stapeln sich die Verpackungsboxen. Auch Schuhe von unterschiedlichster Qualität werden angeboten. Hin und wieder sieht man ein Designerstück vom letzten Jahr, und mit etwas Geduld kann man ein Schnäppchen finden. In den vielen Seitenstraßen findet man auch CDs, Haushaltswaren und andere praktische Gegenstände. Wenn alle Markthändler da sind, hat man rund 1.000 Stände zur Auswahl.

Hier gibt es alles rund ums Thema Bekleidung – von der Lederjacke bis zur Damenunterwäsche

Ende des 19. Jh. war der Markt als Jews' Market bekannt, da damals noch eine große jüdische Gemeinde das Viertel bevölkerte. Obwohl die meisten von ihnen inzwischen in die grüneren Vororte wie Golders Green (s. Kap. 16) abgewandert sind, gibt es noch eine kleine Gemeinde von aschkenasischen Juden – vor allem jüngere Menschen, die wieder in das angesagte, lebendige Viertel zurückziehen. Religiöses Zentrum ist die **Sandys Row Synagogue**, am Nordwestende der Middlesex Road. Sie wurde über einer Hugenottenkirche aus dem Jahr 1763 erbaut. Viele Jahre war hier der Handelsverband der Straßenhändler von Stepney und Whitechapel untergebracht, dem alle Markthändler der Petticoat Lane und in Whitechapel angehören.

INFO

Hinkommen: U-Bahn: Aldgate East oder Liverpool Street. [E2, E3]

Information: Petticoat Lane Market, Middlesex Street. Geöffnet Mo–Fr 10–14.30, So 9–14 Uhr.

Sandys Row Synagogue, 4a Sandys Row, E1 7HW, Tel.: 7377-6196, www.sandysrow.org.uk.

Essen & Trinken: Westlich der Middlesex Street, beim Devonshire Square im alten Lagerhaus der East India Company, gibt es gleich mehrere hochwertige Restaurants und Bars:

Cinnamon Kitchen & Anise, 9 Devonshire Square, EC2M 4YL, Tel.: 76265000, www.cinnamon-kitchen.com. Lunch Mo–Fr 12–14.45, Dinner Mo–Sa 18–22.45 Uhr. **Anise Bar**, geöffnet Mo–Fr 16–24, Sa 18–24 Uhr. Ableger des beliebten indischen Restaurants Cinnamon Club. Chefkoch Vivek Singh sorgt für ein sehr modernes indisches Menü und leckere Barsnacks in der angegliederten Cocktailbar.

Hixter, 9a Western Courtyard, Devonshire Square, EC2M 4AE, Tel.: 72209498. Geöffnet tgl. 11.30–24 Uhr. **Mark's Bar**, Mo–Fr 12–2.30 Uhr. Ein weiterer Ableger im Gastronomie-Imperium des Chefkochs Mark Hix, mit modernisierten englischen Klassikern und fleischbasierten Gerichten.

Old Bengal Bar, 16 New Street, EC2M 4TR, Tel.: 35030780, ww.oldbengalbar.co.uk. Im alten East India Warehouse untergebrachte Bar mit originellen Cocktails, Snacks ab 15 Uhr und Sunday Brunch 11–15 Uhr.

74 Spitalfields Traders und Arts Market

Spitalfields Market: buntes Treiben in einer restaurierten Markthalle von 1887

Spaziert man die Middlesex Street hinauf bis zur Kreuzung mit der Brushfield Street, steht man plötzlich vor der restaurierten Fassade des historischen Marktgebäudes in Spitalfield. Um 1197 stand hier ein Krankenhaus, das an die Kirche St. Mary's angeschlossen und allgemein bekannt war als St. Mary Spital, das umliegende Gelände hieß **Spitalfields**. Auf dem Kirchenfriedhof, der bis in römische Zeiten zurückreichte, wurden die bedauernswerten Patienten zu Grabe getragen, die die damalige medizinische Versorgung nicht überlebten.

Das Gebiet lag zu dieser Zeit außerhalb der Stadtmauern Londons und war eine recht ländliche Gegend. In der Zeit der Tudors wurde es für Waffen- und Schießübungen der Artillerie genutzt. Hiervon zeugen noch Straßennamen wie »Artillery Passage« und »Artillery Lane« oder auf der Brushfield Street ein Pub mit dem passenden Namen »Gun« – Kanone.

Bis zum 17. Jh. fand quasi inoffiziell Handel mit landwirtschaftlichen Produkten aus dem Umland statt. Dann begann man feste Stände einzurichten. 1887 entstand eine überdachte Markthalle im viktorianischen Stil mit einem Dach aus schmiedeeisernen Verstrebungen und Glas.

Bis 1991 wurden hier noch Früchte und Blumen verkauft, dann zog der Lebensmittelmarkt nach Stratford, und die angesagte Mode- und Designszene übernahm das Gebäude. Im Zuge der Wiederbelebung des East End wurde jedoch auch für die Markthalle ein Umbauprojekt in die Wege geleitet. Unter dem Architekten Norman Foster wurden zwei Drittel des alten Gebäudes abgerissen und in Bürogebäude umgewandelt.

Die Osthälfte ist heute ein lebhaftes Marktgelände mit Designerständen, einem Kunsthandwerksmarkt, einem Flohmarkt und Lebensmittelmarkt. Donnerstags gibt es einen Antikmarkt.

Auf dem **Spitalfields Traders Market** präsentieren angehende Londoner Designer dem Publikum ihre selbst genähten Kreationen. Dieser Teil des Marktes ist bis heute erhalten. Sehr fantasievolle Kreationen werden angeboten, und vielleicht kauft man ja ein Stück eines Designstars von Morgen.

Auf der Market Street befindet sich der **Spitalfields Arts Market** mit Kunsthandwerk, Skulpturen, Fotografie und Malerei von ansässigen Künstlern, deren Werke noch erschwinglich sind. Er findet von März bis Mitte November einmal im Monat von Do–So 10–17 Uhr statt.

Bei dem großen Angebot darf man die Übersicht nicht verlieren

Rund um die Stände gibt es unter demselben Dach zahlreiche Cafés mit Terrassen, von denen Einheimische und Touristen das Markttreiben beobachten und die müden Füße ausruhen können. Sonntags geht man hier gerne zum Brunch. Auch auf der im Osten angrenzenden Brushfield Street und Commercial Street reihen sich Cafés und Restaurants aneinander.

INFO

Hinkommen: U-Bahn Liverpool Street, Central, Circle, Hammersmith & City Line. [E2]
Information:
Spitalfields Market, Brushfield Street, E1, www.spitalfields.co.uk. Geöffnet Mo-Fr 10-16, So 9-17 Uhr.
Essen & Trinken: Leon, 2 Crispin Place, E1 6DW, Tel.: 72474369, www.leonrestaurants.co.uk. Geöffnet Mo-Do 11-22, Mi-Fr 11-22.30, Sa 11-22, So 9-20 Uhr. Hauptgericht ca. £ 9. Das Restaurant hat ein neues Konzept: »Fast Food mit Anspruch«. Alle Gerichte, die sich an der mediterranen Küche orientieren, werden mit gesunden, fettarmen Zutaten gekocht und serviert. Es gibt leckere Salate und Currys.
St John Bread and Wine, 94-96 Commercial Street, E1 6LZ, Tel.: 72510848, www.stjohngroup.uk.com/spitalfields/. Frühstück Mo-Fr 9-11, Lunch Mo-Fr 12-15, Sa & So bis 16, Dinner Mo-Sa 18-23, So 18-21 Uhr. Einfache Klassiker mit Zutaten von hoher Qualität, wie z. B. Bacon-Sandwich. Eine weitere Filiale gibt es in Smithfield.

75 Alternativszene im East End – von der Columbia Road zur Truman Brewery

Am Wochenende kann man im East End einen ausgedehnten Bummel unternehmen und einige seiner lebhaftesten Märkte besuchen. Mit der London Overground gelangt man zur Station Hoxton und von hier in Richtung Osten zur Columbia Road in Bethnal Green. Die Straße diente einst für den Viehtrieb von den Weiden zum Schlachtfeld in Smithfield (s. Kap. 26). Heute findet hier sonntags der **Columbia Road Flower Market** statt. Der Blumenmarkt entstand bereits Ende des 19. Jh. – damals gehörten Schnittblumen zum feinen Ton. Zudem wurden Singvögel in Volièren verkauft. Die Straße ist eingerahmt von bunt angestrichenen viktorianischen Ladenfronten, die von Boutiquen bevölkert sind. Neben ausgefallenen Kleinigkeiten findet man zahlreiche Cafés zum Ausruhen.

Beliebter Treffpunkt – die Truman Brewery

Über die Virginia Road gelangt man vorbei am Arnold Circus auf die Club Row, die in die Redchurch Street mündet. Das Westende der Straße ist gesäumt von Hotels wie dem Boundary und dem Shoreditch House. In Richtung Osten findet man zahlreiche Shops mit Designerwaren, aber auch ungewöhnliche Modelabel und Second Hand-Mode. Immer wieder stößt man auf Graffitis. Bald kreuzt die Straße die Bethnal Green Road, von dort biegt die **Brick Lane** nach Süden ab, mit Vintage Shops und coolen Boutiquen.

Weiter südlich gelangt man zur geräumigen alten **Truman Brewery** aus dem Jahr 1666. Hier ist jedoch schon lange keine Brauerei mehr ansässig, sondern ein kreatives Zentrum. Es gibt Läden, Büros und Studios für Innen- und Webdesign, Fotografie, Musikproduktion und vieles mehr. Auch Cafés, Musik- und Nachtclubs haben sich angesiedelt. Das ganze Jahr hindurch finden viele Ausstellungen und Events statt. Während des London Design Festivals gibt es Sonderausstellungen im **Tent London** (www.tentlondon.co.uk).

Jeden Sonntag findet man beim **Sunday Upmarket** ein buntes Gemisch an Designerware und Vintage. Besonders empfehlenswert sind die multikulturellen Imbisstände in der **Boiler House Food Hall**, hier kann man karibisches, südamerikanisches und asiatisches Street Food probieren.

Beim Spaziergang erblickt man so ganz nebenbei manches Graffiti

Broadway Market zum Limehouse Basin

Einen längeren Spaziergang entlang des Regent Canal (s. Kap. 68) in Richtung Osten kann man vom Broadway Market aus unternehmen (samstags). Der Markt findet südlich der Bahnstation London Fields statt. Dieses Ende des Kanals ist noch sehr ursprünglich und zunächst geht es vorbei am **Victoria Park** in South Hackney. Er entstand 1845 unter Queen Victoria als Erholungsgebiet für die arbeitenden Klassen des East End. Mitten im Park stehen zwei Erker der alten London Bridge, die im Jahr 1831 abgetragen wurde. Darin kann man es sich auf Sitzbänken gemütlich machen. Ein Trinkbrunnen mit aufgesetzter viktorianischer Pagode wurde von der Gönnerin Angela Burdett-Coutts 1862 gestiftet. Sie initiierte auch den Wochenmarkt in der Columbia Road, der heute jedoch nicht mehr existiert. Immer wieder sieht man pittoresk ausgestattete Hausboote am Kanal. Zahlreiche Londoner haben sich aufgrund der hohen Immobilienkosten für ein Hausboot entschieden. Hierzu werden die alten Narrow Boats liebevoll umgestaltet und bewohnbar gemacht.

Bei der Wanderung sieht man viel Graffiti an Mauern und Brückenwänden sowie Kunstwerke in der Landschaft. Wo der Kanal die A11 unterquert, kann man einen Abstecher in den Mile End Park, zum **Mile End Art Pavillion** machen, der interessante Wechselausstellungen zeigt. Immer wieder eröffnen sich unterwegs Ausblicke auf die Türme der **Canary Wharf**, bis man zum **Limehouse Basin** gelangt (s. Kap. 6).

INFO

Information:
Columbia Road Flower Market [E2] (75a), Columbia Road, E2 7RG, www.columbiaroad.info, geöffnet So 8–15 Uhr.
The Old Truman Brewery (75b), 91 Brick Lane, E1 6QL, Tel.: 77706000, www.trumanbrewery.com.
Sunday Up Market (75c), www.sunday-up market.co.uk, geöffnet So 10–17 Uhr. **Vintage Market**, geöffnet Do & Fr 11–17.30, Sa 11–18, So 11–17 Uhr.
Broadway Market [E1] (75d), Hackney, E8 4PH, www.broadwaymarket.co.uk, geöffnet Sa 9–17 Uhr.
The Mile End Art Pavillion, Clinton Road, E3 4QY, www.artpavillion.info.
Essen & Trinken:
Boiler House Food Hall, www.boilerhouse-foodhall.co.uk, geöffnet Sa 11–18, So 10–17 Uhr.

76 Bummeln in Bermondsey

Bermondsey gehört zum Borough von Southwark, und die Bermondsey Street zweigt südlich vom More London Place ab (s. Kap. 60). Neben dem Fashion and Textile Museum (s. Kap. 42) sind das Design Museum (s. Kap. 41) und die **White Cube Gallery** einen Besuch wert. Der Galerist Jay Jopling war einer der ersten, der die sogenannten »YBAs« (Young British Artists) wie Damien Hirst und Tracey Emin Anfang der 1990er-Jahre ausstellten. Heute sieht man hier Ausstellungen von Künstlern wie Anthony Gormley, Marc Quinn, Jeff Wall und Franz Ackermann. Die Straße ist gesäumt von trendigen Restaurants und Shops und mündet am Bermondsey Square. Der moderne Platz ist zu einem Treffpunkt des Viertels geworden.

Bermondsey Street: Ein Blick in die Schaufenster lohnt

Bermondsey hat eine lange Geschichte und wird schon im Doomsday Book der normannischen Eroberer aus dem Jahr 1086 erwähnt. Damals stand hier eine St. Saviour gewidmete Abtei. In dem sumpfigen Gebiet entstand eine Straße, auf der Pilger von der London Bridge zur Abtei gelangen konnten. Nach dem Großen Brand von 1666 wuchs der Stadtteil an. Allerdings siedelten sich hier auch Industriezweige an wie z. B. Gerbereien, die aufgrund des Gestanks und der verwendeten giftigen Chemikalien aus der City verbannt worden waren. In der Tanner Street sieht man heute noch Spuren davon. Eines der ältesten verbliebenen Gebäude ist die Kirche St. Mary Magdalen aus dem Jahr 1690.

Der **Bermondsey Square Antiques Market** geht auf das Jahr 1855 zurück. Damals wurden hier alle möglichen Waren verkauft, auch Diebesgut: Aufgrund einer Gesetzeslücke musste man damals gestohlene Waren, die hier gekauft wurden, nicht wieder zurückgeben. Wer heute den Markt besuchen will, muss früh aufstehen, denn er beginnt jeden Freitag um 4 Uhr morgens und endet um 13 Uhr. Hier finden sich Antikhändler ein, die zur frühen Stunde ein Schnäppchen suchen. Anders als beim Portobello Market (s. Kap. 11) sind Touristen eher dünn gesät, und es wird kein Tand verkauft. Das bedeutet allerdings auch, dass die Preise im Schnitt höher liegen. Beim Stöbern hilft es, wenn man sich etwas mit Antiquitäten auskennt. Die Händler sind aber gerne bereit, Auskunft zu geben. Viele sind Experten, was bestimmte Kunstgegenstände, Möbel, Porzellan und Glas angeht. Wer früh kommt, sollte am besten auch eine eigene Taschenlampe mitbringen, da man ansonsten außer den Strahlen anderer Taschenlampen kaum etwas erkennen kann.

Früher Lagerhäuser, heute Lofts: die Docks von Shad Thames

In Richtung Nordosten gelangt man wieder in Richtung Themse. Das Gebiet östlich der Tower Bridge war zu viktorianischen Zeiten von Docks gekennzeichnet und nannte sich **Shad Thamse**, eine Ableitung von St. John at Thames. Die alten Lagerhäuser entlang des Beckens des St. Saviour's Dock sind inzwischen in teure Lofts umgewandelt worden. An einigen Häusern sieht man noch die alten Haken, an denen per Flaschenzug Kisten in die Lagerhallen gehievt wurden. Zu Zeiten von Charles Dickens gehörte die Gegend um die Docks zu den schlimmsten in London. Im Roman »Oliver Twist« wohnt der Bandit Bill Sykes in dem damals als »Jacob's Island« bekannten Viertel.

Bald brachte die Eisenbahn durch die Anbindung an neue Verkehrswege wieder Wohlstand in das Viertel. Es entstanden viele Lagerhäuser, in denen vor allem Gewürze aufbewahrt wurden wie Vanille, Ingwer, Zimt, Anis, aber auch Tee. Viele Gebäude und Straßen erinnern heute daran wie beispielsweise »Spice Wharf Quay«. Auf der Westseite des St. Saviour-Beckens entstand innerhalb der Butler's Wharf eine kleine Piazza mit Cafés und Shops, von dort gelangt man zum **Design Museum**.

Auf der Ostseite des Hafenbeckens kann man entlang der Bermondsey Wall am Themseufers bis nach Rotherhithe spazieren. 1353 erbaute König Eward III. hier ein Haus, in der Nähe der Bermondsey Wall East. An der Stelle befindet sich heute der historische **Pub The Angel** aus dem 19. Jh. Bereits im 15. Jh. verköstigte hier ein Gasthaus die Mönche der Bermondsey Abbey. Angeblich war der Pub bei Schmugglern beliebt, und im Keller wurde viel Schmuggelware gelagert. Von hier aus hatte man außerdem einen guten Blick auf das Execution Dock in Wapping (s. Kap. 6) und angeblich zogen Hinrichtungen immer viele interessierte Zuschauer an. Heute steht der Pub allein auf weiter Flur und bietet eine tolle Aussicht auf die Themse.

INFO

Hinkommen: U-Bahn London Bridge, Northern Line oder Jubilee Line. [E4]
Information:
Bermondsey Antiques Market (76a), Bermondsey Square, Ecke Long Lane und Tower Bridge Road, SE1 3UN. Geöffnet Fr 4–13 Uhr.
Essen & Trinken: Del'Aziz, 11 Bermondsey Square, SE1 3UN, Tel.: 74072991, www.delaziz.co.uk. Geöffnet Mo–So 7–23 Uhr. Modernes Café-Restaurant mit marokkanischer Küche. Hauptgericht ab £ 13. Mi Live-Jazz.
The Garrison (76b), 99–101 Bermondsey Street, SE1 3XB, Tel.: 70899355, www.thegarrison.co.uk. Gastropub mit viel Auswahl von Salaten bis Risotto. Frühstück 8–11.30, Lunch 12–15, Dinner 18–22 Uhr. Sonntags Kinonacht, ab 19.30 Uhr. Eintritt £ 5 (der Betrag wird von gekauften Getränken abgezogen), Popcorn umsonst.
The Angel, 101 Bermondsey Wall East, Rotherhithe, SE16 4NB, Tel.: 73943214. Geöffnet Mo–Sa 12–23, So 12–22.30 Uhr.

77 Oxford Street – die längste Einkaufsstraße Londons

Das Viertel Mayfair (s. Kap. 12) wird gleich von mehreren Einkaufsstraßen durchzogen. Die **Oxford Street** ist davon nicht nur die längste, sondern auch eine der beliebtesten. Die Regent Street und die Bond Street zweigen von ihr nach Süden ab. Etwa 200 Mio. Menschen besuchen pro Jahr die Oxford Street, davon ca. 9 Mio. aus dem Ausland. Das macht die Straße zu einem wichtigen Wirtschaftsfaktor, denn hier werden pro Jahr mehrere Milliarden Britische Pfund umgesetzt. An der Oxford Street reihen sich die bekannten Namen der großen britischen Kaufhausketten aneinander.

Auf und rund um die Oxford Street muss immer mit Gedränge gerechnet werden

Aufgrund der entspannten Ladenschlussgesetze sind Geschäfte hier auch am Sonntag und an Feiertagen geöffnet. Beim Sommer- und Winterschlussverkauf kommt es zu großen Menschenansammlungen. Diese Zeiten sollte man lieber vermeiden, denn dann ist mit besonders großem Gedränge zu rechnen.

Die Oxford Street war einst Teil einer römischen Straße, die die südlichen Provinzen mit Colchester im Norden verband. Im 18. Jh. wurde das Gebiet durch **Earl of Oxford** entwickelt, nach und nach zogen Geschäfte ein. Wenn man die Einkaufsstraße in ihrer ganzen Länge entlanglaufen möchte, sollte man am Ostende bei der U-Bahnstation Tottenham Court Road beginnen.

Auf der Strecke zwischen den U-Bahnstationen Oxford Circus und Bond Street werden die Geschäfte größer und schicker und die Atmosphäre etwas gediegener. Auf der Südseite erstreckt sich das West One Shopping Centre mit zahlreichen kleineren Geschäften und vielen Café-Bars. Neben Harrods ist **Selfridges** sicherlich eines der bekanntesten Kaufhäuser Londons. Es wurde im Jahr 1909 von dem amerikanischen Millionär George Selfridge eröffnet.

Ionische Säulen zieren den grandiosen Eingang. Heute sind hier unter anderem zahlreiche hypermodische Labels untergebracht sowie eine riesige Schuhabteilung. George Selfridge war ein freigebiger Mensch, der noch zu Lebzeiten seine hart erwirtschafteten Reichtümer wieder verprasste. Zu den angesagten

Abstecher nach Soho

Südlich der Oxford Street gelangt man in das Viertel **Soho**. Einst für seine Bars und Stripclubs berühmt, ist das Viertel heute eher gediegen. In den von alteingesessenen Cafés und Hotels gesäumten Sträßchen ist auch tagsüber immer etwas los. Von den Tischen aus kann man das bunte Treiben beobachten. In der Wardour Street, Old Compton Street und Frith Street befindet sich das Schwulenviertel der Stadt mit Nachtclubs für wahre Nachtschwärmer.

Cafe Bohème, 17 Old Compton Street, W1D 5JQ, Tel.: 77340623, www.cafeboheme.co.uk. Geöffnet Mo–Fr 8–3, Sa 9–3, So 9–24 Uhr. Hier kann man vom Frühstück bis in die späte Nacht einkehren und einen Happen essen. Am Wochenende gibt es nachmittags Livemusik.

Madame Jojos, 8-10 Brewer St, Soho, W1F OSE, www.madamejojos.com. Der Nachtclub mit Cabaret ist hier bereits seit den 1940er-Jahren ansässig.

Früher verrufen, heute ein eher gediegenes Wohnviertel: Soho

preiswerteren Alternativen gehören Ketten wie Top Shop/Top Man, New Look und Primark, die immer voll im Trend liegen.

Einen Abstecher sollte man zum **Kaufhaus Liberty** unternehmen. Die Argyll Street führt von der Oxford Street dorthin. Arthur Liberty gründete seinen Laden Anfang 1875 und verkaufte Kunstobjekte aus Japan, 1885 zog man an die heutige Adresse. Arthur Liberty spezialisierte sich auf Kunsthandwerk und Design und förderte viele Talente des »Arts and Crafts Movement«, dem Vorläufer des Jugendstils. Das Kaufhaus hat sein eigenes Designstudio und stellt eigene Stoffdesigns her. Außerdem gibt es ausgefallene Einrichtungsgegenstände und Nippes. Das Haus fällt schon allein durch seine Fassade auf, die 1920 im wieder neu entdeckten Tudorstil mit Fachwerk verkleidet wurde.

Von hier nach Süden führt die Regent Street zum Piccadilly Circus. Von dort verläuft die Piccadilly Street nach Westen. An der Ecke zur Duke Street steht das Luxuskaufhaus **Fortnum and Mason**, das auch den königlichen Hof beliefert.

INFO

Hinkommen: U-Bahn Tottenham Court Road, Oxford Circus, Bond Street, Central Line. [B-C 2-3]

Einkaufen: Selfridges (77b), 400 Oxford Street, W1A 1AB, Tel.: 0800-123400, www.selfridges.com. Geöffnet Mo–Mi 9.30–20, Do–Sa 9.30–21, So 11.30–18 Uhr.

Liberty (77a), Regent Street, W1B 5AH, Tel.: 7734-1234, www.liberty.co.uk. Geöffnet Mo–Sa 10–20, So 12–18 Uhr.

78 Savile Row – den Schneidern auf die Finger geschaut

Die **Savile Row** verläuft parallel zur Bond Street, einer der exklusivsten Einkaufsadressen Londons im Stadtteil Mayfair (s. Kap. 12). Savile Row und die benachbarte Jermyn Street richten sich vor allem an die Herren der Schöpfung. Hier kann man sich ein gesamtes Outfit maßschneidern lassen und sich auch gleich mit den nötigen, teuren Accessoires eindecken.

Die Gegend um die Savile Row entstand im frühen 18. Jh. unter dem Earl of Burlington, hier lebten Offiziere und Politiker. Im 19. Jh. erschien der Lebemann Beau Brummel (1778–1840) auf der Bildfläche, der den Modestil des Dandy kreierte – mit dunklen Anzügen und schmalen Hosenbeinen. Perfektioniert wurde das Ganze mit einer kunstvoll gebundenen Krawatte. Daher wird ihm die Erfindung des Schlips nachgesagt. Eine **Bronzestatue Brummels** steht in der Jermyn Street. Der neue Stil wurde schnell auch von anderen Gentlemen nachgeahmt. Durch die Industrialisierung war eine neue, reiche Klasse von Geschäftsleuten entstanden, die sich einen angemessenen Lebensstil leisten wollte.

Nach und nach zogen Herrenschneider in Geschäftsräume in der Savile Row und boten »bespoke tailoring« an. Hierbei handelt es sich um maßgefertigte Kleidung nach den Wünschen der Kunden und aus Stoffen, die der Kunde sich ausgesucht hatte. Aufgrund der damaligen gesellschaftlichen Gepflogenheiten benötigte ein Gentleman verschiedene Anzüge für den Tag, den Abend und besondere Anlässe. Als Offizier brauchte man mehrere Uniformen. Die

Bei »Henry Poole & Co.«, heißt es, sei der Smoking erfunden worden

Textilmühlen im Norden Großbritanniens und in Schottland produzierten die dafür notwendigen feinen Wollstoffe und Tweedgarne. Bis heute sind die Schneider in der Savile Row exzellente Handwerker, und die Traditionsgeschäfte stellen auch weiterhin mehrere Tausend Anzüge pro Jahr für exklusive Kunden her, obwohl sich die Anzahl der Geschäfte reduziert hat. Die Kunden, die hierher kommen, schätzen den persönlichen Service – den selbst die Häuser der Haute Couture nicht bieten. Die Kosten für einen zwei- bis dreiteiligen Anzug liegen bei £ 3.000 bis £ 20.000.

Einige der Schneider spezialisierten sich schon früh auf bestimmte Kleidungsstücke. **Gieves & Hawkes** mit der Hausnr. 1 beispielsweise wurde 1785 gegründet und war spezialisiert auf Uniformen. Seit Jahrzehnten kleiden die Schneider auch das Königshaus ein. Die Firma gehört heute jedoch einem chinesischen Unternehmen.

Die Queen war bis vor Kurzem Kunde bei **Hardy Amies** (gegr. 1946), Hausnr. 14. In der Nr. 15 befindet sich **Henry Poole & Co** (1806), wo während der Napoleonischen Kriege die Offiziere eingekleidet wurden. Ihnen wird auch nachgesagt, den Smoking erfunden zu haben. **Huntsman & Son**, Hausnr. 11, spezialisierte sich auf Jagdanzüge und Freizeitkleidung, hier holen sich auch jüngere Designer heute ihre Inspirationen. In der Nr. 35 eröffnete 1969 das Geschäft von Tommy Nutter (gest. 1992), **Nutters of Savile Row**. Er brachte frischen Wind in die Straße und kleidete zum Beispiel die »Beatles« ein.

Man betritt die Läden über eine Treppe und wird in einem eleganten Raum von ebenso eleganten Angestellten empfangen. Im Souterrain der Geschäfte befinden sich die Werkstätten, und hier kann man den Schneidern sozusagen auf die Finger schauen wie sie an der Schneiderpuppe arbeiten.

In der Hausnr. 3 hatte übrigens die von den »Beatles« gegründete Produktionsfirma »Apple Corp.« ihren Sitz. Auf dem Dach gaben die »Pilzköpfe« 1970 ein Konzert (s. Kap. 92).

Afternoon Tea im Dorchester

Nach so viel Luxus sollte man die Teestunde in angemessenem Stil verbringen. Von der Savile Row gelangt man über die Conduit Street am Berkeley Square vorbei zur Park Lane, wo das alteingesessene **Dorchester Hotel** auf den Hyde Park blickt. Es ist für seinen opulenten Afternoon Tea berühmt. Man hat die Auswahl zwischen zwei Sälen. **The Promenade** ist ein langgestreckter Saal mit Jazz-Pianist. Hier wird der Tee fünfmal gereicht (13, 14, 15.15, 16.15 und 17.30 Uhr). Man erhält eine Etagere mit kleinen Sandwiches, einer Auswahl an Kuchen und Scones (£ 45). Die **Spatisserie**, in elegantem Weiß mit Glastischen, ist an das Spa des Hotels angeschlossen. Hier findet die Teestunde um 15.30, 16.45 und 18.45 Uhr statt und es gibt unter anderem ein Afternoon Tea-Paket mit Champagner für £ 55.

The Dorchester, 53 Park Lane, W1 1QA, Tel.: 76298888, www.thedorchester.com. U-Bahn Hyde Park Corner, Piccadilly Line.

INFO

Hinkommen: Savile Row: U-Bahn Piccadilly Circus, Piccadilly Line, Bakerloo Line. [C3]

79 Camden Town – Grufties, Märkte und Musikszene

Besondere Typen in Camden Town zu treffen ist kein Problem, Berührungsängste sollte man keine haben

Seit Jahrzehnten hat sich die einzigartige Atmosphäre in **Camden Town** kaum verändert. Auch wenn die Gegend um die Bootsanlegestelle des Camden Lock (s. Kap. 68) inzwischen von schicken Bistros belebt wird, hat das Viertel immer noch eine leicht anrüchige und gruftige Atmosphäre.

Am nördlichen Ende der **Camden High Street**, die zum Camden Lock führt, drängen sich Geschäfte und Märkte aneinander. Hier werden schräge Klamotten verkauft: schwarze Gruftie-Kluften – auf Englisch »Goths« –, futuristische Mode der Cybergoths, Lederjacken, T-Shirts in allen Ausführungen, mit den ausgefallensten Slogans, Doc Martins, Bikerstiefel und Hunderte von Sonnenbrillen in den gerade modischen Varianten. Im **Electric Ballroom** gibt es sonntags einen der größten Secondhand-Märkte (genannt »Vintage«) in London. Angst vor Tuchfühlung sollte man hier nicht haben, denn auf den Straßen und in den Geschäften herrscht Gedränge: Pro Woche besuchen bis zu 150.000 Menschen das riesige Einkaufsviertel.

Der **Camden Market** entstand im Jahr 1975. Damals noch ein kleiner Hippie-Flohmarkt, passte man sich sehr erfolgreich den wechselnden Strömungen der Jugend- und Modetrends an. Camden wurde zu einem Auffangbecken für diejenigen, die ihrem Trend auch treublieben, als er schon lange nicht mehr angesagt war. Wer Leute gucken will, wird hier bestens bedient. Denn hier kann man noch Rocker, Hippies, Punks, Grufties und Grungies in voller Kluft sehen, als wäre die Zeit stehengeblieben. Gleichzeitig gibt es hier nichts, was es in der alternativen Mode nicht gibt, vom Retro-Trend zur Cybermode – sehr hilfreich für Musiker und Clubber. Hilfreich für DJs sind auch die vielen Plattenläden, in denen man noch eine große Auswahl an seltenen Vinylplatten findet.

Der große **Camden Buck Street Market** liegt auf der Ostseite der High Street. Hier gibt es Secondhand-Klamotten, moderne Labels, Clubwear,

Schuhe etc. Wenn man der Camden High Street folgt und den Kanal über die Brücke überquert, gelangt man auf der linken Seite zum riesigen Komplex des **Camden Lock Market**, mit der Market Hall im ersten Stock, Eingang Chalk Farm Road. Hier gibt es einen Kunsthandwerksmarkt, wo Künstler ihre eigenen Designs wie Keramik und Schmuck verkaufen. Im West Yard am Westende gibt es Boutiquen, die sich beispielsweise auf Taschen, Lampen, Teppiche und Schmuck spezialisiert haben.

Hier gibt's jede Menge gruftige Klamotten

In den **Stables** und der Stables Arcade, teils im Unterbau einer viktorianischen Eisenbahnbrücke, findet man Comicshops, Antiquitäten, Secondhand-Mode, Piercing- und Tattooläden etc. Auf diesem Gelände befand sich früher ein Pferdehospital für die Zugpferde der Narrow Boats, die ziemlich schwere Arbeit leisteten und sich auch Verletzungen zuzogen. Bronzeskulpturen erinnern an die Pferde und die Kanalarbeiter. Gegenüber vom großen Camden Market Komplex auf der Ostseite der Chalk Farm Road befindet sich **Camden Lock Village**, ein weiterer erschlossener Teil am Kanal, an dem sich Geschäfte aneinanderreihen.

Camdens Musikszene

Camden ist eng mit der Londoner Musikszene verbunden, und in den Clubs und Bars des Viertels spielte manch eine Band, die später internationalen Ruhm erlangte. Zuerst brachten die irischen Immigranten, die hier in den 1930er-Jahren für die Eisenbahn arbeiteten, die Livemusik in die Kneipen. Die Tanzlokale der 1950er-Jahre wurden von Konzerthallen wie dem Roundhouse abgelöst, in dem ab 1966 Rock- und Pop-Konzerte über die Bühne gingen. Hier traten von Jimi Hendrix bis zu »Oasis« viele bekannte Bands der vergangenen Jahrzehnte auf. Im Electric Ballroom, einem der legendären Musikclubs des Viertels aus dem Jahr 1978, sowie in Veranstaltungsorten wie Koko, Barfly und Dingwalls gibt es angesagte Clubnächte und Konzerte.
Infos: Camden Town App: http://itunes. apple.com/de/app/camden-town.
Bekannte Musikclubs:
Electric Ballroom, 184 Camden High Street, NW1 8QP, Tel.: 74859006, www.electricballroom.co.uk.
Roundhouse, Chalk Farm Road, NW1 8EH, Tel.: 0844-4828008, www.roundhouse.org.uk.
Barfly, 49 Chalk Farm Road, NW1 8AN, Tel.: 0844-8472424, www.barflyclub.com.
Koko, 1a Camden High Street, NW1 7JE, Tel.: 0870-4325527, www.koko.uk.com.

INFO

Hinkommen: U-Bahn Camden Town (die Station ist immer sehr voll) oder Chalk Farm, Northern Line. [C1]
Information: Camden Lock Ltd., 54–56 Camden Lock Place, NW1 8NH, Tel.: 74857963, www.camdenlock.net. Geöffnet tgl. 10–18 Uhr. [B1]

80 Publikumsliebling – Covent Garden und Shaftesbury Avenue

Die Geschichte von **Covent Garden** begann im Jahr 1630, als der Earl of Bedford den Architekten Inigo Jones dazu berief, ein neues, elegantes Wohnviertel anzulegen. Inigo Jones, der vom italienischen Baustil beeinflusst war (s. Kap. 50), gestaltete eine Piazza – umgeben von einem rasterartigen Straßenverlauf. 1638 entstand die **St. Paul's Church**, die heute die Hauskirche der »Pearly Kings and Queens« ist (s. Kap. 47).

Covent Garden ist ein Eldorado für Straßenkünstler

Auf der Piazza fand ab 1694 regelmäßig ein Obst- und Gemüsemarkt statt. Zu dieser Zeit wurden auch zum ersten Mal exotische Früchte aus Übersee importiert wie beispielsweise Ananas. Bald ließ sich der Earl of Bedford den Markt von Charles II. beurkunden. 1830 wurde die Markthalle überdacht und der Markt wuchs. Mitte des 20. Jh. wurde der Markt in das Viertel Nine Elms verlegt (s. Kap. 58), und erst in den 1980er-Jahren die große Halle restauriert, Geschäfte und Restaurants zogen ein. Heute hat sich der Markt zu einem lebendigen Treffpunkt entwickelt. Covent Garden ist immer belebt, denn hierher kommt man nicht nur aufgrund der hübschen – aber teuren – Boutiquen mit ihrem bunten Mix aus Mode, Accessoires und Nippes. Covent Garden lädt auch wegen der vielen Cafés und Straßenkünstler zum Verweilen ein. Fast ununterbrochen wird irgendwo Akrobatik oder Musik dargeboten.

Covent Garden ist eng mit der Geschichte des heutigen **Theatreland** verbunden, wie man die Londoner Theater des West End auch nennt. Es erstreckt sich von hier bis zum **Trafalgar Square** und südlich entlang Aldwych und Strand.

Das **Theatre Royal** in der Drury Lane, das an den Covent Garden angrenzt, entstand bereits 1663 und ist damit das älteste Theater Londons. Das heutige Gebäude stammt allerdings aus dem Jahr 1812. Nachdem unter den Puritanern Theater ganz verboten wurden, belebte Charles II. nach Amtsantritt das Kunstgewerbe wieder. Ein Erlass des Königs berechtigte das Aufführen von »legitimen« Theaterstücken. Hiermit wollte man sich vom musikalischen Volkstheater abgrenzen. Damals hieß das Theater »King's Playhouse«. Heute gehört es zur »Andrew Lloyd Webber Gruppe« und zeigt Publikumsrenner wie beispielsweise »Shrek – The Musical«.

Im Jahr 1732 entstand das Covent Garden Theatre, heute das grandiose **Royal Opera House**. Nach einem Feuer wurde es Mitte des 19. Jh. und in den 1990er-Jahren umfangreich restauriert. Es ist die Heimat der »Royal Opera« und des »Royal Ballet«.

Vom Covent Garden entlang der Long Acre Street gelangt man in die West Street. Im St. Martin's Theatre wird bereits seit 1974 das Stück **The Mousetrap**, »Die Mausefalle«, von Agatha Christie gespielt. Dadurch wurde es sogar im »Guinness Buch der Rekorde« verewigt. Obwohl das Stück praktisch davon lebt, dass man die Identität des Mörders nicht kennt, ist die Faszination selbst nach so vielen Jahrzehnten und so vielen Enthüllungen des Mörders für Besucher ungebrochen.

Nach Westen verläuft die Shaftesbury Avenue (80b), das Herz des West End, das an Soho und Chinatown angrenzt (s. Kap. 18). Hier reiht sich ein Theater ans andere, viele zeigen gerade angesagte Musicals. So sind das **Lyric**, **Apollo**, **Gielgud**, **Palace Theatre**, **Shaftesbury Theatre** (Andrew Lloyd Webber) bekannt für ihre große Auswahl.
In der Straße ist auch der **Comedy Store** ansässig (s. Kap. 93).

Palace Theatre in der Shaftesbury Avenue

Am Piccadilly Circus biegt die Haymarket Street ab, so genannt, weil die Droschkenkutscher früher hier Heu für ihre Pferde kauften, südlich befindet sich das **Theatre Royal Haymarket.** Weiter entlang der Straße Strand steht das **Adelphi** (Andrew Lloyd Webber), und das **Aldwych** (Musicals) befindet sich auf der gleichnamigen Straße. Wer einen Theaterbesuch einplanen möchte, sollte rechtzeitig im Voraus buchen, vor allem, wenn bekannte Stars in einer Produktion mitspielen. Viele Theater veranstalten nachmittags sogenannte »Matinées«. Das heißt, es gibt eine Vorstellung am frühen Nachmittag und eine am Abend. Die »Matinées« sind meist weniger ausgebucht.

INFO

Hinkommen: U-Bahn Covent Garden, Piccadilly Line. [C3]
Information:
Covent Garden (80a), www.coventgardenlondonuk.com.

Essen & Trinken: Lamb & Flag Pub, 33 Rose Street, WC2E 9EB, Tel.: 0871-9511000. Dieser in einer Seitenstraße versteckte Pub ist der älteste in Covent Garden und einer der ältesten in ganz London. Bereits 1623 erhielt er seine Lizenz.

Aktivitäten

Blick vom »London Eye« Richtung Houses of Parliament

81 Schöne Aussichten – London von oben betrachtet

Für Londoner und Touristen besteht eine besondere Faszination darin, von oben auf Gebäude zu blicken, die man sonst nur aus der Froschperspektive sieht. In London gibt es viele Stellen, von denen man einen guten Ausblick auf die Stadt hat – viele davon sind kostenfrei. Einen Blick umsonst aus der Ferne erlauben beispielsweise der **Parliament Hill** in Hampstead Heath, 134 m (s. Kap. 97), der **Primrose Hill**, 78 m (s. Kap. 68), und der **Blackheath Hill** in Greenwich beim Observatorium (s. Kap. 94).

Auch trotz der neuen Hochhausriesen in der Innenstadt kann man von Sehenswürdigkeiten wie der **St. Paul's Cathedral**, 85 m (s. Kap. 52), dem **Monument**, 62 m (s. Kap. 27) und der **Tower Bridge**, 65 m, immer noch einen guten Blick auf die Umgebung erhaschen. Auch die Hochhäuser sind inzwischen teils für das Publikum geöffnet wie beispielsweise der »Shard« mit 310 m. Hier kann man die Aussichtsplattform »View from the Shard«, besuchen (s. Kap. 60).

Das London Eye (81a)

Für den Jahrtausendwechsel im Jahr 2000 wurden landesweit viele Projekte geplant, und nicht alle hatten Erfolg. Das Riesenrad **London Eye** (ursprünglich Millennium Wheel) war eine der wenigen Attraktionen, die sofort erfolgreich waren und von den Besuchern ins Herz geschlossen wurden. Die grazile Struktur des Riesenrads wurde und wird nicht als Störfaktor in der Londoner Skyline empfunden. Bei einem Spaziergang durch die Stadt erspäht man es immer wieder, und so ist das Riesenrad zu einem Orientierungspunkt geworden. Das London Eye setzt sich auch weiterhin gegen die neu aufragenden Hochhäuser durch, die momentan rundherum aus dem Boden schießen.

Sessellift und Dachwanderung

An der Themse kann man zwei weitere Attraktionen mit toller Aussicht miteinander kombinieren. Zur Olympiade 2012 wurde der **Emirates Air Line Cable Car** (81b) eingerichtet, ein Sessellift, der von der O2 Arena in Greenwich bis zum Royal Victoria Dock auf der Nordseite der Themse schwebt. Die kurze Fahrt erreicht am höchsten Punkt 90 m und dauert 5–10 Minuten, je nach Wind und Wetterlage.
Wem dies noch nicht ausreicht, der kann einen Spaziergang auf dem Dach des **Millennium Dome** unternehmen. »Up at the O2« heißt diese Attraktion, bei der man angeseilt einmal die Dachschräge des Zeltbaus umrundet. Hierbei erhält man eine Rundumsicht auf die umliegende Gegend, und der Wind pfeift einem durch die Haare.
Emirates Air Line Cable Car, Emirates Air Line, 27 Western Gateway, E16 4FA, DLR Royal Victoria. Unit 1, Emirates Cable Car Terminal, Edmund Halley Way, SE10 0FR, www.emiratesairline.co.uk, www.tfl.gov.co.uk. U-Bahn North Greenwich. In den Kabinen finden zehn Personen Platz. Kosten einfache Fahrt Erwachsene £ 4,30. Kinder £ 2,30 (mit Oystercard oder Travelcard Erwachsene £ 3,20, Kinder £ 1,60).
O2 Arena, Peninsula Square, SE10 0DX, Tel.: 84632000, www.theo2.co.uk. U-Bahn North Greenwich. Eintritt ab £ 26 pro Person, unbedingt im Voraus buchen. Geöffnet 10–18 (im Sommer 22 Uhr), Termine siehe Webseite.

Das London Eye ist weithin sichtbar und die meistbesuchte kostenpflichtige Sehenswürdigkeit in London

Der Idee für das Riesenrad lag eine Rückbesinnung auf das »Festival of Britain« im Jahr 1951 zugrunde, das schließlich zum Bau der Kultureinrichtungen an der South Bank führte. Auch damals hatte man ein Riesenrad aufgestellt. Die Struktur selbst steht symbolisch für das Rad der Zeit, das den Übergang in das neue Jahrtausend markierte. Das höchste Riesenrad Europas bietet Besuchern heute eine Rundfahrt bis auf 135 m Höhe und einen spektakulären Ausblick, der bei guten Wetterverhältnissen 40 km in die Ferne reicht.

Das London Eye in Zahlen

- Jede der 32 Kabinen wiegt 10 Tonnen und fasst 25 Personen
- Die Konstruktion dauerte sieben Jahre
- 3,5 Mio. Passagiere pro Jahr
- Es ist die meistbesuchte kostenpflichtige Sehenswürdigkeit Londons
- Bei jeder Umdrehung werden 800 Passagiere transportiert
- Eine Umdrehung dauert 30 Minuten
- Der Umfang des Rads beträgt 424 m
- Das Gesamtgewicht der Struktur beträgt 2.100 Tonnen
- Für einen Preis von £ 500 kann man eine Einzelkabine mieten

INFO

Hinkommen: U-Bahn Waterloo, Northern, Jubilee und Bakerloo Line. [D3]
Information: London Eye, South Bank, SE1 7PB, Tel.: 0871-7813000, www.londoneye.com. Geöffnet Jan.-März 10-20.30, April-Juni 10-21, Juli-Aug. 10-21.30 Uhr (Fr bis 23.30), Sept.-Dez. 10-20.30 Uhr. Eintritt Erwachsene £ 19,95, ermäßigt £ 16,50, Kinder 4-15 Jahre £ 14. Vorausbuchung ist empfohlen, da man sonst lange Schlange stehen muss.
The View from the Shard, Joiner Street, SE1 9QU, Tel. 0844-4997111, www.theviewfromtheshard.com. Geöffnet So-Mi 10-17, Do-Sa 10-22 Uhr. Eintritt Erwachsene £ 24,95, Kinder £ 18,95. Vorausbuchung notwendig.

82 Eine Bootsfahrt auf der Themse

Eine Bootsfahrt auf der Themse ist der beste Weg, die verschiedenen Ansichten der Stadt aus einer neuen Perspektive zu genießen. Man erhält einen Eindruck von der immensen Größe der Stadt, die sich entlang der beiden Ufer erstreckt, und von ihrer vielfältigen Architektur. Interessant ist vor allem auch der rege Schiffsverkehr auf dem Fluss. Man erspäht sogar die eine oder andere Luxusjacht, die vor der Tower Bridge vor Anker liegt. Bis hin zur London Bridge lässt sich noch die Wirkung der Gezeiten beobachten.

Bei einer Schifffahrt auf der Themse lernt man die Stadt anders kennen

Die Geschichte der Stadt Londons ist eng mit dem Fluss verbunden, der sie durchfließt. Einst war die Themse die »Hauptstraße« der Metropole und belebte Hauptverkehrsader. Wer es sich leisten konnte, baute seinen Palast direkt am Ufer, eine Bootsanlegestelle war gleich mit vorgesehen. Von dort aus konnte man dann angenehm London durchqueren, ohne sich in das Gewühl der engen und unsauberen Straßen zu begeben. Noch heute können Londoner, die in Außenbezirken wohnen, mit öffentlichen Fähren und auf dem angenehmen Wasserweg in die Stadt gelangen.

Flussabwärts

Thames Clippers bietet regelmäßige Fahrten flussabwärts in Richtung Osten an. Die Schiffe verkehren alle 20 Minuten von den Piers entlang des Flusses. Auf der Fahrt bis nach Greenwich bekommt man spektakuläre Aussichten vor die Kameralinse wie beispielsweise das **London Eye** (s. Kap. 81), die Southbank Theater (s. Kap. 3), das **Tate Modern** (s. Kap. 39), das **Globe Theatre** (s. Kap. 44), den Tower, Docklands und **Canary Wharf** (s. Kap. 6/7). Thames Clippers betreibt übrigens auch das »Tate Boat« (s. Kap. 38), das die beiden Tate-Galerien verbindet und andere Fahrten nach Woolwich Arsenal (s. Kap. 101) sowie zur Thames Barrier (s. Kap. 63).

Flussaufwärts

In westliche Richtung verkehren Boote der **Westminster Passenger Services Association** zwischen Westminster Pier, Kew, Richmond und Hampton Court. Das Boot folgt der Route, die Henry VIII. auf dem Weg zu seinem Palast in Hampton Court zurücklegte. Bis nach Richmond dauert die Fahrt etwa 2 Std., bis nach Hampton Court ca. 3–4 Std. Die Abfahrtszeiten sind abhängig von den Gezeiten. Auf dieser Strecke passiert man beispielsweise den **Lambeth Palace** (s. Kap. 49), **Tate Britain** (s. Kap. 38), das

Schifffahrtsbetriebe entlang der Themse

Thames Clippers, Unit 12, The Riverside Building, Trinity Buoy Wharf, 64 Orchard Place, E14 0JY, Tel.: 0870-7815049, www.thamesclippers.com. Wer mehrere Fahrten unternehmen will, für den lohnt sich ein »Daily River Roamer Ticket«, mit dem man beliebig oft ein- und aussteigen kann. Kosten: Erwachsene £ 15, Kinder £ 7,50. Abfahrt von den Piers in Millbank, Embankment, London Eye, Bankside, London Bridge, Canary Wharf, North Greenwich, Woolwich Arsenal.
Westminster Passenger Services Association (Upriver) Limited, Westminster Pier, Victoria Embankment, SW1A 2JH, Tel.: 79302062, www.wpsa.co.uk. Preis bis Richmond, einfache Fahrt, Erwachsene £ 13,50, ermäßigt £ 9, Kinder £ 6,75. Verkehrt April-Okt. tgl. von der Nordseite der Themse, unterhalb der Westminster Bridge.
Duck Tours, Head Office, 55 York Road, SE1 7NJ, Tel.: 79283132, www.londonducktours.co.uk. Fährt Mo-So 9-17.30 Uhr. Abfahrt alle 15 Minuten Station Chicheley Street, nahe Waterloo Station und London Eye. Fahrpreis Erwachsene £ 21, ermäßigt £ 16, Kinder 1-4 Jahre £ 7,50, Kinder 5-12 Jahre £ 13, Jugendliche 13-16 Jahre £ 14.

MI6-Gebäude (s. Kap. 62), die Battersea Power Station und **Kew Gardens** (s. Kap. 98). Dann fährt man durch den grünen Richmond Park, bevor man in Richmond anlegt (s. Kap. 99). Von hier aus geht es dann weiter nach Hampton Court.

Die Duck Tours

Eine Bootsfahrt der ganz anderen Art bieten **Duck Tours**. Hier erkundet man die Stadt in einem Amphibiengefährt aus dem Zweiten Weltkrieg – zu Land und zu Wasser. Die Tour beginnt mit einer Stadtrundfahrt, bevor man sich bei Vauxhall auf den Fluss begibt. Die kommentierte Sightseeingtour dauert 75 Min.

Auch das »London Eye« kann von der Themse aus bewundert werden

Unter anderem sieht man **Westminster Abbey** (s. Kap. 21), **Buckingham Palace** (s. Kap. 55), **London Eye** (s. Kap. 81), **Nelsons Column** (s. Kap. 34), **Downing Street** (s. Kap. 2), **Hyde Park Corner** (s. Kap. 65) und den **St James's Palace** (s. Kap. 64). Die Firma bietet auch eine »James Bond-Tour« an.

Tipp
Im September findet jedes Jahr das **Mayor's Thames Festival** statt, mit zahlreichen kostenlosen Veranstaltungen auf der Themse und an ihren Ufern. Infos: www.thamesfestival.org.

INFO

83 Stadtrundfahrt mit dem alten Routemaster

Dieses Unikat liebte die ganze Welt – der gute alte Routemaster

Die roten Doppeldeckerbusse Londons, genannt **Routemaster**, eingeführt im Jahr 1956, hatten einen großen Wiedererkennungswert. Sobald im Kino oder Fernsehen ein solcher Bus zu sehen war, brachte man ihn automatisch mit der Stadt London in Verbindung. 2005 aber beschloss der Bürgermeister Ken Livingstone, die überalterten Busse aus dem Verkehr zu ziehen. Man entschied sich stattdessen für »europäische Busmodelle«.

Fast sofort gab es eine Welle von Protesten, denn die Londoner hingen an ihren alten Bussen. Schließlich war der Routemaster einzigartig: Er hatte den Motor vorne und war daher hinten offen. Nach dem **»Hop-on-hop-off«-Prinzip** konnte man jederzeit auf- und abspringen.

Wenn der Bus im Verkehr zum Stillstand gekommen war, stiegen immer noch Gäste zu und aus, niemand musste warten, bis die Tür geöffnet wurde. Die Busse hatten Schaffner, und bezahlt wurde im Bus. Wenn alle Gäste eingestiegen waren, zog der Schaffner an der Klingel und gab dem Fahrer das Signal zum Losfahren. Viele Busbenutzer schätzten die Anwesenheit eines Schaffners, der Sicherheit vermittelte und die Bezahlung flexibler machte. Auch konnten die Busse aufgrund der Platzaufteilung eine größere Anzahl Gäste mitnehmen. Nachteile aber waren beispielsweise die Umweltverschmutzung, die die alten Dieselmotoren verursachten, und die Tatsache, dass diese Busse nicht behindertenfreundlich waren. Die neu eingeführten, sogenannten **Bendy Buses** – aus deutscher Produktion – waren länger und in der Mitte beweglich. Dort konnte nur noch beim Fahrer bezahlt werden, daher dauerte die Abfertigung der Wartenden wesentlich länger. Allerdings wurden so die Kosten für den Schaffner eingespart. In den teilweise chaotischen Verkehrsverhältnissen auf den engen Straßen Londons erwiesen sich die Bendy

Und so sieht der neue Routemaster aus – umweltfreundlich und mit neuester Technik ausgestattet

Buses vielfach als problematisch und blieben oft stecken. Aufgrund der wachsenden Anzahl der Beschwerden verkündete Livingstones Nachfolger Bürgermeister Boris Johnson bereits bei seinem Amtsantritt 2008, er werde die Routemaster-Busse wiederbeleben. Ein brandneues Design wurde für die roten Doppeldecker entwickelt und der erste Prototyp von Johnson höchstpersönlich im November 2011 vom Fließband gefahren. Die neuen Busse sind umweltfreundlich konstruiert und mit der neuesten Technik ausgestattet. Sie sind hinten wieder geöffnet, sodass der Zustieg flexibel ist. Sie verkehren momentan auf den Routen 9, 11, 24, 38, 148 und 390.

Wer sich für die Geschichte der Routemaster interessiert und gerne ältere Modelle des Busses begutachten möchte, der wird im **London Transport Museum** in Covent Garden fündig. Hier erhält man per Fotos, Plakate und Originale Einblick in die Entwicklung aller öffentlichen Transportmittel in London – von der Dampflokomotive bis zum modernen Omnibus.

Heritage Routes

Wer den Unterschied zwischen dem neuen und dem älteren Modell ausprobieren will, kann in einem der restaurierten alten Busse fahren. Diese werden auf den Strecken der Nr. 9 und Nr. 15 eingesetzt, den sogenannten **Heritage Routes**. Diese Strecken eignen sich gut für eine Sightseeing-Tour, denn sie führen direkt durch das Zentrum und passieren einige der wichtigsten Sehenswürdigkeiten. Bus Nr. 9 verkehrt zwischen Kensington High Street und Trafalgar Square. Hier kann man umsteigen in die Nr. 15, die vom Trafalgar Square bis zum Tower Hill weiterfährt. Die Busse verkehren 9.30-19 Uhr und fahren alle 15-20 Minuten Die gesamte Strecke dauert, je nach Verkehrsverhältnissen, 60-90 unterhaltsame Minuten.

INFO

Information:
www.london.gov.uk/priorities/transport/new-bus-london; www.tfl.gov.uk.
London Transport Museum [C3], Covent Garden Piazza, WC2E 7BB, Tel.: 75657298, www.ltmuseum.co.uk. Geöffnet Mo-Do, Sa & So 10-18, Fr 11-18 Uhr. Eintritt Erwachsene £ 15, ermäßigt £ 11,50, Kinder bis 17 Jahre frei.

84 Radfahren in London – Rent a Boris Bike

Wie ein Boris Bike mieten?

Wer sich länger in der Stadt aufhält, kann eine Mitgliedschaft beantragen und erhält eine Schlüsselkarte, die automatisch wieder aufgeladen wird. Wer die Fahrräder nur hin und wieder nutzt, kann direkt an den Mietstationen mit Bank- oder Kreditkarte bezahlen. Hier erhält man dann einen Code, den man beim Fahrradständer innerhalb von 10 Minuten eingeben muss. Es fällt eine Leihgebühr an (24 Std. £ 2, 7 Tage £ 10) sowie eine Benutzungsgebühr 1 Std. £ 1, 2 Std. £ 6, 3 Std. £ 15 etc.). Das System eignet sich daher eher für kurze Strecken. Wer eine längere Fahrradtour machen möchte, sollte daher andere Anbieter in Erwägung ziehen.

Wer sich in London aufhält, dem fallen die soliden Fahrräder mit der blauen Kennzeichnung »Barclays« auf, die sich auf den Straßen und in den Parks bewegen. Es gibt 400 Stationen in der Stadt, an denen man diese Fahrräder mieten kann. Die blaue Kennzeichnung ist das Logo des Sponsors, der »Barclays Bank«, mit deren Hilfe das Projekt ins Leben gerufen wurde. Initiator war der Londoner Bürgermeister Boris Johnson, der seine Fahrrad-Vision für London im Jahr 2010 verwirklichte. Das Projekt wurde spaßeshalber **Boris Bikes** genannt, dies wurde dann zum Markenzeichen.

Boris Johnson ist leidenschaftlicher Fahrradfahrer und fährt täglich von seinem Haus in Islington in Nordlondon (s. Kap. 9) mit dem Fahrrad zur Arbeit in die City Hall. Der unkonventionelle Konservative ist für sein wehendes, weißblondes Haar und seine etwas zerknitterten Anzüge bekannt. Auf dem Fahrrad wird das Ganze kombiniert mit einem Rucksack, den er beim Fahrradfahren statt einer Aktentasche trägt.

Johnson ist besonders stolz darauf, dass die Leihfahrräder nicht vom Diebstahl betroffen sind. Laut seiner Aussage wurden sie absichtlich plump gestaltet, sind recht schwer und »total uncool«, sodass Diebe nicht in Versuchung

Die »Boris Bikes« können an 400 Stationen in ganz London gemietet werden

Obwohl als fahrradscheu bekannt, sind etliche Londoner auf zwei Rädern unterwegs

geführt werden. Der Bürgermeister selbst war allerdings schon mehrfach Opfer von Fahrraddiebstählen und hat kein Mitleid mit den Dieben. Das erklärte Ziel der Initiative ist es, in den nächsten Jahren die Fahrradnutzung bei den sonst eher fahrradscheuen Londoner Briten um 400 % zu erhöhen. So wurde nicht nur in die Leihfahrräder investiert, sondern auch in neue Radwege, Beschilderungen und Fahrradständer an den Bahnhöfen der Stadt.

Interessant ist dabei das Konzept der **Superhighways**: Hier wurden Fahrradstrecken von außerhalb gelegenen Stadtteilen zu verschiedenen Punkten in der Innenstadt angelegt. Die blau markierten Fahrradwege sind bis zu 15 km lang und folgen den für Fahrradfahrer günstigsten Routen. Die Farbkennung vereinfacht die Orientierung. In den Informationsstellen und auf der Webseite gibt es außerdem Karten für Fahrradrouten durch London.

Empfohlene Routen

Eine sehr schöne Fahrradroute gibt es entlang des südlichen Themseufers von der Westminster Bridge bis Greenwich oder in die entgegengesetzte Richtung nach Hampton Court. Sie ist Teil des **Thames National Trail**, der dem gesamten Flusslauf der Themse von ihrem Ursprung in den Cotswolds bis zur Thames Barrier folgt. In östlicher Richtung wird der Pfad hinter der Tower Bridge ruhiger und grüner. Unterwegs passiert man einige der spektakulärsten Ansichten Londons an der Southbank, in der City und in den Docklands. In der Stadt entkommt man dem Verkehr am besten auf dem **Grünen Pfad** durch die Parks (s. Kap. 64–66). Die Mall vom Buckingham Palast zu den Horse Guards ist sonntags zudem verkehrsfrei.

INFO

Information:
Barclays Cycle Hire, www.tfl.gov.uk/modes/cycling/barclays-cycle-hire, Tel.: 0845-0263630.
Cycle Hire App, http://cyclehireapp.com/. Diese App informiert über die vorhandenen Räder an den Stationen.
Informationszentren:
U-Bahnstationen Liverpool Street und Piccadilly Circus. [E2, C3, C4]
Victoria Station gegenüber Plattform 8.
St. Pancras Travel Information Centre, Euston Road, westliche Halle.
Thames National Trail, www.the-river-thames.org.uk.
Karten: Eine Karte mit den Docking-Stationen kann man von der Webseite herunterladen. In den Informationszentren gibt es außerdem Karten mit insgesamt 50 empfohlenen Routen.

85 Mit dem Helikopter über London

Ein Helikopterflug über London ist nicht nur für Fotografen ein Highlight

Wer schwindelfrei ist und bereits den Anflug auf London besonders genossen hat, kann das Erlebnis mit einem **Helikopterflug** oder Kurzflug im Kleinflugzeug über die Großstadt ausdehnen. Der Helikopter fliegt rund 35 Minuten auf einer Höhe von ca. 300 m, sodass man wirklich einen guten Blick auf die meisten Sehenswürdigkeiten bekommt. Wenn erst alle Hochhausprojekte der Stadt fertiggestellt sind, wird man noch näher an die Spitzen der höchsten Gebäude herankommen.

Es gibt eine Reihe von Firmen, die Sightseeing-Flüge in London und der Umgebung anbieten, meist während der Sommersaison. Die Kosten, die pro Person anfallen, sind nicht so hoch, wie man vielleicht denkt – sofern man den Helikopter nicht exklusiv chartern möchte.

Die Flüge starten von unterschiedlichen Sportflughäfen in der Umgebung von London. Das **Redhill Aerodrome** beispielsweise liegt 30 Minuten mit der Bahn entfernt, unweit des Flughafens Gatwick. Der **Battersea Heliport** liegt westlich des Battersea Park an der Themse, der **City Airport** liegt östlich der Docklands, **Damyns Hall Aerodrome** befindet sich in Essex. Einige der Veranstalter nehmen Gäste zum Beispiel in Redhill auf und setzen sie dann in London ab.

Die Helikopter sind verglast und ermöglichen allen Gästen einen Rundumblick. Die Piloten kommentieren die wichtigsten Sehenswürdigkeiten. Nor-

Anbieter von Helikopterflügen

Concierge Desk, Conciergedesk Ltd, 50 Burnhill Road, Beckenham, BR3 3LA, Tel.: 33553645, Beratung Mo–Fr 9–16, Sa 9–14 Uhr. Onlinebuchung über die Webseite www.helicopter-tour.conciergedesk.co.uk. Flüge ab Battersea Heliport, Do & Sa 11.20, 13.20, 14.20, 16.20 Uhr, Preis auf Anfrage. Ab Redhill Aerodrome, 11, 12, 13, 16 Uhr. Kosten £ 135 pro Person. Der Minimum-Preis gilt bei Vollbelegung des Helikopters.
Adventure 001, Hillmotts Farm, Hedgerley Lane, Beaconsfield, HP9 2SB, Tel.: 0800-0352816, www.adventure001.com. Der Preis für einen 25-minütigen Flug startet bei £ 115 pro Person, mit dem Sportflugzeug 30 Minuten ab £ 95. Abflug von Damyns Hall, Elstree und vom Redhill Aerodrome, jeweils am Wochenende. Man erhält einen Voucher für den Flug per E-Mail.
London Helicopter Centres Ltd, The Servotec Building, Redhill Aerodrome, Kings Mill Lane, Redhill, Surrey, RH1 5JY, Tel.: 01737-823514. Beratung Mo–Fr 8.30–17.30, Sa & So 8.30–17 Uhr, www.london-helicopters.co.uk. Die Flüge dauern 30–35 Minuten, Abflug vom Redhill Aerodrome, ab £ 150 pro Person, ganzjährig.

malerweise hat man vor dem Flug Gelegenheit, ein paar Worte mit dem Piloten zu sprechen, der gerne Fragen beantwortet.

Empfehlenswert sind die Flüge, die außerhalb der Stadt beginnen. Hier bekommt man einen Eindruck von der Größe des Ballungsraumes um London. Innerhalb des Rings der Umgehungsautobahn M25 wohnen immerhin rund 8 Millionen Menschen. Die Grafschaften außerhalb des Rings bringen auch noch einmal rund 6 Millionen Einwohner zusammen. Hunderttausende von Menschen pendeln jeden Tag von diesen Randbezirken aus in die Innenstadt.

Wenn man von Osten kommt und die Außenbezirke hinter sich gelassen hat, zeichnet sich langsam die **Skyline von London** ab. Zuerst sieht man die Isle of Dogs und die Hochhäuser der **Canary Wharf** in den Docklands (s. Kap. 7). Dann erscheinen der Tower mit der **Tower Bridge**, die Türme der City mit der **Gherkin** (s. Kap. 61) und die **St. Paul's Cathedral** (s. Kap. 52). Weiter nach Westen passiert man das unverkennbare **London Eye** (s. Kap. 81) und dann die **Houses of Parliament** (s. Kap. 20). Von Süden her kommend passiert man beispielsweise die Pferderennbahn in Epsom, den **Wimbledon Tennis Club** (s. Kap. 100), **Richmond** (s. Kap. 99) und **Kew Gardens** (s. Kap. 98).

Wenn die Wetterverhältnisse gut sind, hat man eine weite Sicht und kann unvergleichliche Fotos schießen. Die Veranstalter fliegen unterschiedliche Routen, daher sollte man sich vorher genau informieren, was angeboten wird. Natürlich sind solche Flüge immer auch von den Wetterverhältnissen abhängig und es können kurzfristig Änderungen eintreten.

INFO

Foto-Tipps:
Aus einem Helikopter zu fotografieren ist eine spannende Geschichte. Damit die (Luft-)Bilder auch gut werden, sollte man folgendes beachten:
- Belichtungszeit 1/500 oder kürzer, da der Helikopter heftig vibriert. Daher sollte man sich auch nicht aufstützen.
- Größere Brennweiten verwackeln schneller. Daher ist es gut, auch ein Objektiv mit »normaler« Brennweite, beispielsweise 24–70 mm, dabeizuhaben.
- Wenn möglich, nicht durch die Scheibe fotografieren, sondern durch die offene Tür.

86 Auf grünem Rasen – Lord's Cricket Ground

Cricket wird hauptsächlich von den Nationen des britischen Commonwealth gespielt und ist Europäern wenig vertraut. Briten lernen das Spiel von Kindesbeinen an und bringen so ein intuitives Verständnis für den Spielablauf mit. Auch in den ehemaligen Commonwealth-Staaten Pakistan und Australien hat Cricket eine sehr breite Basis und ist ein wahrer Volkssport. Für »Outsider« erschließen sich die komplexen Regeln mit ihren taktischen Varianten allerdings nicht besonders schnell.

Da die Spiele sehr lange dauern, ist Cricket kein ausgesprochener Zuschauersport. Die Durchschnittsdauer eines Test-Matches liegt bei fünf Tagen. »One Day Matches« dauern allerdings nur einen Tag und sind daher publikumswirksamer. Wer auf den Rängen sitzt, muss trotzdem sehr geduldig sein, denn die meisten der 13 Spieler stehen lange unbeweglich auf dem Spielfeld. Zudem ist das Feld sehr groß, sodass man sich oft mit einem Fernglas behelfen muss. Da reißt es einen nur bei wenigen Gelegenheiten richtig vom Stuhl – allerdings sind überschwängliche Gefühlsäußerungen bei dem traditionsreichen Sport auch gar nicht gefragt.

Der Ursprung des Spiels ist bis heute ungeklärt, was es mit einer gewissen mystischen Aura versieht. Im 18. Jh. war Cricket unter der ländlichen Bevölkerung verbreitet und zog bald das Interesse des Landadels auf sich. Dieser begann, aus den besten Spielern eigene Mannschaften zusammenzustellen und zu finanzieren. Bereits 1744 wurden die Regeln für das Spiel vom **MCC – Marylebone Cricket Club** offiziell festgelegt. Die Mitglieder des Clubs,

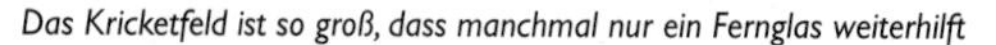
Das Kricketfeld ist so groß, dass manchmal nur ein Fernglas weiterhilft

unter ihnen Thomas Lord, gründeten 1787 den **Lord's Cricket Ground**, ganz in der Nähe des Regent's Park (s. Kap. 67). 1787 fand hier das erste Spiel zwischen zwei Mannschaften aus Essex und Middlesex statt.

Lord's wird daher als Heimat des Cricketspiels angesehen und hat für die nationalen und internationalen Spieler eine große Bedeutung. Hier werden auch die »Ashes« aufbewahrt, der »Heilige Gral« des Cricket: In einer Glasvitrine befindet sich eine Terracotta-Urne, die angeblich die Asche eines Cricket-Querstabs aus dem Jahr 1882 enthält. In jenem Jahr schlug zum ersten Mal Australien Gastgeber England in einem internationalen Match im Oval Stadion auf englischem Boden. In der australischen Presse sprach man davon, dass England eingeäschert worden sei und dass man die Asche mit nach Australien nehmen werde. Im Rückspiel, das in Australien ausgetragen wurde, gewannen jedoch die Engländer, und dem Kapitän des englischen Teams wurde daraufhin feierlich die Urne mit der Asche übergeben.

Der Wettkampf **The Ashes** entstand aus dieser Begebenheit. Er wird nur zwischen England und Australien ausgetragen und findet alle zwei Jahre statt. Der Sieger hält dann jeweils bis zum nächsten Match den Titel The Ashes. Die Urne selbst hat nur symbolischen Charakter und bleibt im Lord's Cricket Ground. Das Spielfeld des Lord's stellt die Spieler vor einige Probleme, denn es fällt nach Südosten hin ab. Da man im Cricket ungern mit Traditionen bricht, darf das Gelände jedoch nicht begradigt werden. So müssen sich die Spieler auf das Spielfeld einstellen. Von den historischen Gebäuden des Lord's Cricket Ground ist nur noch der viktorianische Pavillon aus dem Jahr 1890 übrig geblieben. Hier befindet sich das **älteste Sportmuseum der Welt**.

Blick ins Sportmuseum

Außer der Urne mit den »Ashes« hat man Gelegenheit, den **Long Room** zu besichtigen, durch den die Spieler auf das Feld gelangen. Die Umkleideräume sind dekoriert mit Tafeln der Spielergebnisse aus verschiedenen Jahrhunderten. Der MCC ist heute übrigens ein sehr exklusiver Club. Mitglied wird nur, wer sehr gute Verbindungen hat.

INFO

Hinkommen: U-Bahn St. Johns Wood, Jubilee Line. [B2]
Information: Lord's Cricket Ground, St. John's Wood Road, NW8 8QN, Tel.: 76168598, www.lords.org. Museum, tgl. 10–16.30 Uhr, Erwachsene £ 7,50, Kinder unter 16 Jahre und ermäßigt £ 5. Geführte Touren stündlich jeweils Jan.–März Mo–Fr 11–14, Sa & So erste Tour 10 Uhr; April 10–14, Sa & So letzte Tour 15 Uhr, Mai–Okt. tgl. 10–15, Nov.–Dez. tgl. 10–14 Uhr. Erwachsene £ 18, ermäßigt £ 12, Kinder 5–15 Jahre frei.
Essen & Trinken:
Duke of York, 2 St. Ann's Terrace, NW8 6PJ, Tel.: 77221933, www.thedukeofyork.com. Café-Restaurant mit marokkanisch inspirierter Küche. Schöne Lage mit Außenbereich, nahe Station St. John's Wood.

87 Wembley Stadion-Tour

90.000 Menschen haben Platz im Wembley Stadion, das von Sir Norman Foster gestaltet wurde

Das Gebiet um die moderne **Wembley City**, die das Wembley Stadion, die Wembley Arena und den Arena Square umfasst, wurde erst nach Bau der Eisenbahnstrecke 1837 erschlossen. Der Name geht auf das angelsächsische »Wemba Lea« (»Wembas Wiese«) zurück.

Das erste **Wembley Stadion** entstand im Jahr 1923 und war damals noch als Empire Stadion bekannt, da es zum Anlass der »British Empire Exhibition« 1924 gebaut worden war. Allerdings war das Gelände bereits seit den 1880er-Jahren als Fußballplatz benutzt worden. Das Empire Stadion wurde in nur 300 Tagen aus dem Boden gestampft, genau rechtzeitig zum ersten Spiel des »FA Cup Final« der Clubs »Bolton Wanderers« und »West Ham«. Das Stadion hatte 127.000 Sitzplätze, allerdings kamen 300.000 Besucher, um sich das Spiel anzusehen. Die Besucher drängten sich auf das Spielfeld und mussten von der Polizei zurückgehalten werden, damit das Spiel überhaupt stattfinden konnte. Nach Ende der Ausstellung im Jahr 1925 sollte der Bau abgerissen werden, aber ein Sponsor konnte dies verhindern.

1948 wurde im Wembley Stadion die Olympiade ausgetragen. Danach wurde es für Nationalspiele wie das »FA Cup Final« genutzt und später auch für internationale Spiele. Wahrzeichen des alten Wembley Stadions waren seine zwei weißen Türme und die 39 Stufen, die zur königlichen Loge, der **Royal Box** führten. Der Fußballstar Pelé, der von 1956–1977 für die brasilianische Nationalmannschaft spielte, bezeichnete das Wembley Stadion als **Kathedrale des Fußballs**. Hier wurde das Endspiel der Weltmeisterschaft 1966 ausgetragen – das für die Briten legendäre Spiel, in dem sie nicht nur die Deutschen besiegten, sondern auch noch Weltmeister wurden. 2000 wurde das marode alte Stadion geschlossen, aber erst 2003 abgerissen. Dann dauerte es noch einmal fünf Jahre, bis 2007 das neue Gebäude in Betrieb genommen wurde. Das Projekt galt vielfach als die peinlichste Fehlspekulation der Labour-

Regierung – abgesehen vom Millennium Dome. Nicht nur, dass die Fertigstellung ständig verzögert wurde, zudem hatten sich gegen Ende die geplanten Kosten mehr als vervierfacht, und man geht heute von einer Summe von ca. 1,4 Milliarden anstatt der geplanten 326 Millionen britischen Pfund aus.

Das neue Stadion wurde von Foster und Partner gestaltet. Herausragendes Merkmal ist der 133 m hohe Leuchtbogen, der anstelle der zwei weißen Türme als Wahrzeichen dienen soll. Im Stadion haben 90.000 Menschen Platz, und es hat ein bewegliches Dach. Eine Statue von Bobby Moore, dem Kapitän des Teams aus dem Jahr 1966, steht vor dem Stadion und blickt auf den Wembley Way.

Während der Stadiontour besichtigt man die Einrichtungen des Stadions und sieht viele Erinnerungsstücke an die vergangenen Jahrzehnte wie Trophäen und Fußballtrikots. Zu den größten Ereignissen gehörten jedoch nicht nur Fußball-Wettkämpfe, sondern beispielsweise auch das **Live Aid Concert** 1985.

Die benachbarte **Wembley Arena** entstand 1934 als »Empire Pool« und Sportarena. Seit einem Komplettumbau 2006 spielen hier wieder stadionfüllend Pop- und Rockstars, es finden aber auch andere Großveranstaltungen statt. Die Arena ist mit 12.500 Sitzen neben der **O2 Arena** und dem **Earls Court** die drittgrößte überdachte Konzerthalle Londons. Vor der Halle gibt es einen **Square of Fame**, bei dem unter anderem Madonna, Kylie Minogue, Dolly Parton und Bryan Adams ihre Handabdrücke hinterlassen haben.

Chelsea FC- und Arsenal-Stadiontouren

Die Stadien der beiden namhaften Londoner Clubs können besichtigt werden. Beide bieten ein Club-Museum sowie eine Tour durch das Stadion. (Fans wissen, dass André Schürrle bei Chelsea spielt und Lukas Podolski im Team von Arsenal)
Chelsea Stadium and Museum, Stamford Bridge, Fulham Road, SW6 1HS, Tel.: 0871-9841955, www.chelseafc.com/stadium-tours-info. Geführte Legends-Tour, Mo–Fr halbstündlich von 10–15 Uhr. Museum geöffnet Mo–So 9.30–17 Uhr (letzter Einlass 16 Uhr). An ausgesuchten Spieltagen 9.30–1 Std. vor Anpfiff. Eintritt Tour und Museum Erwachsene £ 20, ermäßigt £ 14, Kinder (5–15 Jahre) £ 13.
Arsenal Football Club, Emirates Stadium, Highbury House, 75 Drayton Park, N5 1BU, Tel.: 76195003, www.arsenal.com/emirates/emirates-stadium-tours. Selbstgeführte Audio-Tour (deutschsprachig) Mo–Sa 10–18 (letzter Eintritt 17 Uhr), So 10–16.30 Uhr (letzter Eintritt 15.30 Uhr), Eintritt Erwachsene £ 18, Kinder (unter 16 Jahren) £ 9,50. Museum geöffnet Mo–Sa 10.30–18, So 10.30–16.30 Uhr, an Spieltagen 10.30–1 Std. vor Anpfiff. Eintritt Erwachsene £ 7,50, Kinder (unter 16 Jahren) £ 4,50.

INFO

Hinkommen: U-Bahn Wembley Park, Metropolitan oder Jubilee Line. [B1]
Information:
Wembley Stadium, Wembley, HA9 0WS, Tel.: 0844-8002755, www.wembleystadium.com. Tgl. geführte Touren 10, 11, 11.30–14.30 halbstündlich, 15 und 16 Uhr. Eintritt: Erwachsene £ 16, ermäßigt und Kinder unter 16 Jahren £ 9.
Wembley Arena, Arena Square, Engineers Way, HA9 0AA, Tel.: 87825566, www.wembleyarena.co.uk.
Wembley Market, geöffnet sonntags, 9–16 Uhr, www.wembley.co.uk, www.wendyfairmarkets.com.

88 Ein Abend beim Hunderennen

Die britische Redewendung »going to the dogs« – auf Deutsch »vor die Hunde gehen« – entstand wahrscheinlich im Zusammenhang mit dem populären Wettsport des Hunderennens. Im Gegensatz zum Pferderennen, das traditionell ein Sport der Oberklasse war, war das **Hunderennen** ein Zeitvertreib der Arbeiterklasse. Es bietet zwar nicht den Glamour eines »Ladies Day« in Ascot, aber der Eintritt zur Rennbahn ist erschwinglich, und man muss nicht lange im Voraus buchen.

Was beide Sportarten gemeinsam haben, ist die Wettleidenschaft der Zuschauer. Denn Briten wetten gerne. Hiervon zeugen die zahlreichen Wettbüros, die man auf jeder High Street im Land findet. Obwohl auch hin und wieder Wetten über das Wetter abgeschlossen werden, beziehen sich die meisten auf Sportarten wie Fußball oder Pferderennen. Zu Beginn des 20. Jh. wurde der Hunderennsport besonders populär. Der große Vorteil hier sind die kleineren Einsätze, allerdings sind auch die Gewinnspannen niedriger. Daher kann man auch mit einer Hundewette »vor die Hunde gehen«.

Im **GRA Wimbledon Greyhound Stadium** gehen Greyhounds, also Windhunde, an den Start. Daher heißt der Sport offiziell **Greyhound Racing**. Nach dem Zweiten Weltkrieg allerdings wurden Hunderennen als Zuschauersport weitestgehend vom Fußball verdrängt. Auch führte die Tatsache, dass man heute Wetten im Wettbüro oder online abschließen kann, zum

Hier geht's zur Sache: Manch ein Brite ist mit Hundewetten schon reich geworden – mancher arm

Rückgang der Publikumszahlen auf den Rennbahnen. Um dem entgegenzuwirken, haben die Veranstalter in den letzten Jahren umfangreiche Neuerungen eingeführt. So gibt es offene und geschlossene Ränge, wo man im Warmen sitzen kann. Innen wird außerdem das Rennen auf Leinwänden übertragen. Weiterhin kann man in einem gesonderten Restaurant einen Fensterplatz buchen. Und im Unterschied zu Pferderennen findet das Greyhound Racing abends statt. Es eignet sich daher für Betriebsausflüge oder Partys. Inzwischen werden zahlreiche Pakete und Sonderpreise angeboten, aus denen man sich das Passende aussuchen kann.

Wer einmal das Hunderennen besucht hat, wird sich der **Faszination** kaum entziehen können. Es herrscht eine aufgeladene Atmosphäre, denn man muss seine Wetten sehr schnell setzen, was zur allgemeinen Aufregung beiträgt. Die Rennen sind recht kurz und alle 15 Minuten findet ein neues statt.

Wetten setzen

Der Mindesteinsatz liegt bei £ 2. Wettannahmestellen befinden sich in den Aussichtsplattformen und auf der Trackside. Es gibt auch Wettautomaten. Am Eingang erhält man ein Programm, das die Rennen auflistet. Es beinhaltet auch Informationen über die Hunde, die an den Start gehen, sodass man seine Wahl treffen kann. Jeder Hund hat eine Nummer, die sogenannte »Trap Number«, auf die man setzt. Zusätzlich kann man auf Gewinn setzen (to win), auf die Platzierung (to place), auf den 1. und 2. Sieger (forecast), etc. Außerdem kann man auf den Jackpot setzen.

Die Greyhounds, die nummerierte Binden tragen, erbringen eine erstaunliche sportliche Leistung bei der Verfolgung eines symbolischen Hasen, des »Hare«. Dieser ist motorisiert und an einem Stab angebracht, der in rasender Geschwindigkeit seine Runden um die ovale Laufbahn dreht. Bis 1912 war die Lauffläche noch gerade und der Hase lebendig.

Heute wird die Hundehaltung in Großbritannien durch das »Greyhound Board of Great Britain« (GBGB) geregelt, das eine artgerechte Haltung sichert und für den Tierschutz sorgt. Besucher sollten also nur Stadien besuchen, die vom GBGB autorisiert sind. Die Renntiere selbst sind in Privatbesitz und werden von den Trainern versorgt und trainiert.

Ähnlich wie in einem Fußballstadion wird man die Atmosphäre des Rennens nur dann völlig erfassen, wenn man sich auf die Trackside begibt, also auf die offenen Ränge im Stadion. Hier sitzen die eingeschworenen **Punter**, die Wettenden, die sich auskennen. Und in der **Trackside Bar** gibt es Bier oder eine wärmende Tasse Tee oder Kaffee.

INFO

Hinkommen:
U-Bahn District Line bis Wimbledon, dann Bus Nr. 493. U-Bahn Northern Line bis Tooting Hill, dann Bus Nr. 493. Der Bus hält direkt vor dem Stadion. Mit dem Zug von St. Pancras nach Haydon's Road.

GRA Wimbledon Greyhound Stadium, Plough Lane, Wimbledon, SW17 0BL, Tel.: 0870-8408905, www.lovethedogs.co.uk. Rennen Fr & Sa ab 19.30 Uhr, letztes Rennen 22.30 Uhr. Eintritt ab 18.30 Uhr. Eintritt Erwachsene £ 7, Kinder 12–17 Jahre £ 3,50, Kinder unter 12 Jahre und Senioren frei.

89 Das Sherlock Holmes Museum

Einer der berühmtesten fiktiven Detektive der Welt lebte, so will es die Literatur, in der **Baker Street Nr. 221b**. Die Geschichten um den Detektiv und seinen Assistenten Dr. Watson sind so oft verfilmt und für das Fernsehen adaptiert worden, dass sich manche Fans schlichtweg weigern zu akzeptieren, dass **Sherlock Holmes** nicht wirklich gelebt hat. Dabei ist es auf eine gewisse Weise nicht hilfreich, dass man das Holmes-Haus in der Baker Street liebevoll eingerichtet und mit Memorabilien bestückt hat.

Fragen tauchen allerdings spätestens dann auf, wenn man feststellt, dass die Hausnummern der umliegenden Häuser darauf hinweisen, dass sich das Heim von Holmes und Watson genau genommen in der Hausnummer 239 befindet. Die Betreiber des Museums erhielten von der Stadt London die Erlaubnis, die Nummer entsprechend anzugleichen, um Fiktion zur Wirklichkeit werden zu lassen. Zu der Zeit, als die Bücher geschrieben wurden, existierte die Hausnummer 221b noch gar nicht. Später befand sich die »Abbey National Bank« in den Hausnummern 215–229 und erhielt fast täglich Post, die an den Detektiv adressiert war. Mit der offiziellen Anerkennung der fiktiven Hausnummer wollte man anderen Anwohnern das selbe Schicksal ersparen. Man ging sogar noch einen Schritt weiter und beantragte eine Blaue Plakette (s. Kap. 19), die den Namen von Sherlock Holmes trägt sowie seine Berufsbezeichnung »Consulting Detective«, (beratender Detektiv) und seine Dienstzeit »1881–1904«.

Nahe der Baker Street U-Bahnstation steht eine Statue des großen Detektivs

Arthur Conan Doyle

Der Schriftsteller, dessen Fantasie Holmes seine Existenz verdankt, war der schottische Arzt Arthur Conan Doyle (1859–1930). Zur Zeit der Erstveröffentlichung im Jahr 1887 war die Kriminalgeschichte ein brandneues Genre. Conan Doyles Bücher inspirierten später unzählige Krimischreiber, nicht zuletzt Agatha Christie, die mit Hercule Poirot und Miss Marple in den 1920er- und 1930er-Jahren zwei weitere geniale Freizeitkommissare erfand. Doyle wurde in Edinburgh geboren und studierte 1876 an der dortigen medizinischen Fakultät unter Joseph Bell. Bell vertrat die moderne Theorie, dass man den Symptomen einer Krankheit am besten auf den Grund gehen konnte, indem man den Patienten genau befragte, beobachtete und hieraus die Fakten ableitete. Unter Bell mussten die Studenten Testpatienten befragen und eine Diagnose stellen, ohne diese körperlich untersucht zu haben. Diese Ideen flossen in Doyles Bücher ein.
Es gehört zu den genialen Fähigkeiten von Holmes, in den scheinbaren Nebensächlichkeiten, die andere für unwichtig erachten, Hinweise auf die Lösung des Falls zu entdecken. Scotland Yard war erst wenige Jahrzehnte vorher gegründet worden (s. Kap. 33), und in den Zeitungen wurde oft von aufsehenerregenden Kriminalfällen berichtet – nicht zuletzt auch von den Ripper-Morden (s. Kap. 90), die von einem aufnahmewilligen Publikum gelesen wurden. Doyle veröffentlichte 56 Kurzgeschichten über den Helden und vier Romane. Er empfand ihn später als eine Last und ließ den Charakter 1893 sterben. 1901 wurde er jedoch wiederbelebt.

Die Plaketten erinnern sonst nur an reale Personen. Angesichts solch einer Verdrehung der Tatsachen hätte der Detektiv selbst sicher sofort Nachforschungen angestellt.

Das Museum

Das Museum eröffnete im Jahr 1990 in einem viktorianischen Stadthaus. Es wurde entsprechend dem viktorianischen Geschmack als Wohnhaus eines Gentleman der oberen Mittelklasse eingerichtet. Die Möbel und Einrichtungsgegenstände stammen aus der Zeit von 1881 bis 1904, daher ist es schon allein als historisches Wohnhaus sehenswert. Das Museum wird verwaltet von der **Sherlock Holmes International Society**. Mitglieder der Vereinigung beantworten noch heute die vielen Briefe, die aus der ganzen Welt an den Detektiv geschickt werden. Im Museumsshop kann man viele witzige Memorabilien kaufen wie beispielsweise die karierten Holmes-Kappen, Polizeipfeifen, Handschellen etc. Die Familie von Arthur Conan Doyle hat sich gegen das Museum ausgesprochen, da sie der Meinung ist, der Autor hätte es nicht befürwortet.

INFO

Hinkommen:
U-Bahn Baker Street, Bakerloo Line, Circle Line, Hammersmith & City Line. [B2]

Information: The Sherlock Holmes Museum, 221b Baker Street, NW1 6XE, Tel.: 72243688, www.sherlock-holmes.co.uk. Geöffnet tgl. 9.30–18 Uhr. Eintritt Erwachsene £ 10, Kinder unter 16 Jahre £ 8.

90 Gruseltour zu den Gangstertreffs im East End

Zahlreiche Veranstalter bieten **Wanderungen durch das East End** an, bei denen man sich auf den Spuren berüchtigter Gangster wie Jack the Ripper und den Kray Twins begibt. Hier gewinnt man einen lebhaften Eindruck vom East End der Vergangenheit.

Zwischen August und November 1888 verübte ein bis heute nicht identifizierter Täter unter dem Decknamen »Jack the Ripper« die sogenannten »Whitechapel Morde«, die dem von sozialen Problemen gebeutelten East End Londons zu zweifelhafter Popularität verhalfen. Jack the Ripper gilt als der erste Serienmörder der Kriminalgeschichte und ist das Produkt vieler Darstellungen in Literatur und Film.

Hier stand »Jack the Ripper« bei der Namensgebung Pate

Zur Zeit der Morde hausten die Eastender unter haarsträubenden Bedingungen. Drogenmissbrauch, Trunksucht und Kriminalität gehörten zur Tagesordnung. Wegen der Armut war Prostitution auch unter verheirateten Frauen weit verbreitet und man nimmt an, dass der Serienmörder sich als Rächer für moralische Vergehen sah. In einem Zeitraum von sechs Wochen ermordete Jack the Ripper in den Gassen von Whitechapel und Spitalfields fünf Prostituierte. In der Bucks Row (heute Durward Street), die von der Whitechapel Road abzweigt, fand man die Leiche von Mary Ann Nichols (42 Jahre) in der Nähe einer Schule, die heute noch hier steht. Das zweite Opfer, Annie Chapman, wurde im Hof der Hanbury Street Nr. 29, die von der Commercial Street abzweigt, ermordet. Zwei weitere Morde, die in derselben Nacht stattfanden, lösten im September 1888 in der Bevölkerung eine Panikwelle aus. Elizabeth Strides fand man in der Berner Street (heute Henriques Street, südlich der Commercial Road) und Catherine Eddowes im Mitre Square, nahe Aldgate. Mary Jane Kelly, mit 25 Jahren das jüngste Opfer, wurde in ihrem Zimmer in der Dorset Street (ein Durchgang zwischen Brushfield Street und White's Row) aufgefunden. Allen Opfern wurden die Kehle durchgeschnitten und grausame Verstümmelungen zugefügt.

Der **Ten Bells Pub** in der Commercial Street war ein beliebter Treffpunkt für zwielichtige Gestalten und einige der Opfer waren hier Stammgäste. Man nimmt an, dass auch der Mörder den Pub frequentierte und dass er in der Fournier Street wohnte, gleich um die Ecke.

Obwohl man das Tatgebiet und die Opfer ziemlich genau eingrenzen konnte, machte man bei der Lösung des Falles keine nennenswerten Fortschritte. Ein Arzt des Royal London Hospitals (s. Kap. 30), Thomas Horrocks Openshaw, war bei der Untersuchung der Morde beteiligt. Er musste beispielsweise eine konservierte Niere identifizieren, die zusammen mit einem Brief in einem Päckchen an die Polizei geschickt worden war. Da die Morde ganz plötzlich aufhörten, wird weithin angenommen, dass der Täter Selbstmord verübt hat. Was heute in Publikationen und Medien über Jack the Ripper kursiert, basiert immer noch weitgehend auf Annahmen und wenigen Fakten.

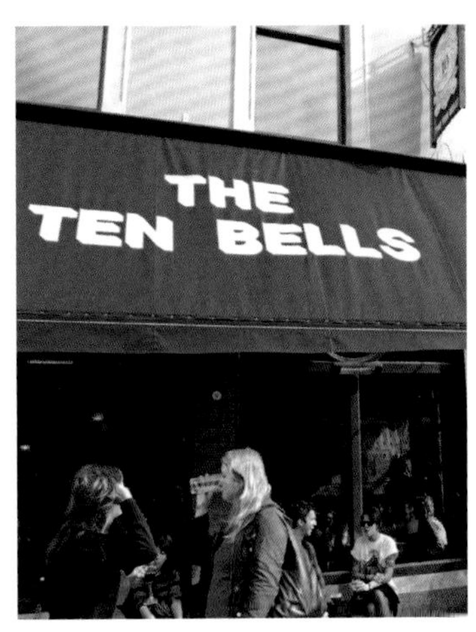

»The Ten Bells«: früher berüchtigter Pub

Viele Jahrzehnte später war der **Blind Beggar Pub** auf der Whitechapel Road ein beliebter Treffpunkt für die Menschen, die am Rande der Gesellschaft lebten. Die Zwillinge Ronnie und Reggie Kray, auch genannt »Kray Twins«, führten in den 1960er-Jahren von dem unscheinbaren Haus ihrer Mutter in Bethnal Green eine mafiaähnliche kriminelle Organisation im East End. Sie tauchten ein in das Swinging London der Epoche, führten Nachtklubs und verkehrten mit Popstars und Schauspielern. Dies fand ein jähes Ende, nachdem Ronnie Kray im Blind Beggar seinen Widersacher George Cornell in aller Öffentlichkeit zwischen die Augen schoss. Scotland Yard, das den Fall untersuchte, stieß zunächst überall auf »stumme Zeugen«. Niemand traute sich auszusagen, obwohl der Pub zur Zeit des Verbrechens voller Menschen war. Erst im Jahr 1969 wurden die Brüder im Gerichtsgebäude des Old Bailey verurteilt. Beide verstarben im Gefängnis.

INFO

Information:

Ten Bells Pub (90a), 84 Commercial Street, E1 6LY, Tel.: 73661721, www.tenbells.com. U-Bahn Aldgate, Metropolitan Line. Der lebhafte Pub ist immer noch so beliebt wie zu Jack the Ripper's Zeiten. [E2]

The Blind Beggar (90b), 337 Whitechapel Road, E1 1BU, www.theblindbeggar.com. U-Bahn Whitechapel, District Line. [F2]

London Walks, Tel.: 76243978, www.walks.com, veranstaltet Touren durch das East End, u. a. eine »Jack the Ripper Tour«. Eintritt Erwachsene £ 7, Kinder unter 15 Jahre frei.

East End Tours, Tel.: 0780-3067544, www.eastendtours.com, veranstaltet beispielsweise »The Kray's Tour« und »Jack the Ripper Tour«, Eintritt £ 10. Die Touren beginnen bei der Whitechapel Gallery, 77–82 Whitechapel Street.

Brit Movie Tours, http://britmovietours.com/bookings/gangster-tour-of-london. Der Schauspieler Stephen Marcus, der in dem Film »Lock, Stock and Two Smoking Barrels« mitspielte, führt die Teilnehmer durch die einstigen Jagdgründe der Krays im East End. Termine: März–Aug. jeweils der letzte Freitag im Monat, 13 Uhr. Eintritt Erwachsene £ 20, Mindestalter 16 Jahre.

91 Kings Cross 9 3/4 – mit Harry Potter durch London

Am Stadtrand von London in Leavesden befinden sich die Warner Bros. Studios, in denen große Teile der **»Harry Potter«-Filme** gedreht wurden. Seit 2012 pilgern Fans in die Studios, um in die Kulissen aus den Filmen einzutauchen. Aber auch in London können Kenner der Roman-Verfilmungen an vielen Stellen in der Stadt Original-Schauplätze wiedererkennen. Zahlreiche Veranstalter bieten Touren auf den Spuren von Harry Potter an. Die geführten Touren sind empfehlenswert, da man gleichzeitig Interessantes über die besuchten Stadtteile und Sehenswürdigkeiten nahebei erfährt.

Beliebtes Fotomotiv im Bahnhof King's Cross

Nachdem der letzte Film angedreht war, beschloss Warner Bros., das Filmstudio in ein interaktives Museum umzuwandeln: »The Making of Harry Potter«. Beim Betreten der Großen Halle von Hogwarts (Great Hall) fühlen sich Potter-Fans wie Schüler des Zauberinternats. Zu den weiteren Highlights gehört das Studioset des Büros von Schulleiter Albus Dumbledore, der Raum der Zaubertränke und das Heim der Weasley-Familie. Vor dem Green Screen kann man nachempfinden, wie die Stunts für die Besen-Flüge beim Quidditch gefilmt wurden.

Bei einem Rundgang durch London aber übersehen die meisten Besucher den Eingang zum **Zaubereiministerium** (Ministry of Magic). Dabei befindet er sich gleich um die Ecke von der Downing Street, in einer Seitenstraße der Whitehall (s. Kap. 2), im Great Scotland Yard/Ecke Scotland Place. Für die Winkelgasse (Diagon Alley) suchten sich die Filmemacher die urigen Gässchen rund um den Borough Market aus (s. Kap. 4). Hier hält beispielsweise der »Fahrende Ritter« (Knight Bus), als er Harry am Tropfenden Kessel absetzt. Für die Geschäftsfassaden in der Winkelgasse musste allerdings der Leadenhall Market herhalten (s. Kap. 61). Im Film »Stein der Weisen« betreten Hagrid und Harry die Arkade durch einen Optikerladen in der Nr. 42 Bull's Head Passage.

In »Harry Potter und der Halbblutprinz« wurde der Eingang jedoch in den Cecil Court verlegt, eine Seitenstraße der Charing Cross Road. Hier gibt es historische Fassaden und Buchläden. Der Sitz des Phönixordens und das

Heim von Sirius Black, Nr. 12 Grimmauld Place, wurde ebenfall an zwei Orten gefilmt: am Claremont Square (nahe dem Bahnhof King's Cross) und in Lincoln Inn Fields (nahe Temple, s. Kap. 23).

Hier um die Ecke muss es sein, das Zaubereiministerium

Ein beliebtes Fotomotiv ist der **Bahnsteig 9 3/4** (Platform 9 3/4), ebenfalls am **Bahnhof King's Cross**. Er ist nicht zu übersehen, da er mit einer Plakette markiert ist. Tatsächlich hatte die Autorin J. K. Rowling die Gleisanordnung des Nachbarbahnhofs Euston vor Augen, als sie das Buch verfasste. Aber aller guten Dinge sind drei: Im Film »Stein der Weisen« beginnt Harrys Reise nach Hogwarts im fliegenden Ford Anglia zusammen mit Ron Weasley vor dem **Bahnhof St. Pancras** (s. Kap. 56), der genau zwischen den beiden anderen Bahnhöfen liegt.

Die Innenräume der Australischen Botschaft im Australia House – an der Straße »The Strand« – dienten als Hintergrund für **Gringotts Bank**. Leider gibt es zu den Innenräumen keinen Zutritt, aber kann man wenigstens durch die Tür spähen. Das Haus ist zudem ein Juwel des Art déco (s. Kap. 58) und entstand zwischen 1913–1918 aus Baumaterial, das aus Australien importiert worden war.

Von hier aus kann man noch einen Abstecher zur Themse zur **Millennium Bridge** machen. Die Brücke wird im Film »Der Halbblutprinz« von Todessern zum Einsturz gebracht.

INFO

Information:
Warner Bros. Studio Tour, The Making of Harry Potter, Leavesden, WD25 7LS, Tel.: 08450-840900, www.wbstudiotour.co.uk. Bahnhof Euston nach Watford Junction, von dort mit Shuttlebus (£ 2) alle 30 Minuten zum Studio. Eintritt Erwachsene £ 31, Kinder (5-15 Jahre) £ 23,50. [C2]

Spaziergänge und chauffierte Touren:
London Walks, www.walks.com, bieten auch auf dieser Tour einen professionellen Service.
Muggle Tours, www.muggletours.co.uk. Dieser Veranstalter bietet ausschließlich Harry Potter-Spaziergänge an und richtet sich an Kinder.
BritMovieTours, http://britmovietours.com/bookings/harry-potter-london-tour. Bustouren und Spaziergänge zu festgelegten Daten.
UK London Chauffeur, www.uklondonchauffeur.co.uk. Chauffierte Tour durch London und Oxford, mit Warner Studios Tour.

92 Rundfahrt auf den Spuren der Beatles

Wer sich in London auf die Spuren der Beatles begibt, muss auf eine umfassende Rundreise gefasst sein, da die sogenannten »Fab Four« sich hier natürlich an sehr vielen Orten aufgehalten haben. Zahlreiche Veranstalter bieten gut ausgearbeitete Touren mit verschiedenen Schwerpunkten an, die durchaus zu empfehlen sind.

Abbey Road

Zu den meistbesuchten Plätzen mit Beatles-Bezug gehört sicher die **Abbey Road** im Viertel St. John's Wood. St. John's Wood ist ein angenehmer, ruhiger Wohnbezirk unweit des Lord's Cricket Ground (s. Kap. 86). Die berühmten Abbey Road Studios befinden sich etwa zwischen St. John's Wood Road und Belsize Road, an der Ecke der Abbey Road mit der Grove End Road in der Hausnr. 3. Die Abbey Road ist ziemlich lang, daher ist es wichtig, dass Besucher das richtige Ende erwischen. Die Studios sind heute noch in Betrieb und haben mit sehr vielen Künstlern zusammengearbeitet. Unsterblich wurden sie jedoch dadurch, dass die Beatles für das Cover ihres Albums »Abbey Road« im Jahr 1969 ausgerechnet den Zebrastreifen vor dem Haus für ein Fotoshooting nutzten. Das ganze Jahr über ärgern sich heute Autofahrer über Touristenschwärme, die hier den Zebrastreifen überqueren und die Posen der Band auf dem Cover nachmachen. Die gegenüberliegende Mauer ist mit Graffiti übersät, wo Fans aus aller Welt ihre Nachrichten verewigt haben. Auch bei den **Abbey Road Studios** hat man Kommentare auf die Mauer gekritzelt, worüber das Studio nicht besonders froh ist. Touristen, die sich nähern um Fotos zu machen, werden verscheucht. Das Straßenschild an der Kreuzung wird regelmäßig als Souvenir entwendet und ist wohl eines der am häufigsten erneuerten Schilder in ganz London. Inzwischen steht der Fußgängerübergang unter Denkmalschutz.

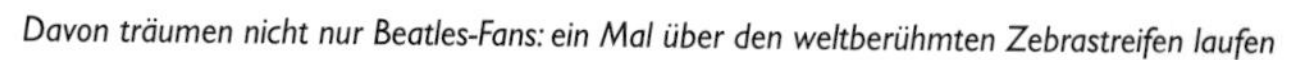

Davon träumen nicht nur Beatles-Fans: ein Mal über den weltberühmten Zebrastreifen laufen

Apple Corps Ltd.

Im Jahr 1968 gründeten die Beatles ihr eigenes Unternehmen, die **Apple Corps Ltd**. Logo war ein grüner Granny Smith-Apfel. Der Sitz der Firma war in der Hausnr. 3 der Savile Row (s. Kap. 78) und das Gebäude wurde als **Apple Building** bekannt. In den oberen Stockwerken befanden sich Büros, während es im Keller ein Aufnahmestudio gab. Die zweite Hälfte des Films »Let it Be« wurde hier am 30. Januar 1970 gefilmt. Man begab sich auf das Dach des Hauses und filmte die Band im Freien mit ihren Instrumenten. Dies wurde zu ihrem letzten Live-Auftritt.

Ganz in der Nähe des Studios hatten die Beatles in der Hausnr. 94 Baker Street die **Apple Boutique** eröffnet. Hier wurden außergewöhnliche Designartikel verkauft, wie damals in den trendigen Boutiquen üblich (s. Kap. 13). Leider wurde sowohl von der Kundschaft als auch von den Angestellten viel gestohlen, sodass die Boutique nie aus den roten Zahlen kam und am 31. Juli 1968 geschlossen wurde. Die Apple Corps produzierte auch verschiedene Filme wie die »Magical Mystery Tour«, »Yellow Submarine«, »Let it Be« und »Born to Boogie«, ein Film von Ringo Starr über den Sänger Marc Bolan (s. Kap. 70).

1987 verklagte Apple Corps die Computerfirma Apple wegen unlauterer Benutzung des Firmennamens. Man erwirkte später, dass Apple keine Musikprodukte verkaufen durfte, und mehrere Mio. US-Dollar wurden als Entschädigung gezahlt. Da Apple diese Vereinbarung mit iPod und iTunes verletzte, wurde erneut geklagt und erst 2007 eine Einigung erzielt, sodass Apple Inc. nun das alleinige Nutzungsrecht des Apfelsymbols hat. Wegen der Streitigkeiten sollte es bis November 2010 dauern, bis Beatles-Songs zum Download über iTunes erhältlich wurden.

Fans aus aller Welt hinterließen hier ihre Widmungen

INFO

Hinkommen: Abbey Road: U-Bahn-station St. John's Wood, Jubilee Line. [B1]
Information: Beatles Touren
z. B. **London Walks**, www.walks.com. Der Rundgang »The Beatles in My Life« beginnt dienstags und samstags um 11.20 Uhr an der U-Bahn-Station Marylebone. Diese Tour umfasst beispielsweise Filmlocations aus dem Film »A Hard Day's Night«, Häuser, in denen die Beatles wohnten, den Apple Shop und die Abbey Road.
Die »Magical Mystery Tour« beginnt sonntags und donnerstags um 11 Uhr, mittwochs um 14 Uhr an der U-Bahn Station Tottenham Court Road (Ausgang Dominion Theater). Hier besichtigt man die Savile Row, das London Palladium, wo die »Beatlemania« entstand, und die Abbey Road Studios. Die Touren dauern jeweils zwei Stunden und kosten für Erwachsene £ 9, ermäßigt £7, Kinder unter 15 Jahre frei.

93 The Comedy Store – britische Stand-Up Comedians

Humor wird in Großbritannien sehr ernst genommen. Angehende Komiker müssen sich erst einmal bewähren, bevor sie in den sogenannten **Comedy Circuit** aufgenommen werden. Die Tradition der **Stand-Up Comedy** entstand in den Music Halls und Varieté-Clubs, wo zwischen den Tanz- und Musikdarbietungen immer auch Komiker auftraten. Ein ähnliches Varieté-Programm boten und bieten die **Working Men's Clubs**, die Arbeiterclubs, zu denen nur Zutritt hat, wer der Gewerkschaft oder der richtigen Partei angehört.

Die Anforderungen, die an einen Stand-Up Comedian gestellt werden, sind sehr hoch, denn er ist auf sich allein gestellt und muss das Publikum mit schnell vorgebrachten Pointen fesseln. In den 1970er-Jahren wollte die junge Generation nicht immer wieder nur die alten Schwiegermutterwitze hören, und es entwickelte sich eine alternative Comedy-Szene, in der aktuellere und relevantere Themen behandelt wurden. Sexistischer oder rassistischer Humor war nicht mehr gefragt, und viele ältere Comedians verloren den Anschluss.

1979 öffnete der **Comedy Store** in London unter Dan Ward und Peter Rosengard, die sich das Konzept in den USA abgeguckt hatten. Unter den jungen Nachwuchsstars wurde Comedy wesentlich politischer, vor allem griff man die Thatcher-Regierung an, man sprach von der »Alternativen Comedy-Szene«. Die Alternativen der 1980er-Jahre gehören heute zum Establishment und haben ihre eigenen Fernsehserien. Comedy hat sich längst zu einem Standard der Unterhaltungsindustrie entwickelt, und es gibt zahllose Sit-Coms und Stand-Up Shows in den Medien. Hierdurch hat sich die Qualität jedoch nicht unbedingt verbessert. Oft ist ein Abend in einem kleinen Comedy-Club um die Ecke am unterhaltsamsten, denn hier müssen sich die Comedians noch richtig anstrengen, um ihr Publikum zu fesseln.

Seit 1979 ist der »Comedy Store« eine Instanz in Sachen britischem Humor

Sogenannte **Open Mic-Abende** oder -Sessions bieten unbekannten Neulingen die erste Chance, vor Publikum aufzutreten und ihr Material ebenso wie ihren Stil zu entwickeln. Allerdings kann dies auch daneben gehen, denn wenn derjenige hinter dem Mikrofon keine Lacher erzeugen kann, kommt es zum sogenannten Heckling, bei dem das Publikum den Comedian drangsaliert.

Hier wird Stand-Up Comedy groß geschrieben

Der Comedy Store öffnete zuerst seine Tore über einem ehemaligen Strip-Club in Soho. 1982 zog man an den Leicester Square und 1993 in die Oxendon Street. Heute werden hier **verschiedene Programme** angeboten:

Best in Stand-Up (Do, Fr, Sa): Hier treten bekannte und unbekannte Künstler für je 20 Minuten auf. Das Ganze wird moderiert von einem »MC«, dem »Master of Ceremonies«, der die Comedians vorstellt.

King Gong (letzter Montag im Monat): Hier müssen Newcomer 5 Minuten auf der Bühne durchhalten, ohne dass durch einen Gong ihr Programm unterbrochen wird. Das Publikum bekommt rote Karten, die gezeigt werden, wenn der Comedian keinen Anklang findet, dann ertönt der Gong und er muss gehen.

The Cutting Edge (Di): Hier wird politische Satire gezeigt, die Darsteller müssen improvisieren, singen und gegeneinander antreten. Hier erlebt man die Crème de la Crème der Comedians.

The Comedy Store Players (Mi, So): Diese Gruppe wurde bereits 1985 gegründet und ihr gehört beispielsweise auch Mike Myers an. Hier treten ebenfalls professionelle Comedians auf, die spontan improvisieren können und ihr Metier beherrschen.

Information

Comedy Store, 1A Oxendon Street, SW1Y 4EE, Tel.: 0844-8471728, www.thecomedystore.co.uk. Türöffnung So–Do 18.30, Fr & Sa 18 & 22 Uhr (Late Shows). Eintritt Erwachsene ab £ 19, Studenten und Krankenschwestern £ 14.

Andere Clubs:
Amused Moose Soho, 17 Greek Street, W1D 4DR, Tel.: 72873727, www.amusedmoose.com. Shows: Sa 20.30 Uhr. Eintritt Erwachsene ab £ 14.
Comedy Cafe, 68 Rivington Street, EC2A 3AY, Tel.: 77395706, www.comedycafetheatre.co.uk. Shows: Mi–Sa ab 20 Uhr. Eintritt Erwachsene £ 10–16.
Soho Theatre, 21 Dean Street, W1D 3NE, Tel.: 74780100, www.sohotheatre.com.

Tipp:
Comedy umsonst:
»Live at the Chapel«,
Union Chapel, (s. Kap. 9).
www.liveatthechapel.com.

Ausflüge

Isle of Dogs und Millennium Dome – Blick vom Greenwich Observatory

94 Greenwich I: Das Royal Observatory und der Nullmeridian

Im lebhaften Viertel **Greenwich** gibt es eine der größten Grünflächen Londons, und das Viertel bietet die perfekte Mischung an Natur und Kultur. Ein Ausflug nach Greenwich lässt sich sehr gut mit einer Fahrt auf der Themse kombinieren (s. Kap. 82). Vom Fluss aus erschließt sich die schöne Anlage mit dem alten **Naval College** und dem **Queen's House** (s. Kap. 95) am besten.

Der Park in Greenwich entstand als Jagdgelände für Henry VIII., er ließ hier Rotwild ansiedeln. Heute gibt es immer noch ein kleines Rotwildgehege, genannt »The Wilderness«. Henry VIII. kam mit dem ganzen Hofstaat per Boot hierher, und zur Unterhaltung fanden Ritterturniere, Bogenschießen und andere Zeitvertreibe statt. Henry wurde übrigens hier geboren, ebenso wie seine beiden Töchter. Elizabeth I. hatte in Greenwich ihre Sommerresidenz. Zum Anlass des diamantenen Thron-Jubiläums der Queen 2012 wurde Greenwich geadelt: Es wurde in den Stand eines »Royal Borough« erhoben und darf sich nun **Royal Greenwich** nennen.

Das Royal Observatory

Das Observatorium auf dem Blackheath-Hügel ist eines der interessantesten Museen in London. Durch den Park gelangt man nach einem kurzen Aufstieg bis nach oben. Vom Hügel aus hat man einen tollen Ausblick auf die gegenüberliegende Isle of Dogs mit den Docklands und der City im Westen.

Hier kommt die »Greenwich Mean Time« her

Charles II. initiierte den Bau des Observatoriums im Jahr 1675. Er war ein begeisterter Hobbywissenschaftler und in seinen Privaträumen in Whitehall sammelte er alle Arten von Instrumenten. Er verlieh der von Christopher Wren mitbegründeten wissenschaftlichen Organisation, der »Royal Society«, das königliche Siegel und schuf den Posten des Hof-Astronomen, den John Flamsteed als Erster innehatte. **Das Flamsteed House** mit dem achteckigen Aufbau diente der genauen Zeitbestimmung.

Auf See war damals eines der größten Probleme die genaue Ortsbestimmung durch Längengrade, daher kamen Schiffe oft vom Kurs ab und gerieten in Schwierigkeiten. Die Bestimmung des Standes der Himmelskörper und eine genaue Zeitmessung waren unerlässlich, wenn man dieses Problem lösen wollte. Jedoch gab es damals noch keine sehr akuraten Zeitmesser. Die genaue Zeit wurde schließlich durch neuartige Präzisionsuhren festgelegt, die von John Harrison 1737 erfunden wurden. Harrison, ein einfacher Mann aus dem Volk, konstruierte die sogenannten H1-, H2-, H3- und H4-Uhren, darunter auch einen tragbaren Zeitmesser, den die Seeleute auf dem Schiff verwenden konnten. Auf dem Flamsteed House befindet sich seit 1833 ein Zeitball, der weithin sichtbar ist und pünktlich um 13 Uhr jeden Tag an einer Stange nach unten fällt. Den Schiffen im Hafen der Themse diente dies zur Justierung ihrer Chronometer an Bord.

Die Astronomen zogen bereits Mitte des 20. Jh. aus London weg, da der durch die vielen Lichter erhellte Himmel über der Stadt keine Sternbetrachtung mehr zuließ.

Im **Flamsteed House** kann man die alten Messinstrumente, Teleskope und Harrison-Uhren besichtigen. Mithilfe der Präzisionsinstrumente legte man auch den Nullmeridian fest, der die Erde in eine westliche und östliche Hemisphäre unterteilt. Eine im Boden eingelassene Metallschiene, die »Date Line«, zeigt den Meridian an, und es gehört zu den Lieblingsbeschäftigungen von Touristen, sich mit einem Bein im Westen und dem anderen Bein im Osten fotografieren zu lassen. Tatsächlich hat man aufgrund verbesserter Technik und neuen Messgeräten inzwischen festgestellt, dass der Meridian ca. 102 m weiter östlich verläuft, sodass die Linie nicht mehr akurat ist. Die Festlegung des Nullmeridians dient der Synchronisation der Uhren auf der Welt in Relation zur »Greenwich Mean Time«, **GMT**.

An der Außenwand des Gebäudes befindet sich außerdem eine Darstellung der britischen Maßeinheiten »Yard« und »Foot«. Empfehlenswert ist auch der Besuch des Planetariums – nach der Vorstellung beantworten die Hausastronomen Zuschauerfragen.

Touristenattraktion: die »Date Line« in Greenwich

INFO

Hinkommen: Mit dem Boot (s. Kap. 82). Mit dem Fahrrad entlang des Themsepfads (s. Kap. 84). Mit der Docklands Light Railway von Tower Hill bis zur Station Cutty Sark. Wer gerne mal unter der Themse spazieren will, kann auch bei der Station Island Gardens aussteigen. Von hier verkehrt ein Shuttlebus bis zum Fußgängertunnel, der von der äußersten Spitze der Isle of Dogs bis nach Greenwich führt. Von der Aussichtsplattform in den Island Gardens hat man einen guten Blick auf das gegenüberliegende Ufer. [G3, G4, G5]

Information:
Royal Observatory, Blackheath Avenue, Greenwich, SE10 9NF, Tel.: 88584422, www.rmg.co.uk. Geöffnet tgl. 10–17 Uhr. Eintritt mit Flamsteed House und Meridian Courtyard Erwachsene £ 6,35 Tagesticket, ermäßigt £ 4,50, Kinder (5–15 Jahre) £ 2,25. Das »Astro Ticket« (Erwachsene £ 11,50) schließt das Planetarium mit ein.

95 Greenwich II: Marinegeschichte im Royal College und National Maritime Museum

Ganz besonderer Blick auf die City – vorbei an den zwei Kuppeltürmen des Old Royal Naval College

Wenn man vom Observatorium den Hügel hinab geht, trifft man auf einen Gebäudekomplex, der eng mit der britischen Marinegeschichte verbunden ist. Das **Old Royal Naval College**, ein weiteres Barockmeisterwerk des Architekten Sir Christopher Wren (s. Kap. 51, 52) entstand 1694 als Krankenhaus für invalide Seeleute. Wren bot seine Dienste für die Errichtung des Gebäudes für karitative Zwecke ehrenamtlich an. Die Architektur bietet komplette Symmetrie: Zwei identische Bauten mit Kuppeltürmen links und rechts werden von einer Straße durchschnitten, die einen Blick auf das dahinterliegende Queen's House freigibt. Die damalige Queen Mary II. verlangte, dass der Blick freigehalten werden sollte, damit sie vom Haus bis auf die Themse schauen konnte. 1869 entstand das **Royal Naval College**, eine Schule für Seekadetten.

Das Ensemble besteht aus vier Gebäudeteilen: dem **King Charles Court**, dem **Queen Mary Court**, dem **Queen Anne Court** und dem **King William Court**. Hier konnten bis zu 1.500 Seeleute untergebracht werden. Im Queen Mary Court befindet sich die Kapelle. Sie wurde 1789 von James Stuart neu gestaltet. Im King William Court findet man die **Painted Hall** mit einer eindrucksvollen, bemalten Barockdecke.

Das **Queen's House** stand einst inmitten des ehemaligen Tudorpalastes in Greenwich. Es wurde 1616 von James I. in Auftrag gegeben und war eines der ersten Bauwerke von Inigo Jones (s. Kap. 50) im palladianischen Stil. Es wurde im Stil des späten 17. Jh. restauriert und die Besichtigung ist frei. Das Gelände hinter dem Queens House diente während der Olympiade 2012 als Austragungsort für Reitsportveranstaltungen.

Neben dem Queen's House befindet sich das **National Maritime Museum**, eines der größten Marinemuseen der Welt. Es wurde 1937 eröffnet, um die jahrhundertelange Verbindung des Stadtteils Greenwich mit der britischen Marine gebührend zu würdigen. Diese nahm unter Henry VIII. ihren Anfang, und bereits unter Elizabeth I. baute man den Seehandel auf den Weltmeeren durch die »East India Company« aus. Während der Regentschaft von Charles II. musste man sich vor allem gegen die Niederländer zur Wehr setzen, die es auf dieselben Handelsgebiete und Seerouten abgesehen hatten. Dies war der Anlass, die Marine so weit auszubauen, dass sie schließlich zur größten Seemacht der Welt wurde und Großbritannien zu einer der reichsten Nationen machte.

In dem Museum gibt es auf drei Stockwerken Tausende von Artefakten zu besichtigen, die diese Geschichte dokumentieren: Karten, Handschriften, Schiffsmodelle und Navigationsinstrumente. Der Eingang wird von zwei riesigen Ankern flankiert. Zu den Paradestücken gehört **Admiral Nelsons Uniform** mit den zwei Einschusslöchern. Hier schlugen die Kugeln ein, durch die er starb.

Die **Cutty Sark**, ein historischer Tee-Clipper, lag seit 1957 in Greenwich vor Anker und konnte besichtigt werden. Diese Art Schiff mit dem schlanken Bug war besonders schnell und daher für den Transport von Waren gut geeignet. Die Cutty Sark schaffte beispielsweise die Strecke von Australien bis England in nur 72 Tagen. Das Schiff wurde bei einem großen Brand 2010 jedoch fast vollständig zerstört. Das restaurierte Schiff feierte gemeinsam mit einem neuen Besucherzentrum im April 2012 Wiedereröffnung. Nach den Besichtigungen kann man noch etwas durch das Zentrum von Greenwich bummeln und den **Greenwich Market** besuchen.

INFO

Hinkommen: s. Kap. 94
Information: **Old Royal Naval College**, King William Walk, Greenwich, SE10 9NN, Tel.: 8269-4799, www.ornc.org. Geöffnet tgl. 10–17 Uhr, Eintritt frei.
National Maritime Museum und **Queen's House**, Park Row, Greenwich, SE10 9NF, www.nmm.ac.uk. Geöffnet tgl. 10–17 Uhr. Eintritt frei, außer Sonderausstellungen.
Cutty Sark, King William Walk, Greenwich, SE10 9HT, Tel.: 88584422, www.cuttysark.org.uk. Geöffnet tgl. 10–17 Uhr. Eintritt Erwachsene £ 13,50, ermäßigt £ 11,50, Kinder (5–15 Jahre) £ 7. Es empfiehlt sich ein Kombiticket für die Cutty Sark und das Royal Observatory, Erwachsene £ 20, ermäßigt £ 15,45, Kinder (5–15 Jahre) £ 10.
Greenwich Market, 5b Greenwich Market, Greenwich, SE10 9HZ, Tel.: 82695096, www.greenwichmarketlondon.com. Geöffnet tgl. 10–17.30 Uhr. Mi: Wochenmarkt, Haushaltsgegenstände. Do und Fr: Antik- und Kunsthandwerksmarkt, Sa, So, feiertags: Kunsthandwerk und Wochenmarkt.
Essen & Trinken:
Inside, 19 Greenwich South Street, SE10 8NW, Tel.: 82655060, www.insiderestaurant.co.uk. Geöffnet Di–Fr 12–14.30, 18.30–23, Sa 18.30–23, So 12–15 Uhr. Moderne europäische Küche aus Meisterhand.

96 Der Queen Elizabeth Olympic Park in Stratford

Olympia 2012 war nicht nur aus der Luft betrachtet ein ambitioniertes und nicht unumstrittenes Projekt

Stratford war einst ein Industriegelände, das seit den 1970er-Jahren weitgehend brachlag und nicht mehr genutzt wurde. Es bot sich für den Bau des **olympischen Dorfs** an, da jede Investition in dem Viertel willkommen war. So ging man mit hochgesteckten Zielen an den Start: Es sollte eine Musterstadt gebaut werden, die energiesparend, umweltfreundlich und barrierefrei war. Die meisten der neu entstandenen Gebäude sind architektonisch interessant und sollen, nun eingebettet in den **Queen Elizabeth Olympic Park**, einen kulturellen und sportlichen Beitrag zum Leben in Stratford leisten.

Im Vorfeld gab es viel Kritik an dem Projekt »Olympia«, vor allem die hohen Kosten sorgten für Diskussionen. Im Bezirk Newham, zu dem Stratford gehört, wurde bereits in den letzten Jahren in Renovierung und Wiederaufbau investiert. Besucher können eine App auf das Handy herunterladen, das über Einkaufsmöglichkeiten, Sehenswürdigkeiten und Aktivitäten in der Nähe informiert. Die Apartmentblocks, in denen die Unterkünfte für die Athleten untergebracht waren, sind inzwischen in mehrere Wohnsiedlungen umgewandelt worden. Das neue East Village bietet 2.800 neue Wohnungen.

Das Olympiagelände selbst war außergewöhnlich grün angelegt: Die natürlichen Wasserläufe des Flusses Lee wurden in das Gelände integriert, die Halbinseln, auf denen sich die Hauptveranstaltungsorte befanden, wurden durch Brücken über die Flussläufe verbunden. Hieraus ist nun der **Queen Elizabeth Olympic Park** entstanden. Der Fluss Lee erstreckt sich etliche Kilometer von hier nach Norden. Der neue Erlebnispfad im Lee Valley

Regional Park führt auf dem Weg zu großen Wasserreservoirs vorbei an alten Mühlen und Vogelschutzgebieten bis nach Waltham Abbey mit einer alten Abtei und einem Wildwasserpark, dem White Water Rafting Centre.

Das **olympische Stadion** wird bis 2017 für verschiedene Veranstaltungen genutzt wie beispielsweise den Rugby World Cup. Danach zieht der Londoner Fußballverein West Ham hier ein. Das **Velodrome** mit der BMX-Bahn für die Fahrradveranstaltungen ist bereits für die Öffentlichkeit zugänglich und soll zum Zentrum für Londons neue Fahrradkultur werden – ein Lieblingsprojekt von Bürgermeister Boris Johnson (s. Kap. 84).

Hingucker: der ArcelorMittal Orbit

Das **Aquatics Centre** für die Schwimmwettbewerbe mit seiner futuristischen Architektur in Wellenform, erbaut von der Architektin Zaha Hadid, dient als öffentliches Schwimmbad und als Trainingsbecken für Vereine.

Eine weitere neue Attraktion auf dem Gelände ist der kontroverse Aussichtsturm **ArcelorMittal Orbit**. Er ist benannt nach dem Sponsor des Kunstwerks und Stahlmagnaten Lakshmi Mittal. Das Konzept für den 115 m hohen Turm – mit 455 Stufen zur Aussichtsplattform – entwarfen der Bildhauer Anish Kapoor und der Bau-Ingenieur Cecil Balmond. Die asymmetrische Struktur aus roten Stahlstreben, die sich in acht Strängen nach oben winden, ist teils Skulptur und teils ein Geniestreich der Bautechnik. Der Orbit folgt Kapoors und Balmonds Idee einer instabilen Spirale, die auf den ersten Blick kein Zentrum hat. Der Aufstieg erfolgt ebenfalls spiralenförmig, oben befinden sich zwei Plattformen mit Platz für je 150 Personen. Zwei Konkavspiegel, die den Himmel reflektieren, werden die Betrachter noch weiter verwirren. Klar, dass die Meinungen über das ungewöhnliche Werk eher geteilt sind.

Geführte Touren durch den Queen Elizabeth Olympic Park

The Olympic Walk, www.toursof2012sites.com. Touren Di und Sa 11 Uhr ab Pudding Mill Lane DLR Station. Eintritt Erwachsene £ 10, ermäßigt £ 8, Kinder £ 5. Bustouren So 10 Uhr (genaue Daten auf der Website), ab Stratford Regional Station. Eintritt Erwachsene £ 29, ermäßigt £ 21, Kinder (3–16 Jahre) £ 16.

INFO

Hinkommen: Mit der Bahn von St. Pancras nach Stratford. Mit der DLR zur Stratford International Station. [G1]
Information: queenelizabetholympicpark.co.uk.
Newham: www.newham.com.
Stratford: www.stratfordlondonapp.com.

Freizeitaktivitäten im Lee Valley Country Park wie der Wildwasserpark Lee Valley White Water Centre: www.visitleevalley.org.uk.
ArcelorMittal Orbit: www.arcelormittalorbit.com. Geöffnet April–Sept. tgl. 10–18, Okt.–März 11–17 Uhr. Eintritt Erwachsene £ 15, ermäßigt £ 12, Kinder (3–16 Jahre) £ 7.

97 Die Metropole aus der Ferne – Hampstead Heath

Ins entrückte **Hampstead** entfliehen Londoner, wenn sie einen Ausflug ins Grüne unternehmen möchten. Das große Heidegelände in Hampstead eignet sich prima zum Spazierengehen und für ein Picknick. Kinder lassen hier Drachen steigen. Zudem gibt es verschiedene kleinere Seen, in denen man baden kann. Hampstead sitzt auf einem 134 m hohen Hügel – von hier oben gibt es eine unverbaute Aussicht auf die Londoner Skyline.

Der einst reichhaltige Wald wurde nach dem Großen Brand von 1666 (s. Kap. 27) zum Wiederaufbau der Stadt verwendet. Zurück blieb eine zum großen Teil heideartige Landschaft, die hin und wieder durch kleine Baumgruppen unterbrochen ist. Das Gelände selbst gehörte einst zum Besitz der Mönche der Westminster Abbey, dann zu den Ländereien des Kenwood House. Commoners, einfache Leute, durften hier ihr Vieh grasen lassen. Erst zu viktorianischen Zeiten wurde ein öffentlicher Park eingerichtet.

Von der U-Bahn Station Hampstead zweigt in nördlicher Richtung der **Flask Walk**, der Flaschenweg, ab. Dies deutet darauf hin, dass man in der Vergangenheit hier »das Wasser nahm«, wie in vielen ländlichen Gegenden um London. Man hatte eine Mineralquelle entdeckt und füllte diese in Flaschen ab, die in den umliegenden Gasthäusern angeboten wurden.

Hampstead wurde langsam zu einem gediegenen Wohnort, dies bezeugen die gutbürgerlichen Villen aus dem 18. und 19. Jh. Das Viertel südlich von hier hat eine angenehme Atmosphäre, es gibt viele Cafés, Restaurants und nette kleine Geschäfte.

Ein Ausflug ins Grüne gepaart mit einem unvergleichlichen Ausblick auf die City – das ist Hampstead Heath

Sigmund Freud in Hampstead

Sigmund Freud lebte mit seiner Familie im Haus mit der Nummer 20, Maresfield Gardens. Hierher floh die jüdische Familie 1939 aus Österreich vor den Nazis. Unweit von hier befindet sich auch eine Statue, die an den Erfinder der Psychoanalyse erinnert. Seine Tochter Anna, die das Haus bis zu ihrem Tod im Jahr 1982 bewohnte, beließ die Einrichtung von Freuds Studierzimmer und vor allem die Praxiscouch so gut wie unverändert.
Freud Museum London, 20 Maresfield Gardens, NW3 5SX, Tel.: 74352002, www.freud.org.uk. Geöffnet im Winter Mi–So 12–17 Uhr, im Sommer Mi 12–20, Do & Fr 12–17 Uhr, Sa & So 11–17 Uhr, Eintritt Erwachsene £ 7, ermäßigt, Studenten und Kinder ab 12 Jahren £ 4, Kinder unter 12 Jahren frei.
Nahe U-Bahnstation Finchley.

Hampstead zog Intellektuelle und Kulturschaffende an, die sich aus dem hektischen Stadtleben zurückziehen wollten. So wohnte der Romantik-Dichter **John Keats** am Keats Grove. Über den Well Walk gelangt man zu einem der Badeseen, dem **Mixed Bathing Pond**, für Männer und Frauen (Mai–Sept.). Von hier geht es steil bergauf zum **Parliament Hill**, dem höchsten Punkt der Heide. Der Aufstieg lohnt sich allein schon wegen der Aussicht, und hier weht auch an stickigen Tage eine frische Brise. Im Osten des Hügels, nahe **Highgate**, gibt es weitere Seen, einen für Männer und einen für Frauen – ein Überbleibsel aus vergangenen Zeiten, als die Kurgäste hier badeten.

Man kann noch einen Spaziergang zum **Kenwood House** anschließen, das etwa eineinhalb Kilometer entfernt liegt. Das alte Herrenhaus des Earl of Mansfield wurde von dem klassizistischen Architekten Robert Adams gestaltet und enthält normalerweise eine Gemäldeausstellung. Leider kann man es momentan nur von außen besichtigen, da es ca. 18 Monate komplett renoviert wird. Im Sommer finden bei dem vorgelagerten See manchmal Open-Air-Konzerte statt. Vom Kenwood House führt die Spaniards Road wieder nach unten, in den Stadtkern. Die Grünfläche westlich von hier an der West Heath Road wird nach Sonnenuntergang zum Schwulen-Treffpunkt.

INFO

Hinkommen: U-Bahn Hampstead, Northern Line. U-Bahn Finchley Road, Jubilee Line, Bakerloo Line. Hampstead Heath, London Overground.
Information:
Keats House,
10 Keats Grove, NW3 2RR,
Tel.: 73323868, www.cityoflondon.gov.uk. Geöffnet Winter Fr & Sa 13–17 Uhr. 1. März–31. Okt. Di–So 13–17 Uhr. Eintritt Erwachsene £ 5,50, ermäßigt £ 3,50, Kinder unter 16 frei.
Der Dichter John Keats lebte in dem Haus von 1818 bis 1820. Er verliebte sich in seine Nachbarin Fanny Brawne, deren Haus in das Museum mit integriert ist. Das ganze Jahr über finden Veranstaltungen wie beispielsweise Lesungen statt. Keats starb im Alter von 25 Jahren an Tuberkulose.
Essen & Trinken:
The Wells, 30 Well Walk, NW3 1BX, Tel.: 77943785, www.thewellshampstead.co.uk. Geöffnet tgl. 12–23 Uhr. Gastropub mit bunter Speisekarte, Hauptgericht ab £ 16.

98 Ein Tag im Grünen – Kew Gardens

Kew Gardens, oder richtiger: **Royal Botanic Gardens**, war ursprünglich ein königlicher Garten. Den Aufstieg zum Botanischen Garten verdanken die Kew Gardens vor allem Prinzessin Augusta von Wales (1719–1772). Die Prinzessin aus Sachsen-Coburg war mit dem Sohn von George II. verheiratet und gab 1759 den Anstoß, exotische Pflanzen zu sammeln – von da an wuchs die Sammlung beständig. Nicht zuletzt durch die große Zahl der Mitbringsel von Seefahrern und Naturwissenschaftlern, die immer neue Pflanzenarten von den Entdeckungsreisen mitbrachten, konnte man ab 1840 von einem richtigen botanischen Garten sprechen.

Das Palm House ist das beliebteste Fotoobjekt in Kew Gardens

Heute ist Kew Gardens längst eine international anerkannte und renommierte botanische Forschungsinstitution und beheimatet 30.000 Pflanzenarten sowie eine der größten Sammlungen an Pflanzen-DNA in der Welt. Das Gelände an sich ist sehr weitläufig, und man kann hier gut und gerne mehrere Stunden zu Fuß unterwegs sein.

Es besteht die Möglichkeit, eine Rundtour mit dem kleinen Bähnchen **Kew Explorer** zu buchen, das bei den wichtigsten Sehenswürdigkeiten hält. Kew Gardens verbucht über 2 Millionen Besucher pro Jahr und gehört zum UNESCO-Weltkulturerbe.

Den Rundgang beginnt am besten beim Haupteingang **Victoria Gate**. Von hier gelangt man in Richtung Osten zum **Palmenhaus** (Palm House), dem beeindruckendsten und meistfotografierten Gebäude des Gartens. Das Design für die Konstruktion stammt von dem Nash-Schüler Decimus Burton und wurde von Richard Turner zwischen 1844 und 1848 errichtet. Das Glashaus ist 19 m hoch, da es einige sehr hohe Bäume unterbringen muss. Die Atmosphäre ist feuchtwarm. Im Keller des Palmenhauses befindet sich ein Aquarium mit Feuchtbiotopen und Ausstellungen über das Leben im und unter Wasser, etwa in Korallenriffen, Salzmarschen und Mangrovensümpfen.

Weiter östlich befindet sich das **Waterlily House**, ein verwunschenes Glashaus mit einem Wasserlilienteich wie aus dem Märchen. Vorbei an dem großen Teich, der dem Palmenhaus vorgelagert ist, gelangt man zum **Davies Alpine House**, einer sehr modernen Anlage mit Hochgebirgspflanzen. Hier werden die Temperaturen und Windverhältnisse einer alpinen Bergwiese nachgestellt. Gleich dahinter steht das **Princess of Wales Conservatory.** Hier gibt es insgesamt zehn verschiedene Klimazonen für Pflanzen wie Orchideen aus Madagaskar und Zentralamerika oder fleischfressende Pflanzen aus Afrika.

Hier gedeihen Pflanzen aus der ganzen Welt

Bei dem Spaziergang zwischen den Gewächshäusern passiert man viele dekorative Bäume und Sträucher, denn Kew ist nicht nur ein botanischer, sondern auch ein Landschaftsgarten. Nordöstlich stehen noch einige der Originalgebäude. Die elegante **Orangery** aus dem Jahr 1761 beispielsweise war ursprünglich für Zitruspflanzen gedacht, heute ist hier ein Restaurant untergebracht. Im **Kew Palace** aus dem Jahr 1781 lebte George III., nachdem seine Geisteskrankheit dauerhaft ausgebrochen war und er somit regierungsunfähig wurde. Er liebte die Botanik und erweiterte die Sammlung. Hinter dem Palast befindet sich der **Queen's Garden**, hierfür benötigen Besucher ein gesondertes Ticket.

Ein weiteres großes Glashaus befindet sich im Westen der Anlage, das **Temperate House**. Hier sind Pflanzen aus allen Kontinenten untergebracht. Die chinesische Pagode, **Pagoda**, unweit von hier, gehört noch zu den ursprünglichen Gebäuden und wurde 1762 errichtet. Nördlich davon befindet sich eine der neuesten Errungenschaften: der **Rhizotron and Xstrata Treetop Walkway**. Wer sich einmal wie im Dschungel fühlen möchte, kann auf diesen Hängebrücken durch die Wipfel der Bäume spazieren. Zum Abschluss kann man noch einen Blick auf den größten Komposthaufen der Welt werfen, der nördlich des Walkway permanent auf- und umgeschichtet wird. Nicht nur die Abfälle des Gartens wandern hierher, sondern auch der Stallmist aus den königlichen Ställen der Horse Guards.

INFO

Hinkommen: U-Bahn Kew Gardens, District Line oder London Overground. Von hier sind es 5 Minuten bis zum Victoria Gate.
Information: Royal Botanic Gardens, Brentford Gate, Kew, TW9 3AB, Tel.: 833256, www.kew.org. Geöffnet tgl. März–Aug. 9.30–18.30 Uhr, Sept.–Okt. bis 18 Uhr, Nov.–Jan. bis 16.15, Feb.–März bis 17.30 Uhr. Eintritt Erwachsene £ 14,50, ermäßigt £ 12,50, Kinder unter 7 Jahren frei. Geführte Touren beginnen tgl. um 11 und 14 Uhr am Victoria Gate.
Kew Explorer, tgl. ab 11 Uhr, Erwachsene £ 4,50, Kinder unter 17 Jahre £ 1,50. Man kann beliebig ein- und wieder aussteigen.
Essen & Trinken:
The Original Maids of Honour, 288 Kew Road, TW9 3DU, Tel.: 89402752, www.theoriginalmaidsofhonour.co.uk. Geöffnet Mo–So 8.30–18 Uhr. Der Name »Maids of Honour« bezieht sich auf einen Kuchen, den Henry VIII. nach den Zofen von Anne Boleyn benannte. Das Café führt diesen Kuchen sowie andere sehr leckere Backwaren.

99 Ausflug nach Richmond

Beine baumeln lassen, etwas trinken und im Hintergrund die alte Brücke: ein Tag in Richmond

Richmond ist ein ausgenommen hübscher Ort an der Themse und hat eine lange Vergangenheit als königliche Residenz. Allerdings hieß der Ort nicht immer Richmond, die erste Siedlung hier nannte sich **Sheen**. Bereits Edward I. hielt hier im Jahr 1299 Hofe in einem Herrenhaus, und auch nachfolgende Könige schätzten das grüne Idyll. Richard II. machte den Sheen Palace im Jahr 1383 zur dauerhaften Residenz.

Henry II., der erste Tudormonarch, trug den Titel »Earl of Richmond«. Er ließ den Palast nach einem Feuer im Jahr 1501 neu aufbauen und gab ihm den Namen Richmond Castle. Daraufhin wurde auch das Dorf Sheen zu Richmond. Henry VIII. feierte oft mit seiner Familie das Weihnachtsfest im Richmond Palace. Später gab er den Palast als Abfindung an seine geschiedene Frau Anna von Kleve. Elizabeth I. verstarb hier im Jahr 1603. Im Bürgerkrieg wurde der Palast geplündert und verfiel.

Vom Bahnhof gelangt man auf die Hauptstraße **George Street**, die direkt zum Flussufer führt. Man sollte jedoch beim Richmond Theater einen Abstecher zum **Richmond Green** machen. Auf dieser Grünfläche veranstaltete Edward IV. einst Ritterturniere.

Auf der Westseite des Parks steht noch ein Torhaus des Palastes aus dem 18. Jh. Wo die George Street zum Fluss hinunterführt, befindet sich im alten Rathaus das **Richmond Museum**. Hier wird die Geschichte Richmonds unter anderem anhand eines Modells des alten Palastes dokumentiert. Der Großteil der Gegend verblieb bis ins 18. Jh. ländlich, Industrie siedelte sich hier nicht an. Erst als George II. ein Jagdhaus errichtete, entstanden auch weitere Aristokraten-Villen.

Die **Richmond Bridge** aus dem Jahr 1777 bildet den passenden Hintergrund für die Uferpromenade mit ihren Booten. Bei schönem Wetter wird es hier sehr voll, man sitzt auf dem Rasen oder lässt die Füße vom Kai baumeln und trinkt sein Bier. Die georgianische Fassade, die den Hintergrund bildet, ist jedoch nicht original, sondern eine Rekonstruktion aus den 1980er-Jahren.

Unterhalb der Brücke gibt es einen Ruderbootverleih. An eine Partie mit dem Boot kann man einen Bummel durch die Boutiquen der Stadt anschließen und sich in einem der Café-Restaurants niederlassen.

Im White Cross Pub kann man sich gut ausruhen

Wer lieber etwas spazieren möchte, folgt der Straße Richmond Hill, die von der Brücke nach Osten abbiegt und auf einen Hügel führt. Der Ausblick von den **Terrace Gardens** hier oben hat den Ruf, einer der schönsten in London zu sein. Man blickt auf das bewaldete Tal, durch das sich die Themse schlängelt. Dieser Blick ist unter anderem von den Malern J. W. Turner und Oskar Kokoschka verewigt worden. George IV. soll nach seiner Abdankung und seiner Heirat mit der bürgerlichen Amerikanerin Wallis Simpson seine Flitterwochen hier verbracht haben.

Oben steht das beeindruckende Gebäude des **Royal Star and Garter Home**. Es ist ein Altersheim für pensionierte Soldaten und nicht zugänglich. Von hier gelangt man durch das alte Stadttor Richmond Gate in den **Richmond Park**. Der höchste Punkt, King Henry's Mound, wurde nach Henry VIII. benannt. Am Fuß des Hügels verläuft entlang der Themse ein Spazierpfad bis zu dem Herrenhaus **Ham House**. Das Haus aus dem 17. Jh. entstand zur Zeit James I. im jakobitischen Stil der Renaissance. Haus, Einrichtung, Außengebäude und Garten sind sehenswert.

INFO

Hinkommen: Mit dem Boot mit der »Westminster Passenger Services Association«, s. Kap 82. Die Anfahrt mit dem Boot dauert mehrere Stunden. U-Bahn Richmond, District Line, vom Zentrum ca. 45 Minuten.
Information: Richmond Museum Old Town Hall, Whittaker Avenue, TW9 1TP, Tel.: 83321141, www.museumofrichmond.com. Geöffnet Di–Sa 11–17 Uhr. Eintritt frei.

Ham House, Ham Street, TW10 7RS, Tel.: 89401950, www.nationaltrust.org.uk/hamhouse. Geöffnet Winter 11–16.30 Uhr, Hauptsaison bis 17 Uhr, Fr geschlossen. Eintritt Erwachsene £ 11, Kinder £ 5,50.
Essen & Trinken: White Cross Pub, Water Lane, TW9 1TH, Tel.: 89406844, thewhitecrossrichmond.com. Pub direkt beim Bootsanleger, prima bei schönem Wetter.

100 Wimbledon Common und Tennis Museum

Das englische Wort »common« bezeichnete im Mittelalter eine Grün- oder Waldfläche eines Feudalsitzes – eines »Manor House« – die von allen Anwohnern des umliegenden Dorfes genutzt werden konnte. Die Dorfbewohner konnten hier ihre Tiere weiden lassen oder Feuerholz sammeln. Auf diesem Gemeindegelände bestand Bauverbot, und daher blieben diese Grünflächen oft auch dann noch erhalten, als rundherum neue Ansiedlungen entstanden. Während der Industrialisierung wurden diese Rechte oft von den Landbesitzern angefochten, was zum Verlust der meisten Grünflächen führte. Der **Wimbledon Common** besteht jedoch noch heute. Was man hier sicher nicht erwarten würde, ist eine **Windmühle** (Windmill). Sie steht am Ende der Windmill Road, am nördlichen Ende des Common auf der Straße nach Putney (s. Kap. 70). Im 18. Jh. gab es entlang der Themse viele Kornmühlen, die mit Wasser oder Dampf angetrieben wurden. Die Anwohner Wimbledons waren jedoch mit der Qualität des Mehls aus den industriellen Mühlen nicht zufrieden und wollten ihr Mehl selbst mahlen. 1816 hatte dies unter dem Antragsteller Charles March Erfolg. Die Mühle wurde gebaut und in Betrieb genommen.

Für Tennis ist Wimbledon bekannt: Warteschlange vor dem Turnier

1864 verkündete der Landbesitzer und »Lord of the Manor« Earl Spencer, dass er den Common einzäunen lassen und dort ein neues Manor House errichten wolle. Dagegen setzten sich die Anwohner zur Wehr und nach einem sechsjährigen Rechtsstreit wurde die Grünfläche durch den »Wimbledon and Putney Commons Act« von 1871 gerettet. Dieser übertrug den Common auf die Gemeinde.

Heute gibt es in der Mühle ein **Museum**, das die Geschichte der Mühle und des Wohnhauses erzählt. Unter anderem lebte hier Robert Baden Powell, der Gründer der britischen »Scouts«, der Pfadfinder.

Das Wimbledon Lawn Tennis Museum

Der **All England Lawn Tennis and Croquet Club** (AELTC) ist ein privater Tennisclub mit 375 Mitgliedern. Er wurde 1868 als Croquet Club gegründet. 1875, als Tennis modern wurde, richtete man auch einen Tennisplatz ein. Bald war man nur noch ein Tennisclub. Bereits 1877 wurde der erste Wettkampf ausgetragen. Der »weiße« Sport, so genannt aufgrund der Kleidung, war zunächst vor allem in der Oberschicht beliebt. Tennisclubs waren sehr exklusiv und nur durch Mitgliedschaft zugänglich.

Noch heute ist Wimbledon der einzige Court, in dem auf Rasen gespielt wird. Der Club hält seine Traditionen aufrecht, das Stadion wirkt wie ein Relikt aus vergangener Zeit. Allerdings ist mit Wimbledon auch ein Mythos verbunden, der es am Leben hält. Noch heute stehen Fans tagelang Schlange, um Tickets zu ergattern. Im Stadion selbst zahlt man ein Vermögen für ein paar Erdbeeren mit Sahne. Bis vor ein paar Jahren musste man auch immer noch den Regenschirm bereithalten, denn der Centre Court war nicht überdacht und Dutzende von Spielen mussten aufgrund von Regen abgebrochen werden. Zu den Schattenseiten der Traditionen gehörte auch, dass bis vor wenigen Jahren das Preisgeld für weibliche Spieler wesentlich niedriger war.

Die zwei Wochen dauernden **Wimbledon Championships** finden jährlich von Ende Juni bis Anfang Juli statt. Jeden Tag werden an der Kasse 500 Tickets für die Centre Courts verkauft. Um an diese Tickets zu kommen, nächtigen Angereiste teils mehrere Nächte im Zelt. Für die anderen Courts bekommt man schon eher eine Karte.

Außerhalb der Spielzeit kann man das **Wimbledon Museum** besichtigen, das zumindest einen Hauch der Atmosphäre erahnen lässt. Hier erfährt man einiges über die Geschichte des Spiels. Am besten unternimmt man zuerst eine der geführten Touren durch das Stadion und besucht dann das Museum. Die Tour dauert 90 Minuten und führt zu Plätzen wie dem Centre Court, den Umkleidekabinen und dem Presseraum, von dem aus die Spiele kommentiert werden. Die Tour muss man allerdings schon vorher buchen.

Orte zum Besichtigen

Wimbledon Windmill, Manor Cottage, Windmill Road, SW19 5NR, Tel.: 89472825, www.wimbledonwindmill.org.uk. Geöffnet Ende März–Ende Okt. Sa 14–17, So 11–17 Uhr. Eintritt Erwachsene £ 2, ermäßigt und Kinder £ 1. U-Bahn Wimbledon, District Line, dann Bus Nr. 93.

Wimbledon Lawn Tennis Museum, All England Lawn Tennis and Croquet Club, Church Road, SW19 5AE, Tel.: 89466131, www.wimbledon.org. Geöffnet tgl. 10–17 Uhr. Eintritt Erwachsene £ 12, ermäßigt £ 10, Kinder £ 7. Der Preis für die geführte Tour schließt den Preis für das Museum mit ein. Tour und Museum, Eintritt Erwachsene £ 22, ermäßigt £ 19, Kinder £13.

Hinkommen: U-Bahn Southfields, District Line, von dort weiter mit Bus Nr. 493.

Essen & Trinken: Dog and Fox Pub, 24 High Street, Wimbledon, SW19 5EA, Tel.: 89466565, www.dogandfoxpub.com. Beliebter Pub mitten in Wimbledon mit umfangreicher Speisekarte.

INFO

101 Das königliche Waffenarsenal in Woolwich

Der Blick in die gut gefüllte Halle zeigt: Im Royal Artillery Museum geht es um Waffen

In **Woolwich**, am Südufer der Themsemündung, entstand im Jahr 1513 die erste königliche Werft. Henry VIII. war gerade erst gekrönt worden und träumte von siegreichen Schlachten. Er sah aber auch die Notwendigkeit, sich gegen die großen Mächte Frankreich und Spanien auf dem Kontinent zur Wehr setzen zu können. Die Seeflotte kam Elizabeth I. zu Hilfe, als Philipp II. von Spanien 1588 mit seiner Armada gegen England segelte. Im Ärmelkanal wurden die Schiffe durch eine List auseinandergetrieben und dann unter Vizeadmiral Sir Francis Drake beschossen.

Als Teil der Marinewerft richtete Henry das **Royal Arsenal** ein, in dem Schießpulver und Kugeln hergestellt wurden. Die Werft wurde im Jahr 1869 geschlossen, aber das Waffenarsenal überlebte. Im Ersten Weltkrieg wurde es in eine riesige Waffenfabrik umgebaut. Rund 100.000 Arbeiter, viele davon Frauen, stellten hier Munition her. Die Chemikalien, die verwendet wurden, waren giftig und viele Arbeiterinnen und Arbeiter litten unter Zahnausfall und Hautkrankheiten. Da die Haut sich oft gelblich verfärbte, nannte man die hiervon betroffenen Arbeiter auch »Kanarienvögel«. Hier wurden unter anderem die eineinhalb Millionen Bomben hergestellt, die 1916 während der ersten Tage der Schlacht an der Somme verfeuert wurden. Zum Abtransport gab es eine eigene Bahnlinie.

Im Waffenarsenal wurde bereits 1820 ein Museum eingerichtet, damals zeigte man vor allem Stücke aus der Sammlung von Sir William Congreve, dem Erfinder der ersten militärischen Rakete.

Heute befindet sich die Sammlung innerhalb der ehemaligen Fabrikmauern des Originalgebäudes aus dem 18. Jh. Das Museum trägt den schlagkräftigen

Namen **Firepower**, »Feuerkraft«. Viele der Kanonen, die hier ausgestellt sind, wurden in der königlichen Waffenfabrik hergestellt. Außer Waffen aus verschiedenen Jahrhunderten sind Uniformen ausgestellt, Dokumente und andere Artefakte, die 700 Jahre Artillerie-Geschichte verdeutlichen.

Die Gatling-Kanone, eine automatische Schusswaffe

Obwohl es nur um Waffen geht, gibt sich das Museum recht kinderfreundlich: Hier gibt es etliche interaktive Spiele und Videos. So beispielsweise eine audiovisuelle Show, genannt »Field of Fire«. Im sogenannten »Schussfeld« wird eine Schlacht nachgestellt, Rauch füllt den Raum, Bomben erschüttern den Boden, Lichter suchen den Horizont ab. Außerdem kann man einen Panzer fahren und sich im Schießen üben. Manch einer wird fragen, ob diese Art von Kriegsspiel die Anwendung von Waffen nicht verherrlicht, anstatt zum Nachdenken über Kriege anzuregen. Wer mehr über die Geschichte des Arsenals erfahren will, wird im **Greenwich Heritage Centre** fündig.

Für viele ist der Name **Arsenal** vor allem auch mit dem gleichnamigen Fußballclub verbunden. Im Jahr 1866 gründeten die Arbeiter der Munitionsfabrik ihr eigenes Fußballteam. Zuerst hießen sie »Royal Arsenal«, später »Woolwich Arsenal«. Aufgrund der Verbindung zur Waffenindustrie war der gängige Spitzname auch »Gunners«. So zeigte das erste Wappen des Clubs drei Kanonen, heute ist es nur noch eine. Als man 1913 in ein neues Stadium in Holloway im Bezirk Islington umzog (s. Kap. 9), entfiel die Bezeichnung Woolwich und der Verein nannte sich nur noch Arsenal.

INFO

Hinkommen: Bahn Woolwich Arsenal (5 Minuten entfernt) oder nach Woolwich Arsenal mit der DLR. Von Nordgreenwich fahren die Busse Nr. 472, 161, 96 und 180 zum Arsenal.

Information:

Firepower, the Royal Artillery Museum, Royal Arsenal, SE18 6ST, Tel.: 88557755, www.firepower.org.uk. Geöffnet Di–Sa 10–17 Uhr Uhr. Eintritt Erwachsene £ 5,30, ermäßigt £ 4,60, Kinder £ 2,50. Aktivitäten wie Panzerfahren etc. kosten extra.

Greenwich Heritage Centre, Artillery Square, Royal Arsenal, SE18 4DX, Tel.: 88542452, www.royalgreenwich.gov.uk/heritagecentre. Geöffnet Di–Sa 9–17 Uhr.

Anhang

Geschichtlicher Abriss

50 n. Chr. Die Römer errichten die erste Brücke über die Themse und gründen die Siedlung »Londinium«.

430 Angeln, Sachsen und Jüten wandern ein und erbauen die neue Stadt »Lundewic«.

886 Nach der Zeit der nordischen Invasionen vertreibt Alfred der Große die Dänen und besiedelt das alte Londinium neu. Unter seiner Herrschaft erlebt die Stadt einen Aufschwung als Handels- und Wirschaftszentrum und wird Sitz der englischen Könige.

1042 Edward the Confessor lässt die Westminster Abbey bauen. 1065 verlegt er seinen Regierungssitz dorthin und erklärt Londinium zur Hauptstadt Englands.

1066-67 Der Normanne William the Conqueror siegt in der Schlacht bei Hastings und lässt sich kurz nach Edwards Tod 1066 in Westminster Abbey zum König krönen. Er errichtet den White Tower als Befestigung.

1173 Die London Bridge wird von den Normannen in eine Steinbrücke umgebaut, die bis 1750 die einzige steinerne über der Themse bleibt.

1215 König John wird von den englischen Baronen gezwungen, die Magna Charta zu unterzeichnen, die die Macht des Königs einschränkt und Bürgerrechte garantiert. Sie ist die früheste Niederschrift von Bürgerrechten in der Welt.

1290 Die Kreuzzüge führen zu einer Welle des religiösen Fanatismus. Juden, die in der »Old Jewry« wohnen, werden aus der Stadt verjagt.

1295-37 Das »Model Parliament« - ab 1327 unter Edward III. eine feste Institution, bestehend aus Adel, Kirche und Vertretern der Bürgerschaft - tritt unter Edward I. erstmals in Westminster zusammen. Es zeichnet sich bereits eine Trennung des Parlaments in House of Lords, Oberhaus, und House of Commons, Unterhaus, ab.

1387 Der im Londoner Hafen angestellte Zollbeamte Geoffrey Chaucer liefert mit den »Canterbury Tales« eine Chronik der Lebensbedingungen seiner Zeit und begründet mit dem Werk die englische Literatur.

1476 William Caxton stellt in Westminster die erste englische Druckerpresse auf.

1485-1509 Henry VII. begründet das Haus Tudor, ruft die Handelsmarine ins Leben und erbaut die Kapelle der Westminster Abbey.

1534 Um die Scheidung von seiner Frau Katharina von Aragon zu ermöglichen, die ihm keinen Sohn geboren hatte, sagt Henry VIII. sich von der römisch-katholischen Kirche los und ernennt sich zum Oberhaupt der anglikanischen Kirche.

1553-58 Henrys und Katarinas Tochter Mary versucht erfolglos, die katholische Kirche erneut zu etablieren. Sie lässt in Smithfield 300 Protestanten verbrennen, was ihr den Namen »Bloody Mary« (Blutige Maria) einbringt.

1558 Nach dem Tod von Queen Mary blüht unter der Regentschaft von Henrys Tochter mit Anne Boleyn, Elizabeth I., London kulturell auf und wird zum führenden Handels- und Wirtschaftszentrum Europas. Ende des Jahrhunderts ist England eine Kolonialmacht.

1566 Thomas Gresham gründet die »Royal Exchange«, die erste Börse.

1576	Das erste Freilichttheater »The Theatre« entsteht im Bezirk Finsbury.
1599	Die Kompagnie »Lord Chamberlain's Men«, der Shakespeare und die Söhne von James Burbage angehören, organisiert den Bau des Globe Theatre, aus den Überresten des The Theatre. Shakespeare und Burbage stehen beide auf der Bühne und spielen viele Hauptrollen.
1605	»Gunpowder Plot«: Katholische Edelmänner um Guy Fawkes deponieren Schießpulver im Keller des Parlaments, um am 5. November König James I. und seine Kabinettsminister in die Luft zu sprengen. Dies schlägt fehl und die Attentäter werden grausam bestraft.
1642	Nach Auflösung des Parlaments durch König Charles I. bricht ein Bürgerkrieg aus. Das Parlament siegt unter Oliver Cromwell. Charles wird vor dem Banqueting House enthauptet, und das Oberhaus wird abgeschafft. Nach elf Jahren Herrschaft des Puritaners Cromwell wird von den Stuarts die konstitutionelle Monarchie wiederhergestellt.
1666	Der Große Brand (Great Fire) von London bricht im Zentrum der Altstadt aus. Über die Hälfte der Stadt brennt nieder. Der Architekt Christopher Wren soll die Kirchen in London wieder aufbauen
1688	William III. verjagt den Katholiken James II. in der »Glorious Revolution« vom Thron. Er gründet die Bank von England, um den Krieg gegen Frankreich zu finanzieren.
1714–27	König George I. aus der Hannoveraner Linie regiert zusammen mit Sir Robert Walpole, erster Premierminister. Als Regierungssitz wird erstmals Downing Street Nr. 10 bezogen.
1766	Die alten Stadttore und Mauern werden abgerissen, um das Wachstum der Stadt zu ermöglichen.
1790	Dank der Industriellen Revolution blüht der Handel, und die Häfen zwischen dem Tower und der London Bridge sind mit dem Warenverkehr überfordert. 1799 wird deshalb mit dem Bau neuer Docks im Londoner Osten begonnen. Die ersten Gaslaternen werden aufgestellt.
1829	Robert Peel gründet die Londoner Stadtpolizei, die »Bobbies«.
1836	Die erste Eisenbahnlinie in London fährt von der Station London Bridge nach Greenwich.
1837	Unter Königin Viktoria umspannt das Britische Imperium ein Fünftel des Erdballs. London besitzt den größten Hafen der Welt. Vom Reichtum profitiert jedoch nur eine Hälfte der Bevölkerung, die andere Hälfte lebt unter unzumutbaren Bedingungen.
1858	Das Jahr des »großen Gestanks« (Great Stink). Die Themse ist so stark verschmutzt, dass der Fluss penetrant nach Fäkalien riecht.
1859–66	Ein neues Abwassersystem wird von Joseph Bazalgette gebaut.
1861	Die schlechten Lebensbedingungen der unteren Klassen, vor allem im Londoner East End, sind Anlass für Karl Marx' Werk »Das Kapital«, das zum großen Teil in der Britischen Nationalbibliothek entstand.
1863	Die erste unterirdische Eisenbahn bzw. U-Bahn der Welt fährt zwischen den Bahnhöfen Paddington und Farringdon.
1888	Die Prostituiertenmorde von Jack The Ripper sorgen im East End für Angst und Schrecken. London hat über 4,5 Millionen Einwohner.

1914–18 Die deutschen Zeppeline fliegen im Ersten Weltkrieg Luftangriffe auf London. Etwa 2.500 Menschen werden dabei getötet.

1926 Landesweiter Generalstreik der Arbeiter und Minenarbeiter, der für neun Tage das gesamte öffentliche Leben lahmlegt. Als Notstandsregelung lässt Premierminister Stanley Baldwin Suppenküchen im Hyde Park aufstellen, Studenten müssen den Busverkehr übernehmen.

1940 Während deutscher Luftangriffe (»The Blitz«) werden von September 1940 bis Mai 1941 Hunderttausende von Gebäuden, vor allem im East End Londons, zerstört. Etwa 29.000 Menschen sterben.

1953 Krönung von Königin Elizabeth II.

1960–69 »Swinging London«. Kings Road und Carnaby Street werden Zentrum der Pop- und Modewelt. Mary Quant erfindet den Mini-Rock.

1970–79 Ölkrise und Verschuldung peinigen das Land. Die terroristische »Irish Republican Army«, IRA, verübt eine Serie von Bombenanschlägen an zentralen Plätzen der Stadt.

1977 Queen Elizabeth feiert ihr Silbernes Jubiläum (25 Jahre). Der sarkastische Song »God Save the Queen« der Punkgruppe Sex Pistols erreicht die Nummer Eins der Hitparade, darf aber nicht gespielt werden. Die Band führt ihn öffentlich auf und wird verhaftet.

1979 Die Conservative Party unter Margaret Thatcher gelangt an die Macht, wegen ihrer rigorosen Poilitk wird sie »Eiserne Lady« genannt.

1980–89 Rassenunruhen in Brixton gegen die Regierung. Entstehung der alternativen Comedy-Szene gegen Rassismus und Sexismus.

1991 Die IRA verübt einen Anschlag auf Downing Street Nr. 10. Daraufhin bleibt die Straße bis heute für Besucher gesperrt.

1997 Im Mai 1997 gewinnt die Labour Partei die Macht und leitet unter Tony Blair eine Welle von Reformen ein. Prince Charles' Frau, Lady Diana Spencer, stirbt im September bei einem Autounfall in Paris. Ihr Tod wird zum größten Medienereignis aller Zeiten: 1,5 Millionen Menschen kommen zur Trauerfeier nach London.

2002 Queen Elizabeth feiert ihr Goldenes Thron-Jubiläum (50 Jahre).

2008 Es kommt es zu einer Wirtschaftskrise, ausgelöst durch einen Bankenkollaps. Die Londoner City wird hierdurch schwer getroffen.

2010 Die Labourregierung verliert die Wahl. Da es keine Stimmenmehrheit gibt, bilden die konservativen Tories unter David Cameron zusammen mit der Liberalen Partei unter Nick Clegg eine Koalition. Damit zieht erst zum zweiten Mal in der Geschichte Britanniens eine Koalitionsregierung in die Downing Street ein.

2011 Am 29. April heiratet Prinz William die bürgerliche Kate Middleton, beide tragen nun den Titel Duke und Duchess of Cambridge.

2012 In London wird die 30. Olympiade ausgetragen. Queen Elizabeth II. feiert ihr diamantenes Thron-Jubiläum. Die Stadt feiert den 200. Geburtstag des Schriftstellers Charles Dickens.

2013 »The Shard«, das größte Hochhaus Londons (310 m), eröffnet seine Aussichtsplattform. Prince George, der Sohn der Duke und Duchess of Cambridge, erblickt am 22. Juli das Licht der Welt.

2014 Seit April ist der Queen Elizabeth Olympic Park als Freizeitpark geöffnet.

Besondere Unterkünfte – eine kleine Auswahl

Clink 78
78 Kings Cross Road, WC1X 9QG, Tel.: 71839400, www.clinkhostels.com. Doppelzimmer ab £ 40, Schlafsaal ab £ 12.
Ein Hostel mit Geschichte: In dem Gebäude befand sich einst der Magistrate's Court von Clerkenwell (Schiedsgericht). Hier saßen die Bandmitglieder der Punkband »The Clash« in einer Zelle. Sie waren angeklagt, auf vorbeifliegende Tauben geschossen zu haben. In Erinnerung an diese Historie heißt die Bar der Hostel »Clashbar«.
Es gibt ein »All-you-can-eat«-Frühstücksbuffet, bei dem auch der Hungrigste satt wird. Außerdem ist ein Sightseeing-Spaziergang im Preis eingeschlossen. Eine weitere Filiale gibt es in der 261–165 Gray's Inn Road, Tel.: 78339400.

Youth Hostel Holland Park
Holland Walk, W8 7QU, Tel.: 0845-3719122, www.yha.org.uk.
Preis je nach Saison und Verfügbarkeit ab ca. £ 18 pro Nacht/Person. Diese Jugendherberge ist vor allem aufgrund ihrer Lage im Holland Park einzigartig. Untergebracht in einem Herrenhaus aus dem Jahr 1607 wacht man mitten im Grünen auf (s. Kap. 69). Die Anzahl der kleineren Zimmer ist begrenzt, daher muss man schon lange vorher buchen.

Church Street Hotel
29–33 Camberwell Church Street, SE5 8TR, Tel.: 77035984, www.church streethotel.com. Doppelzimmer mit Bad £ 125, mit Bad auf dem Flur ab £ 70. Hotel mit mexikanischem Flair in Südlondon. Die Zimmer sowie die Empfangsräume im Hotel sind in kubanisch-mexikanischem Dekor eingerichtet – Frida Kahlo lässt grüßen. Die Bäder sind mit ausgefallenen Kacheln dekoriert. Die Seifen und Shampoos stammen allerdings von der Firma Korres in Griechenland. Zum Frühstück gibt es die feinsten Bio-Zutaten vom benachbarten Borough Market (s. Kap. 4).

40 Winks
109 Mile End Road, Stepney Green, E1 4UJ, Tel.: 77900259. Raum 1, Einzelzimmer, £ 120 pro Nacht. Raum 2, Doppelzimmer, £ 195 pro Nacht (jeweils mit Frühstück). Untergebracht in einem Stadthaus aus dem Jahr 1717. Hier gibt es nur zwei Zimmer, aber die haben es in sich. Der Designer David Carter hat stilsicher die Atmosphäre des 18. Jh. eingefangen und mit modernen Utensilien kombiniert. Die Räume werden oft für Fotoshootings genutzt.

Pavilion Fashion Rock'n'Roll Hotel
34–36 Sussex Gardens, Hyde Park, W2, Tel.: 72620905, www.pavilionhoteluk.com. Einzelzimmer £ 69, Doppelzimmer £ 100. Dieses Hotel ist das Gegenteil von minimalistisch. Jeder Raum hat ein Thema, z. B. »Better Red Than Dead« ist in dunkelroten Tönen gehalten, »Casablanca Nights« mit marrokanischem Einschlag, »Honky Tonk Afro« bewegt sich in den 1970er-Jahren, »Metallica« im Hardrock-Himmel und viele weitere.

Boundary Hotel
2–4 Boundary Street, Eingang Redchurch Street, E2 7DD, Tel.: 77291051, www.theboundary.co.uk. Einfaches Doppelzimmer Mo–Sa £ 275, So £ 235. Dieses Hotel wurde vom Designer Terence Conran zusammen mit seiner Frau Vicky entworfen. Die Zimmer sind jeweils im Stil eines Designers, bzw. eines Design-Stils gehalten, so gibt es z. B. Zimmer im Stil von Corbusier, Bauhaus und Mies van der Rohe. Im Hotel befindet sich auch das renommierte **Albion Restaurant**.

Stilvoll nächtigen lässt es sich in einem der zahlreichen Bed & Breakfast in London

Shoreditch Rooms
Ebor Street, E1 6AW, Tel.: 77395040, www.shoreditchhouse.com.
Die Zimmer hier sind elegant und schlicht in Weiß und Beige gehalten. Das Besondere ist die Location in Shoreditch, allerdings auch die zusätzlichen Einrichtungen, die es bietet. Das Hotel hat eine Restaurant-Bar auf dem Dach mit einem Swimmingpool. Dieser ist nur für Hotelgäste und für die exklusiven Mitglieder des Hotelclubs zugänglich (s. Kap. 8). Außerdem hat das Hotel sein eigenes Spa mit Namen **Cowshed**.

B&B Belgravia
64–66 Ebury Street, SW1W 9QD, Tel.: 72598570, www.bb-belgravia.com. Doppelzimmer ab £ 89 pro Nacht. Revolutionäres Bed and Breakfast im schicken Belgravia. Die Räume sind hypermodern eingerichtet. Etwas ganz Besonderes ist der Garten im Hinterhof, sonst bei Hotels in London eher selten.

Portobello Hotel
22 Stanley Gardens, W11 2NG, Tel.: 77272777, www.portobellohotel.com. Doppelzimmer £ 195. Die Räume in diesem Hotel in einem klassizistischen Stadthaus in Notting Hill sind in klassischem Plüsch eingerichtet, Himmelbetten und Barockengel eingeschlossen. Seit den 1970er-Jahren steigt hier bevorzugterweise die Musikszene ab.

Citizen M Hotel
20 Lavington Street, SE1 0NZ, Tel.: 35191680, www.citizenm.com/londonbankside. Hypermodern und trendiges Hotel. Freies WLAN, digital kontrolliertes Licht und Ambiance per MoodPad. Doppelzimmer ab £ 180.

Hoxton Hotel
81 Great Eastern Street, EC2A 3HU, Tel.: 75501000, www.hoxtonhotels.com. £ 69–299. Die Atmosphäre in den weitläufigen Räumen hat industriellen Schick. Das Restaurant und die Bar sind ein Treffpunkt der Nachtleben-Szene von Hoxton. Wer in den Fanclub eintritt, bekommt Ermäßigungen.

London mit Kindern

Beim Großstadtbesuch ist man meist lange auf den Beinen, und mit Kindern muss man öfter eine Pause einlegen. London ist gesegnet mit vielen **Parks** und **Grünflächen**, wo es Spielplätze gibt, auf denen Kinder herumtollen können und wo man picknicken kann. Bei warmem Wetter bieten sich auch die Wasserspiele am **Somerset House** an (s. Kap. 43). In **Hampstead Heath** kann man Drachen steigen lassen (s. Kap. 97). Ebenso gibt es keinen Mangel an Wasserwegen und Seen, und bei einer Bootstour auf der Themse oder beim Rudern auf dem **Serpentine Lake** im Hyde Park kommen auch Eltern auf ihre Kosten. Hinterher kann man noch die Enten und Schwäne füttern (s. u.). Auch die **Horse Guards** (s. Kap. 64), mit den Soldaten in ihrer Uniform und das **Changing of the Guards** am Buckingham Palace (s. Kap. 55) sind für Kinder interessant. Wenn man aufgrund des Wetters nach drinnen ausweichen muss, bieten sich z. B. die **Puppentheater** in Islington und Little Venice an (s. u.), wo man auch ohne perfektes Englisch der Handlung folgen kann. Die Akrobaten am **Covent Garden** sind auch einen Blick wert (s. Kap. 80). Viele der **Museen in London** sind im Hinblick auf Kinder sehr interaktiv. Hier kann man mehrere Stunden verbringen, und die Zeit vergeht dennoch wie im Flug. Oft kann man auch bereits die Zeit auf dem Weg zu den Sehenswürdigkeiten verkürzen: In der vollautomatischen **Docklands Light Railway** (DLR) kann man z. B. ganz vorn in der Kabine sitzen und Fahrer spielen. Einige Tourveranstalter bieten außerdem kindgerechte Rundfahrten an (s. Praktische Informationen).

Parks und Spielplätze

Abenteuerspielplatz Kensington Gardens (A3), Diana Memorial Playground, Kensington Gardens (s. Kap. 66). U-Bahn High Street Kensington, District und Circle Line. Geöffnet Mai–Aug. 10–19.45, April–Sept. 10–18.45, März–Okt. 10–17.45, Feb.–Okt. 10–16.45, Nov.–Jan. 10–15.45 Uhr. Der Spielplatz befindet sich im Nordwesten des Parks, dort gibt es ein großes Piratenschiff, Indianerzelte und eine Dünenlandschaft.

Abenteuerspielplatz Holland Park (A3), Holland Park Adventure Playground, Holland Park, (s. Kap. 69). U-Bahn High Street Kensington, District und Circle Line. Der Abenteuerspielplatz befindet sich in der Nähe des japanischen Gartens. Hier gibt es Klettergerüste und Schaukeln für ältere Kinder. Direkt daneben ist ein separater Bereich für Kleinkinder.

Hyde Park – Lake Serpentine (B3), Hyde Park, U-Bahn Hyde Park Corner, Piccadilly Line. Bootsvermietung: The Boat House. Am See im Hyde Park kann man eine Reihe von verschiedenen Booten mieten und Enten oder Schwäne füttern (s. Kap. 65).

Bauernhof in der Stadt (E1), Hackney City Farm, 1a Goldsmiths Row, E2 8QA, Tel.: 77296381, www.hackneycityfarm.co.uk. U-Bahn Hoxton, London Overground. Unweit des Geffrye Museum (s. Kap. 8) in östlicher Richtung befindet sich dieser Stadtbauernhof mit Ziegen und Schweinen, wo viele Aktivitäten für Kinder angeboten werden.

Theater

Im Sommer veranstalten viele Theater eine **Kinderwoche**. Das bedeutet, dass Kinder in ausgesuchten Musicals freien Eintritt haben, was die Eintrittspreise eines Theaterbesuchs erheblich reduziert. Infos unter: www.kidsweek.co.uk.

Little Angel Puppet Theatre, 14 Dagmar Passage, N1 2DN, Tel.: 72261787, www.littleangeltheatre.com. Eintritt £ 5–12,50. Dieses Marionettentheater in Islington (s. Kap. 9) wurde bereits 1961 von John Wright gegründet. Hier werden bekannte und neue Stücke gezeigt, allein die fantasievollen Marionetten sind einen Besuch wert.

Puppet Theatre Barge, Blomfield Road, W9 2PF, Tel.: 72496876, www.puppet barge.com. Bei diesem Miniaturtheater auf einem Ausflugsboot in Little Venice (s. Kap. 68) muss man aufgrund begrenzter Sitzanzahl im Voraus buchen.

Museen und andere Sehenswürdigkeiten

Leavesden Studios, The Making of Harry Potter, Studio Tour Drive, Leavesden, WD25 7LS, Tel.: 0845-0840900, www.wbstudiotour.co.uk (s. Kap. 91).

London Eye, London Eye, South Bank, SE1 7PB, Tel.: 0871-7813000, www.lon doneye.com. (s. Kap. 81).

London Film Museum, 45 Wellington Street, WC2E 7BN, Tel. 36173010, www.londonfilmmuseum.com, Mo–Sa 10–18, So 11–18 Uhr, Eintritt frei. (s. Kap. 40).

London Transport Museum, Covent Garden Piazza, WC2E 7BB, Tel.: 75657298, www.ltmuseum.co.uk. Geöffnet Mo–Do, Sa & So 10–18, Fr 11–18 Uhr. Eintritt Erwachsene £ 15, ermäßigt £ 11,50, Kinder bis 17 Jahre frei. Busse, Zugabteile und Autos werden hier spielend erkundet.

Natural History Museum, Cromwell Road, SW7 5BD, Tel.: 79425011, www.nhm.ac.uk. Geöffnet tgl. 10–17.15 Uhr. Eintritt frei. Bereits in der Eingangshalle zieht das riesige Dinosaurierskelett alle Blicke auf sich (s. Kap. 46).

National Maritime Museum und Queen's House, Park Row, Greenwich, SE10 9NF, www.nmm.ac.uk. Geöffnet tgl. 10–17 Uhr. Eintritt frei. In dem Museum in Greenwich (s. Kap. 94/95) ist das Planetarium sicherlich für ältere Kinder interessant. In der Children's Gallery haben kleinere Kinder ihren Spaß, hier dreht sich alles um das Leben auf einem Schiff.

Museum of London Docklands, No. 1 Warehouse, West India Quay, E14 4AL, Tel.: 70019844, www.museumoflondon.org.uk. Geöffnet Mo–So 10–18 Uhr. Eintritt frei. In der Mudlark's Play Area können größere Kinder z. B. einen Tea Clipper beladen, für Kleinkinder gibt es eine Spielecke. (s. Kap. 7).

Science Museum, Exhibition Road, SW7 2DD, Tel.: 79424000, www. sciencemuseum.org.uk. Geöffnet tgl. 10–18 Uhr. Eines der interaktivsten Museen Londons, hier wird Kindern verschiedener Altersgruppen Physik spielerisch erklärt, es gibt spezielle Vorführungen, z. B. über Raumfahrtraketen und Seifenblasen (s. Kap. 46).

London Zoo, Regent's Park, NW1 4RY, Tel: 0844-2251826, www.zsl.org/ zsl-london-zoo. Geöffnet Nov.–Feb. 10–16, März–Okt 10–17.30 Uhr. Preise variieren nach Saison: Winter Erwachsene £ 26, ermäßigt £ 24, Kinder £ 17,50. Die Destination für Kinder schlechthin.

Festivals und Events

In London finden das ganze Jahr zahlreiche Veranstaltungen statt. Einen detaillierten Festivalkalender findet man auf den Webseiten der Touristeninformation, www.visitlondon.com/de und des Bürgermeisters www.london.gov.uk/get-involved/events. Die untenstehende Tips sind eine Auswahl:

Januar/Februar

International Mime Festival: Über zwei Wochen hinweg finden Mitte Januar an verschiedenen Orten der Stadt Kleinkunstaufführungen, von Pantomime bis Puppentheater, statt. Infos unter www.mimefest.co.uk.
Chinesisches Neujahrsfest: Die Kulisse für dieses Fest Anfang Februar bildet Chinatown, das durch Darbietungen wie Drachentänze, Musik und Feuerwerk noch bunter und lebhafter wird. Infos unter www.londonchinatown.org.
Pancake Day: Dieses letzte Überbleibsel des Karnevals in England steigt am Fastnachtsdienstag. Dann stehen Pfannkuchen auf dem Speiseplan und am Spitalfield Markt findet ein Pfannkuchenrennen statt. Infos unter www.alternativearts.co.uk.
London Fashion Week: Die Catwalk-Show der Londoner Designer findet jeweils im Februar und September nach der Show in New York und vor den Shows in Mailand und Paris statt, Veranstaltungsort ist das Somerset House (s. Kap. 42). Infos unter www.londonfashionweek.co.uk.

März

St. Patrick's Day (17. März): Der Nationalfeiertag der Iren wird besonders im irischen Viertel Kilburn in Nord-London feuchtfröhlich und mit Paraden gefeiert (s. Kap. 15). Auch in der Innenstadt gibt es eine Parade und danach eine Kirmes am Trafalgar Square.
Oxford & Cambridge Boat Race: Von Putney Bridge bis Mortlake liefern sich die Ruderer der beiden Universitäten Ende März auf der Themse ein Rennen (s. Kap. 70). Infos unter www.theboatrace.org.

April/Mai

London Marathon: In der dritten Aprilwoche steht die Stadt von Greenwich bis Westminster für dieses sportliche Ereignis still. Mit ca. 35.000 Teilnehmern der größte Marathonlauf der Welt. Infos unter www.virginlondonmarathon.com.
Queen's Birthday: Am 21. April wird mit 41 Kanonenschüssen im Hyde Park an den Geburtstag der Königin erinnert. Richtig gefeiert wird aber im Juni (s. u.).
Maifeiertag, May Bank Holiday: Dies ist immer der auf den ersten Mai folgende Montag. Das ganze Land nutzt dieses verlängerte Wochende für Ausflüge, was regelmäßig zu Verkehrsstaus führt.
Boishaki Mela: Das Bengalische Neujahr wird mit einem Festival im Victoria Park (South Hackney) gefeiert. Infos unter http://boishakhimela.org.
Chelsea Flower Show: Blumen und Gartenschau Ende Mai im Royal Hospital nahe der Themse in Chelsea. Infos unter www.rhs.org.uk.
Covent Garden May Fayre & Puppet Festival: Ende Mai/Anfang Juni findet dieses Puppentheater-Festival rund um die St. Paul's Church in Covent Garden statt.

Juni/Juli

Trooping the Colour: Dies ist die Parade zum offiziellen Geburtstag der Königin (zweiter Samstag im Juni). Die Queen inspiziert ihre Truppen auf dem Paradeplatz während eines zeremoniellen Aufmarsches von mehreren Stunden.

Coin Street Festival: Multikulturelles Musikfestival unterhalb des Oxo-Tower an der Southbank (Juni–Aug.). Infos unter www.coinstreet.org.

Royal Academy of Arts, Sommerausstellung: Riesige Ausstellung mit Werken von Studenten der Kunstakademie, unabhängigen und etablierten Künstlern, Juni–Aug. (s. Kap. 54). Infos unter www.royalacademy.org.uk.

Wimbledon Lawn Tennis Championship: Für einen Sitzplatz am Centre Court der exklusiven Tennismeisterschaften Ende Juni/Anfang Juli muss man Monate vorher buchen (s. Kap. 100). Karten für die anderen Courts lohnen sich aber auch. Infos unter www.wimbledon.com.

London Literature Festival: Ende Juni/Anfang Juli wird die Southbank Schauplatz dieses Literaturfestivals mit internationalen Gästen. Infos unter www.southbankcentre.co.uk/whatson.

Barclaycard British Summer Time at Hyde Park: Zweiwöchiges Musikfestival im Hyde Park (2014: 4.–13 Juli). Dazu gibt es Film, Musik, Literatur und Sportveranstaltungen. Infos unter www.bst-hydepark.com.

Pride London: Mit Abschlussparade des zweiwöchigen Schwulen- und Lesbenfestivals in der Stadt. Infos unter http://pridelondon.ca.

Juli

City of London Festival: Vier Wochen lang wird im Bezirk der City an verschiedenen Orten gefeiert, mit Theater, Konzerten und Lesungen. Infos unter www.colf.org.

BBC Henry Wood Promenade Concerts – PROMS: Eine Serie von hochkarätigen, klassischen Konzerten in der Royal Albert Hall wird zu verbilligten Preisen der Öffentlichkeit zugänglich gemacht (Juli–Sept.). Die letzte Nacht der »Proms« im September gerät jeweils zum Volksfest, bei dem die ganze Albert Hall bekannte Melodien mitsingt. Das Ereignis wird weltweit in den Medien übertragen (s. Kap. 46).

August/September

London Design Festival: Hier zeigen britische Designer was sie können. Es finden über 300 Ausstellungen und Events in ganz London statt (2014: 13.–21. Sept.). Infos unter www.londondesignfestival.com.

Great British Beer Festival: Dieses Fest wird Anfang August von einer Initiative zur Förderung von »Real Ale« organsiert. Wer wissen will, wie echt englisches Bier schmeckt, kann dort über 300 Sorten Ale probieren. Der Earls Court wird dann zu einem großen Pub mit Livemusik. Infos unter www.gbbf.org.uk/home.

Notting Hill Carnival: Der karibischste Straßenkarneval außerhalb der Karibik mit Reggaemusik, Steel Bands, kostümierten Tänzern und kulinarischen Köstlichkeiten. Es gibt kein Entkommen vor der Masse der Feierwilligen. Nichts für Leute mit Angst vor Tuchfühlung. Infos unter www.thenottinghillcarnival.com.

Open City London: Am dritten Wochenende im September findet dieser Tag der offenen Tür statt. Hier erhält man kostenfrei Eintritt in verschiedene

Museen und auch zu Gebäuden, die der Öffentlichkeit normalerweise nicht offen stehen wie beispielsweise den Hochhäusern der City. Infos unter www.openhouselondon.org.
Great River Race: Wieder einmal ist die Themse Schauplatz einer Bootsregatta. Diesmal müssen die Boote so schnell wie möglich die 22 Themse-Meilen vom Ham House in Richmond bis Greenwich zurücklegen. Infos unter www.greatriverrace.co.uk.
Mayor's Thames Festival: Wer einen Fluss hat, soll ihn auch nutzen: Rund um die Themse finden Mitte Sept. zahlreiche Events statt, auf dem Wasser und am Ufer, zum Abschluss gibt es einen Laternenumzug und ein Feuerwerk.
Costermonger Harvest Festival: Das alljährliche Fest der Pearly Kings und Queens, mit Maibaumtänzen und Cockney-Knees-Up findet Ende Sept. bei der London Guildhall statt (s. Kap. 47). Infos unter www.pearlysociety.co.uk.

Oktober

London Film Festival: Von Mitte bis Ende Oktober findet dieses vom BFI veranstaltete internationale Filmfestival statt (s. Kap. 40). Infos unter www.bfi.org.uk/lff/.
Lord Mayor's Show: Hier wird jedes Jahr der neue Lord Mayor, der Bürgermeister der City of London, eingeschworen. Dies geschieht mit einer Prozession vom Mansion House bis zu den Royal Courts of Justice, wo er vom Richter empfangen wird. Die goldene Kutsche wird von einer Parade begleitet. Infos unter www.lordmayorsshow.org.

November

Bonfire Night (Guy-Fawkes-Night): Am 5. November erinnern sich die Briten an die erfolgreiche Vereitelung eines Sprengstoffanschlags des Katholiken Guy Fawkes auf König James I. Lagerfeuer werden errichtet, auf denen Strohpuppen verbrannt werden. Das Feuerwerkskonzert gleicht unserer Neujahrsknallerei.
Remembrance Day: Mit einer offiziellen Schweigeminute wird am 11. November um 11 Uhr (Ende des Ersten Weltkriegs) der Toten der beiden Weltkriege und der Kriege der neueren Zeit gedacht. Mohnblumen-Anstecker werden verkauft, deren Erlös an die Kriegsgeschädigten geht. Am Cenotaph (s. Kap. 2) werden Blumenkränze niedergelegt.

Dezember

Christmas Lights & Trees: Anfang Dezember wird von einer bekannten Persönlichkeit offiziell die Weihnachtsbeleuchtung in der Oxford-, Regent- und Bond Street angeschaltet.
Pantomimes: Nach alter britischer Tradition werden rund um Weihnachten in vielen Theatern die sogenannten Pantomimes für Kinder und Erwachsene aufgeführt – eine Mischung aus Märchen und Varieté. Bekannte Stars müssen sich als jeweils anderes Geschlecht verkleiden. Ein Spektakel, bei dem das Publikum lautstark mitgeht.
New Years Eve Celebrations: Während der Silvesterfeier finden entlang der Themse unterhalb des London Eye Konzerte statt. Das Feuerwerk wird von Booten auf dem Fluss abgeschossen.

Praktische Informationen

Information

Visit Britain/Visit London: www.visitbritain.com/de/DE/, www.visitlondon.com/DE. Die britische Touristeninformation ist vor allem online präsent. Hier erhält man generelle Reisetipps und Infos über Angebote, Unterkünfte, Theatertickets u. ä.
LondonTown.com, Tel. 72922333, www.londontown.com. Geöffnet Mo–Fr 8–23, Sa & So 9–21 Uhr. Bei diesem hilfreichen Service erhält man telefonisch und online Hilfe bei der Buchung von Hotels, Theatertickets und bei der Planung von Stadttouren. Es gibt mehrsprachige Mitarbeiter.

Infostellen in London

An den Flughäfen, in den großen Bahnhöfen und U-Bahnhöfen gibt es Informationsschalter, die Prospekte bereithalten und bei der Buchung von Hotels, Tickets und Fahrkarten behilflich sein können.
Heathrow Terminals 1, 2, 3 U-Bahn Zugang, TW6 1JH.
Victoria Railway Station Travel Information Centre, gegenüber Gleis 8, SW1V 1JU.
St. Pancras Station, Westeingang, Euston Road, N1 9AL.
Liverpool Street Underground Station, EC2M 7PP.
Piccadilly Circus Underground Station, W1D 7DH.
City of London Information Centre, St. Paul's Churchyard, City of London, EC4M 8BX.
Greenwich Tourist Information, Pepys House, 2 Cutty Sark Gardens, U-Bahn Cutty Sark/DLR. Geöffnet tgl. 10–17 Uhr.

Eintrittspreise

Um die Kosten für Eintrittspreise bei Sehenswürdigkeiten niedrig zu halten, sollte man unbedingt online im Vorverkauf buchen, denn man erhält wesentlich günstigere Tickets. Man sollte außerdem darauf achten, dass man Netto-Preise, also ohne »Gift Aid« zahlt. Denn viele Organisationen genießen inzwischen aus steuerlichen Gründen Wohltätigkeitsstatus und schlagen automatisch auf ihre Preise die sogenannte »Gift Aid« auf. Der Kunde zahlt dann mehr, aber beide Seiten können eine Steuervergünstigung beantragen. Die Gift Aid ist freiwillig, und als Besucher aus dem Ausland sollte man sicherstellen, dass man diese nicht mitzahlt.

Theatertickets

Rund um den Leicester Square gibt es Kioske, die verbilligte Theatertickets verkaufen, z. B. TKTS, Half Price Ticket Booth (ww.tkts.co.uk/leicester-square). Geöffnet Mo–Sa 9–19, So 10.30–16.30 Uhr.

London Pass

Touristen, die besonders viel besichtigen möchten, können sich den »London Pass« zulegen. Er garantiert freien Eintritt zu vielen Sehenswürdigkeiten. Außerdem erhält man Ermäßigungen bei Bootsfahrten, etc. Der Pass kann für 1–6 Tage ausgestellt werden und man kann ihn auch mit einer Travelcard kombinieren. Ohne Travelcard: 6 Tage, Erwachsene £ 102/Kinder £ 72 £,

3 Tage Erwachsene £ 77/Kinder £ 53, 1 Tag £ Erwachsene 47/Kinder £30. Mit Travelcard: 6 Tage Erwachsene £ 156/Kinder £ 99, 3 Tage Erwachsene £ 104/ Kinder £ 63, 1 Tag Erwachsene £ 56/Kinder £ 34. Infos: www.londonpass.de.

Telefonieren
Beim Telefonieren und Surfen auf dem Handy, Smartphone oder Tablet im Ausland sollte man sich vorher beim Anbieter genau über die Roaming-Kosten informieren. Bei manchen Anbietern kann man limitierte Pakete erhalten. In vielen öffentlichen und kulturellen Einrichtungen, Hotels, Cafés und Restaurants ist WiFi (WLAN) kostenlos nutzbar, sofern man sich den entsprechenden Code für den Log-In geben lässt. Fur Simlock-freie Geräte eignen sich auch englische Prepaidkarten (dann mit englischer Telefonnummer).
Die **Vorwahl** nach England lautet 0044, nach Deutschland 0049, die 0 der Ortsvorwahl muss bei internationalen Verbindungen jeweils weggelassen werden. Die **Londoner Vorwahl** ist 020 und braucht im Stadtgebiet von Festnetzanschlüssen aus nicht mitgewählt zu werden.

Die allgemeine **Notfallnummer** lautet **999**, Polizei: 101.

Internet
Über »The Cloud« kann man sich nun im Stadtbereich Londons kostenlos in das freie WLAN-Netz Londons, das »City of London Wifi Network«, einloggen. Hierzu muss man eine App für Android, IOS und Windows herunterladen. Die Verbindung zu den Hotspots wird dann automatisch herstellt. Wer ein anderes Softwaresystem benutzt, z. B. Blackberry, findet ebenfalls Anleitungen und Hilfe. An 120 U-Bahnhaltestellen und 50 Bahnhöfen stellt »Transport for London – TfL« kostenfreies WiFi zur Verfügung. Voraussetzung ist, dass man Kunde bei den Telefonanbietern Virgin Media, EE, T-Mobile, Orange, Vodafone oder O2 ist. Virgin Media bietet jedoch einen limitierten WiFi-Pass für die Zeit des Aufenthalts an.
Infos: City of London Wifi Network, www.cityoflondon.gov.uk.
The Cloud, www.thecloud.net/free-wifi/get-the-app.
Transport for London, www.tfl.gov.uk/corporate/projectsandsche mes/23939.aspx. PDF mit allen Stationen zum Download.
Virgin Media WiFi Pass: my.virginmedia.com/wifi/index.html.

Verkehrsmittel
Das U-Bahnnetz und die Bahn in London bringen Besucher zu fast allen Sehenswürdigkeiten. Auf allen Hauptstraßen verkehren außerdem Busse, Fahrpläne mit Straßenangabe findet man an den Haltestellen.
Infos: Transport for London – TfL, Tel.: 0343-2221234, Telefon mit Ansage: 020-79183015, www.tfl.gov.uk.

Fahrkarten
Wer sich nur wenige Tage in London aufhält, für den ist z. B. die **Day Travelcard** geeignet. Sie gilt 24 Stunden auf allen Verkehrsmitteln und wird nach Zonen ausgestellt. Der Innere Stadtbereich umfasst Zonen 1 und 2, der äußere Stadtbereich Zonen 3–6. Die London Overground und National Rail bewegen sich auch außerhalb dieses Bereichs in den Zonen 7–9. Eine

Travelcard, Zone 1–4, kostet £ 11,40 für 1 Tag, für 7 Tage £ 45 (im Vergleich dazu kostet ein Einzelticket in Zone 1 bereits £ 4,70). Wer sich länger in London aufhält, sollte sich eine **Visitor Oyster Card** für Besucher ausstellen lassen. Dies ist eine Prepaidkarte, die man am Ticketschalter in den Bahnhöfen und der U-Bahn aufladen kann. Man zahlt hierfür eine einmalige Ausstellungsgebühr, die man jedoch bei Rückgabe der Karte zurückbekommt. Die Oyster Card wird an der elektronischen Schranke zur U-Bahn/Bahn eingelesen und wählt immer den günstigsten Tagestarif, so spart man einiges. Travelcard und Oyster Card berechtigen außerdem zu vergünstigen Bootsfahrten (s. Kap. 82).

Währung

Das Britische Pfund, abgekürzt £, ist aufgeteilt in 100 Pence, kurz »p«. Der Wechselkurs lag im April 2014 bei £ 1 = 1,21 Euro/CHF 1,48.

Anreise

Per Flugzeug

London hat fünf Flughäfen (Heathrow, Gatwick, Stanstead, Luton und City Airport), die z. B. von Lufthansa, British Airways aber auch von Billigfluglinien angeflogen werden. Online erhält man Informationen über Fluglinien und Flugpreise beispielsweise bei www.fluege.de.

Infos: **Flybe**, www.flybe.com. **Easyjet**, www.easyjet.de. **Germanwings**, www.germanwings.de. **Lufthansa**, www.lufthansa.de. **Ryanair**, www.ryanair.de.

Per Zug

Mit dem ICE kommt man von Köln und Brüssel schnell nach London. In Köln kann man umsteigen in den Thalys nach Brüssel, der deutsche ICE ist jedoch schneller. Von Brüssel geht es weiter mit dem **Eurostar** bis zum Bahnhof St. Pancras in London. Die Fahrtzeit von Köln bis London mit Umsteigezeit beträgt ca. 5,5 Std. Die besten Preise erhält man bei der Online-Buchung.

Infos: **Deutsche Bundesbahn**, www.bahn.de. **Eurostar**, www.eurostar.com. **Thalys**, www.thalys.com.

Per Bus

Die Anreise mit dem Bus der **Eurolines** (Deutsche Touring GmbH) ist eine der preiswertesten Möglichkeiten der Anreise, allerdings dauert diese recht lange und ist eher unbequem. Die meisten Busse fahren über Nacht. **Infos**: **Eurolines**, Deutsche Touring GmbH, Tel.: 069-7903501, www.touring.de.

Mit dem Auto

Die Anreise nach London mit dem Auto dauert von Köln ca. 7 Std., von Frankfurt ca. 10 Std., von München ca. 15 Std. Die schnellste Strecke führt von Köln durch Belgien bis nach Calais in Frankreich. Von dort aus besteht ein reger Fährverkehr nach Dover im Süden Englands. Wahlweise kann man mit dem Autozug den Eurotunnel durchqueren, dieser endet in Folkstone. Von Dover/Folkstone gelangt man über die M20 bis zur Ringautobahn M25 und von dort ins Zentrum. Wer mit dem Auto in die Innenstadt Londons möchte, sollte die sogenannte »Congestion Charge« (City-Maut) nicht übersehen. Hier werden schnell £ 12 am Tag fällig. Infos unter www.tfl.gov.uk/roadusers. **Infos: Eurotunnel**, www.eurotunnel.com. **P&O Ferries**, www.poferries.com. **DFDS Ferries/Norfolkline**, www.norfolkline.com.

Register

London in Zahlen

Geografische Lage:	Breitengrad: 51° 30' 28" N, Längengrad 00° 07' 41" W. Der Nullmeridian in Greenwich ist Ausgangspunkt der Längengrade und damit auch der Zeitzonen.
Länge der M25 Umgehungsautobahn:	188 km
Stadtgebietsfläche:	Inner London 1,579 km², Outer London 1,254 km²
Höchste Brücke:	Tower Bridge 61 m hoch, 244 m breit
Verwaltung:	Greater London Authority, GLA Bürgermeister Boris Johnson
Bezirke (Boroughs), Inner London:	32 Boroughs sowie die City of London
Bezirke Outer London, Home Counties:	Essex, Hertfordshire, Buckinghamshire, Berkshire, Surrey, Kent
Einwohner in Inner London:	7.668,300, davon ca. 31 % Nicht-Briten
Einwohner Greater London Urban Area:	ca. 8,5 Mio.
Gesprochene Sprachen:	ca. 300
Höchster natürliche Erhebung in Inner London:	Hampstead Heath 134 m
Parks und offene Plätze:	ca. 3.000
Universitäten und Hochschulen:	86
Millionäre in London:	Vierthöchste Anzahl an Millionären/ Milliardären in der Welt
Restaurants mit Michelin-Sternen:	60 – nur Paris hat mehr
U-Bahn:	London hat das älteste U-Bahn-System der Welt (1863).
U-Bahn Stationen:	270
End-Bahnhöfe:	18
Taxis in London:	21.000
Besucher pro Jahr:	ca. 7,5 Mio. Touristen, 2,8 Mio. geschäftliche Besucher
Passagieraufkommen Flughafen London Heathrow:	65,7 Mio., damit das höchste Passagieraufkommen der Welt
Designer in London:	46.000 (23 % aller Designer in Großbritannien)
Ausgaben für Design pro Jahr:	£ 50 Milliarden

Die Autoren

Lilly Nielitz-Hart, studierte Amerikanistik und Kulturwissenschaft und arbeitete lange für eine namhafte Kulturinstitution in Frankfurt/Main. Sie ist als freie Journalistin, Autorin und Übersetzerin für Verlage und Kulturinstitutionen in Deutschland und Großbritannien tätig.

Simon Hart, geboren in Leeds, studierte Geschichte und Archäologie. Er lehrte Archäologie u. a. für die University of British Columbia und nahm an zahlreichen archäologischen Ausgrabungen teil. Heute ist er als Lehrer für Geschichte und Politik tätig.

Die Autoren haben London als Studenten, Geschäftsreisende und Arbeitssuchende kennengelernt und in so unterschiedlichen Stadtteilen wie Putney, Finsbury Park und West Ham gelebt. Heute leben sie in der Grafschaft Dorset an der Südküste Großbritanniens. Zu den gemeinsamen Publikationen für verschiedene Verlage gehören Reiseführer zum Thema Großbritannien und dem Mittelmeerraum sowie Stadtführer zu Edinburgh und London. Für Iwanowski's Reisebuchverlag verfassten sie auch »101 Südengland – Geheimtipps und Top-Ziele«.

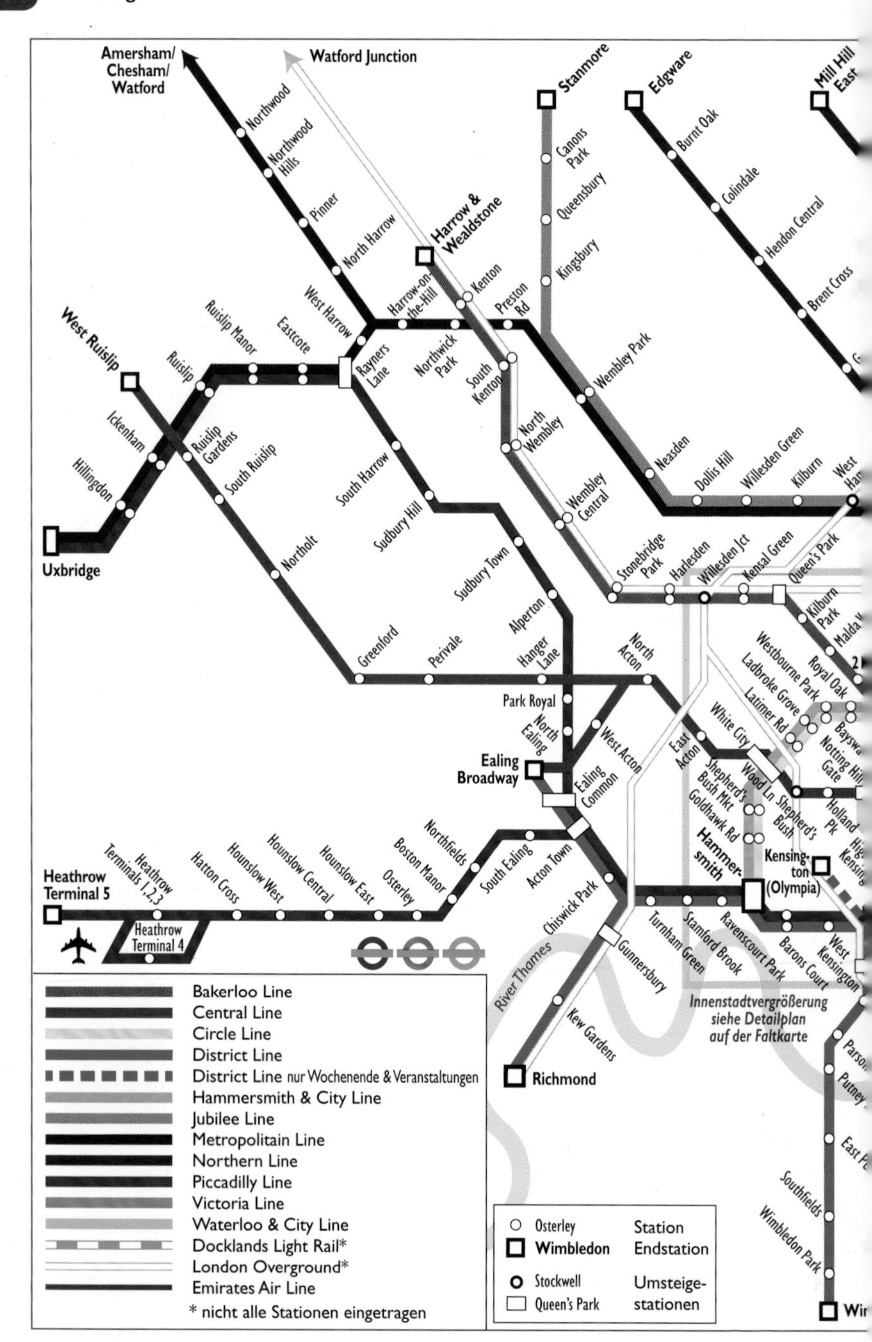

Bakerloo Line
Central Line
Circle Line
District Line
District Line nur Wochenende & Veranstaltungen
Hammersmith & City Line
Jubilee Line
Metropolitain Line
Northern Line
Piccadilly Line
Victoria Line
Waterloo & City Line
Docklands Light Rail*
London Overground*
Emirates Air Line
* nicht alle Stationen eingetragen
Osterley Station
Wimbledon Endstation
Stockwell Queen's Park Umsteige-stationen
Innenstadtvergrößerung siehe Detailplan auf der Faltkarte
Amersham/ Chesham/ Watford
Watford Junction
Stanmore
Edgware
Uxbridge
West Ruislip
Harrow & Wealdstone
Ealing Broadway
Heathrow Terminal 5
Heathrow Terminal 4
Richmond
Kensington (Olympia)
Hammersmith
River Thames